TWIJFELS OVER BELGIË

Petra Kruijt

Twijfels over België

Zomer & Keuning

ISBN 978 90 5977 550 3
NUR 301

Omslagontwerp: Julie Bergen
Omslagfoto: Terry Doyle, Getty Images
Foto auteur: Monique Valkenburg
© 2010 Uitgeverij Zomer & Keuning, Kampen

www.nederlandsechicklit.nl
www.petrakruijt.nl

1

Uiterst tevreden zat ik in de tram van Scheveningen naar station Den Haag na mijn interview met Johnny Depp. Het interview was een groot succes, want ik:

- frummelde niet aan mijn loshangende pluk haar
- stelde serieus goede vragen
- stamelde niet en stotterde niet
- wist het stukje maanzaad tussen zijn tanden te negeren
- had een goede balans tussen knikken en doorvragen
- signaleerde zijn grapjes en lachte erom
- rondde het interview netjes binnen het afgesproken halfuur af
- gaf Johnny ten slotte een nauwelijks klamme bedankhand, waarna hij me op mijn wang kuste.

Het was moeilijk te geloven, zelfs vlak nadat het plaatsvond. Maar we hadden echt tegenover elkaar gezeten in een rustig achterafkamertje van het Kurhaus, het hotel waar hij verbleef – iets wat overigens maar weinig mensen wisten. Ik, helemaal alleen met Johnny Depp. (Hoewel er aan de andere kant van de deur een dame stond die alles nauwlettend in de gaten hield. Volgens mij stond ze zelfs af en toe met haar oor tegen de deur te luisteren.) Het allerbelangrijkste, wist ik al ver van tevoren, was dat ik mezelf tenminste niet compleet belachelijk maakte –

dat lukte mij namelijk nog weleens. Maar vandaag niet. Ik was de beste journalist van Nederland. Misschien zelfs van de wereld. Als je niet hakkelt, stamelt, zweet of in tranen van geluk uitbarst wanneer je Johnny Depp interviewt, kun je alles aan. Ik voelde me de koning te rijk en te goed voor deze wereld.

Helaas waren er ook dingen waarop ik geen invloed had. De trein terug naar Amsterdam bijvoorbeeld, die uitgerekend nu uitviel vanwege een seinstoring. Maar mij kregen ze er niet onder. Ik reisde gewoon via Utrecht. Had ik mooi wat extra tijd om uit het raam te staren en te mijmeren over mijn ontmoeting met Johnny Depp.

Ik keek om me heen naar de andere mensen op het perron. Ik wist haast zeker dat ik de enige was die een vol halfuur met Johnny Depp had gebabbeld. Bijna had ik met ze te doen omdat ik zo'n waanzinnig interessante baan had en zij niet. Bijna. Want ik had er hard genoeg voor gewerkt, dus het was ook logisch en eerlijk dat ik het krediet kreeg.

De trein rolde het station binnen. Ik ging tegenover zomaar iemand zitten en vertelde haar waar ik net vandaan kwam. Ik kon het niet laten; ik moest het even aan iemand kwijt, ongeacht wie. Dat was ook publiciteit voor *Mariquita*. Kon nooit kwaad, hoewel zij niet tot onze doelgroep behoorde. Een interview met Johnny Depp was toch zeker voor iedereen interessant.

Zij tegenover me leek maar matig onder de indruk. Misschien vond ze me een opschepper. Maar het maakte niet uit. Mijn interview was een mooie gespreksaanleiding en ik had vermaak nodig, want ik was vergeten de AKO op station Den Haag leeg te kopen. Stom ook. Ik was er in gedachten straal voorbijgelopen. En die gedachten gingen voor de verandering eens niet over concurrerende tijdschriften.

Meestal rangschikte ik bij het uitzoeken van tijdschriften gelijk de aanwezige exemplaren van *Mariquita* zodat ze een prominente positie kregen. Ik zette ze voor de andere titels en verspreidde ze door het damesbladenschap. Waar je ook keek, je zag *Mariquita*. Uit onderzoek (ben even vergeten welk) blijkt dat tijdschriftenkopers in een kiosk voor de makkelijkste weg gaan: het blad dat het meest in het zicht staat, verkoopt het best. De plank onder aan het tijdschriftenschap is een hotspot omdat daar de hele cover te zien is, maar de absolute topplek is een stapeltje naast de kassa. Je koopt een pakje sigaretten en een Twix en hup, je neemt ook dat tijdschrift even mee. Tijdschriftenverkoop is een psychologisch spel. Ik speelde het graag mee, al was het me nog niet vaak gelukt om een stapeltje naast de kassa te creëren. Tenminste niet zonder dat de verkoper het opmerkte en me sommeerde de bladen als de wiedeweerga terug in het schap te zetten. Ik was het gesprek met de oudere vrouw beu. De trein reed station Gouda binnen. Ik pakte mijn spullen bij elkaar alsof ik eruit moest en stapte over naar een andere coupé. Uit het raam kijken en nagenieten van mijn prestatie was ook prima. Ik hoefde niet zo nodig op te scheppen bij wildvreemden, want dankzij dit interview zou straks toch iedereen in het wereldje mijn naam kennen. *Interview: Stella Vonk*, zou erbij staan, vlak onder de kop van het artikel en vlak naast het hoofd van Johnny Depp. Ik zou telefoontjes krijgen van hoofdredacteuren die me smeekten naar hun blad over te stappen en mijn mailbox zou volstromen met complimenten van collega's – die het liefst in mijn schoenen zouden staan. Eindelijk zou ik erkend worden als de topjournalist die ik al jaren was.

Voor ik het wist, kwam ik al fantaserend aan in Amsterdam. Zelfs de overstap op Utrecht-Centraal had ik in mijn dromerige bui vlekkeloos gemaakt. Ik stapte in de tram en reisde drie haltes mee, tot ik vlak bij de redactie uitstapte. Die bevond zich in een verzamelpand met allerlei bladen die onder dezelfde uitgeverij vielen. Het was een imposant gebouw, maar het stond aan de verkeerde kant van de stad. Voorheen hadden alle redacties verspreid over panden in de binnenstad gezeten. Ik was toen nog geen medewerker – het schijnt heel sfeervol te zijn geweest.

'Hoe was je interview?' vroeg Nora zodra ik de redactieruimte binnenliep.

'Heel boeiend. Ik had ook niet anders verwacht met zo'n fascinerende man. En ik kon hem echt van alles vragen, afgezien van de verboden vragen uiteraard,' lachte ik. Elke beroemdheid had zo zijn *no-go areas*. Dat moest je als journalist respecteren, anders kwam de pr-dame de kamer binnen en stuurde je stante pede de deur uit. 'Hij vond het volgens mij ook leuk om met me te praten.'

'Dus het wordt een topinterview?' vroeg Nora met grote ogen.

'Ik denk het wel. Maar goed, hij moet het ook nog accorderen.' Het was algemeen bekend dat de types rondom celebrity's moeilijk deden over elke komma, dus ik moest het secuur uitwerken. Bij interviewkandidaten van een iets minder kaliber speelde ik weleens met de uitspraken. Meestal in hun voordeel: ik poetste de boel wat op en voegde er een paar vleugjes aan toe – pit, humor, dat soort dingen. Dat kon nu onder geen voorwaarde. Gelukkig had Johnny genoeg interessante dingen gezegd om er een mooi stuk van te maken zonder citaten uit hun verband te trekken. En ik had speciaal voor deze gelegenheid een voicerecorder meegenomen, dus ik had de opname waarmee ik kon bewijzen dat hij alles gezegd had wat ik opschreef. Ik mocht dit niet verpesten. Niet nu, op het moment dat mijn journalistieke carrière op het punt stond een vlucht te nemen.

Ik was net lekker aan het tikken toen mijn chef, Hilde, naast mijn bureau verscheen. Vanuit mijn ooghoek zag ik hoe ze afwachtte tot ik stopte om haar aan het woord te laten. Ik maakte de zin af en keek op van mijn werk, maar juist op dat moment riep de hoofdredacteur Hilde bij zich. Mijn chef verontschuldigde zich en ik stortte me weer op het interview, dat al mijn aandacht opslokte. Het was uitstekend materiaal. Dit ging scoren, ik voelde het.

Een halfuur later kreeg ik een e-mail van Hilde. De pop-up rechtsonder in mijn scherm, met de onderwerpregel van de mail waarin stond dat het over mijn contract ging, prikkelde me om erop te klikken. 'Kun je als je straks klaar bent naar mijn kantoor komen? Ik wil het over je contract hebben. Groet, Hilde.'

Oké, een interview met Johnny Depp uitwerken was natuurlijk heel belangrijk. Maar mijn eigen contract... Op dit bericht wachtte ik al weken. Over twee maanden liep het jaarcontract waaronder ik werkte af. Een nieuw tijdelijk contract mocht ik volgens de wet niet meer krijgen. Dus we gingen onderhandelen over een vast contract. Met nieuwe afspraken, over een beter salaris en doorgroeimogelijkheden bijvoorbeeld.

Ik kon me niet meer concentreren op het interview. Het document met de notities tot dusver sloeg ik op in mijn persoonlijke map én op de gedeelde schijf, en voor de zekerheid mailde ik het ook nog even naar mijn privéadres. Ik stond op, rekte me uit en liep met een zelfverzekerde glimlach naar Hildes kantoor.

'Binnen,' zei ze na twee korte klopjes op de deur van mijn kant.

'Hoi,' zei ik, en voelde de zenuwen opkomen. 'Ik zag je e-mail. Over mijn contract.'

'Klopt, klopt. Je bent er snel bij. Neem plaats.'

Iets in haar toon klopte niet. Zij klonk ook zenuwachtig, en een tikkeltje afstandelijk. Dat was nergens voor nodig. We waren op de redactie goede bekenden van elkaar, sommige redacteuren waren zelfs met elkaar bevriend. Niemand zei ooit dingen als 'neem plaats', tenzij het was tegen een hooggeplaatste bezoeker. Ik was lichtelijk van mijn stuk gebracht, maar deed wat Hilde zei. Vanuit mijn stoel keek ik haar afwachtend aan. Het is slecht nieuws, spookte door mijn hoofd. Heeft ze er minder geld uit gesleept dan ze voor me in gedachten had? Of is er helemaal geen nieuw contract voor me? Nee, nee – dat was onmogelijk. Ik kreeg altijd complimenten over mijn stukken, ideeën en motivatie. Een misvormde lach ontsnapte uit mijn samengeperste lippen.

'Ik ben bang dat het niet zo grappig is, Stella.'

'Daar ben ik dus ook bang voor!' Ik raapte al mijn moed bij elkaar en zei, stoerder dan ik me voelde: 'Nou, voor de draad ermee.'

Maar ik was bang. Bang voor de hamer, bang voor de klap, bang voor de vernietiging van al mijn plannen, waaronder de verhuisplannen die ik al een jaar had en uit wilde voeren zodra ik een vast contract kreeg en daarmee een hypotheek kon aanvragen voor een appartementje aan het IJ, zodat ik eindelijk de achterstandsbuurt kon verlaten waar ik sinds mijn komst naar Amsterdam woonde.

Hilde keek me vertwijfeld aan. 'Ik vind het zo erg.'

'Wat vind je zo erg? Kom op, kwel me niet zo.'

'De uitgever heeft besloten dat je contract niet verlengd

wordt. Er is op dit moment simpelweg geen financiële ruimte voor. Het risico is te groot om iemand bij *Mariquita* een vast contract aan te bieden. En een tijdelijk contract, zoals je weet, mag niet meer. Het spijt me, Stella. En dat meen ik oprecht.'

Verdwaasd staarde ik naar een turkse tortel die een nestje maakte in de richel voor Hildes raam. Ik keek mijn chef nog steeds niet aan toen ik vroeg: 'Ben ik mijn baan dan kwijt?'

'Eh... Ja. Daar komt het helaas wel op neer. Je moet weten dat iedereen hier het vreselijk vindt. Niemand gunt je dit. Je bent een fijne collega, een harde werker, een creatieve geest, een moderne vrouw, een grappig mens... Nou ja, je snapt de strekking – jij bent alles wat een tijdschriftredacteur moet zijn.'

'En toch moet ik weg.'

'Dat is het wereldje. Keihard.'

'Zeg dat wel,' dacht ik hardop. Ik wist best dat de meeste redacteuren met een tijdelijk contract eruit vlogen zodra er wettelijk sprake was van een vaste aanstelling. Ik was niet blind, dat had ik om me heen al ontelbare keren zien gebeuren. De uitgeverij kon het risico niet nemen nu de verkoopcijfers van de meeste bladen daalden. Dat begreep ik allemaal best. Maar dat ze de beste, de meest veelbelovende redacteur lieten gaan, ging er bij mij niet in.

'Ik mag je wel een freelancecontract aanbieden,' zei Hilde voorzichtig. 'Binnenkort willen we beginnen met een nieuwe columnserie en daar zoeken we nog een journalist voor. We denken aan een persoonlijke column met een groene insteek, want dat scoort tegenwoordig als een tiet. Ik las laatst in de NRC over een hippe commune in België, waar een steeds grotere groep Nederlanders naartoe gaat. Ze hebben het helemaal gehad met de consumptiemaatschappij.' Hier pauzeerde Hilde. Waarschijnlijk zag ze op dit moment de ironie van haar voorstel in. 'Nou, dat leek me net iets voor jou. Nu je hier geen werk meer hebt en zo.'

Ik wilde het best proberen, echt waar, maar het lukte me niet om vriendelijk op haar idee in te gaan. 'Daar heb ik nou totaal geen behoefte aan,' reageerde ik bot. 'Een stel hippies, die zogenaamd biologisch verantwoord leven maar ondertussen de hele dag high zijn van hun zelfgekweekte wiet. Waar zie je me voor aan, zeg.'

Hilde fronste. 'Ik kan me voorstellen dat je dat nu zegt. Maar denk er nog eens rustig over na. Wie weet zie je het over een week in een heel ander licht. De column mag ook over bredere onderwerpen gaan, je hoeft niet alleen over de commune te schrijven. Vertel hoe het is om als voormalig carrièrevrouw je ambities overboord te zetten en te genieten van het simpele leven. Een beetje zoals Paris Hilton en Nicole Ritchie in die vreselijk neppe serie, maar dan leuk, en permanent. Terug naar de natuur, terug naar jezelf, dat soort verhalen. En dan ook nog in België! Ik zie het al helemaal voor me.'

Ja, zij wel. Zij hoefde niet haar biezen te pakken, haar hachje was veiliggesteld. 'Nou, ik niet. Absoluut niet zelfs. Hoe durf je me dit eigenlijk voor te stellen? Eerst kom je met slecht nieuws en hoppa, dan doe je er nog een schepje bovenop. Alsof het niet pijnlijk genoeg is.'

'Het is een mooie kans. Jij was de eerste aan wie ik dacht én aan wie ik het vraag. Er zijn vast genoeg journalisten die het willen doen. Je hebt alle vrijheid om de stukjes naar eigen inzicht in te vullen en je foto komt er iedere week bij te staan. Columnisten van *Mariquita* krijgen de rest van hun carrière op een presenteerblaadje.'

'Goh,' snauwde ik, 'ik dacht dat mijn carrière hier juist eindigde.'

'Je weet best wat ik bedoel. Zo'n column opent deuren die anders potdicht blijven.'

'Dat weet ik. Maar eerlijk gezegd weet ik zoals het er nu uitziet niet eens of ik nog wel zin heb in een journalistieke carrière.' Terwijl ik dit zei, ging er een steek door mijn buik. Natuurlijk meende ik dat niet. Maar ik ging echt niet meteen alle vacaturesites afstruinen en met hangende pootjes op sollicitatiegesprek bij een of andere flutredactie, doen alsof ik zóóó graag voor ze wilde werken.

'Doe niet zo maf,' berispte Hilde me. 'Stella, jij bent voor dit werk gemaakt.'

'Blijkbaar denkt de uitgever daar anders over.'

11

'Toe nou…' Ze zuchtte. 'Weet je wat? Als over twee maanden je contract afloopt, bespreken we dit nog een keer. Ik durf te wedden dat je tegen die tijd behoorlijk van gedachten veranderd bent.'

'Ik durf te wedden dat ik hier tegen die tijd al niet meer rondloop. Hoeveel vakantie-uren heb ik nog staan?'

'Pff. Dat weet ik niet zo uit mijn hoofd, hoor.'

'Volgens mij zijn het er meer dan genoeg om de laatste twee maanden mee vrij te krijgen,' zei ik. Waarschijnlijk zelfs meer, want met mijn geweldige werk had ik nooit de behoefte gehad om ertussenuit te knijpen. Het was nu ook bijna zomervakantie en ik zou eigenlijk maar een weekje vrij nemen. Elke dag was op de redactie sowieso een feest. Iemand, ik weet niet meer wie, had eens tegen me gezegd dat alleen zielenpieten met de verkeerde baan vakantie nodig hadden. Daarmee stemde ik volmondig in. Nu was dat allemaal voorbij en was ik de grootste zielenpiet, zonder baan. 'Ik heb geen zin om hier mooi weer te spelen terwijl iedereen weet dat het over een paar weken afgelopen is. Dan vertrek ik liever meteen.'

'Dat is je goed recht.' Hilde knikte instemmend. Ze kon er niets tegen inbrengen, maar klonk teleurgesteld. Stiekem voelde dat erg lekker. Ze wilde echt niet dat ik wegging. Jammer genoeg was het niet aan haar om daar het laatste woord over te spreken. Het was haar van hogerhand opgelegd en nu moest ik vertrekken.

'Zullen we vandaag dan maar beschouwen als mijn laatste werkdag?' stelde ik voor. 'Ik maak het interview met Johnny Depp af en draag verder al mijn werk netjes over aan Nora. Als er daarna nog vragen zijn, mag je me altijd bellen.'

'Goed. Er zit niks anders op.'

'Het spijt me,' zei ik.

'Geeft niet. Echt niet.' Hilde kneep haar ogen samen om de opkomende tranen tegen te houden. 'Weet je wat we doen? We organiseren een mega-afscheidsfeest, speciaal voor jou. Volgende week donderdag, vijf uur stipt. De meeste mensen zijn dan nog niet met vakantie. Ik zal ervoor zorgen dat je ons nooit kunt vergeten!'

'Jullie vergeten zal ik sowieso niet,' zei ik en wreef over haar

12

hand, die met een pen op het bureau speelde. Ze glimlachte door haar tranen heen naar me. Ik vluchtte de kamer uit omdat ik het anders ook niet droog zou houden. En tranen kon ik niet gebruiken als ik een goed interview wilde schrijven.

In de metro naar huis bekroop me een vaag, onbestemd gevoel. Ik had geen doel meer. Al jaren werkte ik naar een vast contract toe, om van daaruit hogerop te klimmen binnen de redactie en uiteindelijk binnen de uitgeverij. Dat pad hadden mijn grote voorbeelden bewandeld en ik was vastbesloten geweest in hun voetsporen te treden. En nu? In één klap was mijn toekomstplan verwoest. De vaste grond was met de botte bijl onder mijn voeten weggeslagen. Ik zweefde in het luchtledige. Ik was verloren.

Thuis aangekomen zakte ik lusteloos neer op de bank. Nu had ik mijn huisgenote, Michelle, nodig. Bij haar kon ik al mijn sores kwijt. Maar dat was pas na werktijd. Zij was nog lang niet thuis, zij had wél een baan. En wat voor een. Ze was zo'n hotshot-accountant bij een multinational op de Zuidas. Ik begreep er niks van dat ze met mij in een appartement woonde en niet allang een van die zakenmannen bij zijn stropdas had gegrepen om samen een decadent leventje op te bouwen in Oud-Zuid. Michelle beweerde dat ze haar type nooit tegen zou komen in de zaken-wereld. Of als ze uitging. Of als ze met vakantie was. Of waar dan ook. Wat haar type dan was, tja – dat wist inmiddels niemand meer. Ik geloofde dan ook niet dat ze het zelf helder voor ogen had.

Ik startte mijn laptop op en surfte naar Villamedia, de site waarop bijna alle vacatures in de media verschijnen. Op de homepage trof ik direct alweer een somber bericht aan over geplande ontslagen bij een groot mediaconcern. Daarbij werden alle niet-verlengde contracten nog niet eens meegeteld.

Moedeloos klikte ik door naar de vacaturepagina. Onder het kopje 'Kranten/Tijdschriften/Persbureaus' stonden slechts drie vacatures, waaronder twee in een gat ergens in een volgens mij zuidelijke uithoek van het land. Ik had geen zin ze op zoek-plaats.nl in te voeren, het was toch te ver weg. Ik vroeg me af wanneer Amsterdam uit de gratie was geraakt voor vestigingen van redacties en bureaus. Waarschijnlijk was dat rond de tijd dat de huurprijzen in de hoofdstad de pan uit rezen, wat ze in principe altijd al deden. De enige enigszins passende vacature in heel Noord-Holland was bij een vakblad voor modeontwerpers. Ik had een hoop modekennis, maar met name in de segmenten 'winkelketens' en 'niet al te dure maar toch erg leuke boetiekjes'. Van haute couture had ik totaal geen verstand.

Bah, bah, bah.

Wat haatte ik dit. Al mijn harde werk, poef, met een zwaai van de uitgeversstaf was het weg. Niks meer waard. Dat sloeg nergens op. Dat mocht niet mogelijk zijn. Van de ene op de andere dag was ik niks meer en moest ik met mezelf gaan leuren om weer aan een baan te komen, ook nog ver beneden het kaliber van mijn vorige. Nou, mij niet gezien. Ik had het gehad. Voor mij voorlopig geen werk meer.

Ik keek een uur, misschien wel twee, uit het voorraam naar buiten. Buiten, dat was een geasfalteerd plein waarop ik vanaf de tweede verdieping neerkeek, met een paar boompjes en wat Mondriaan-achtig aangelegde grasstroken – of gebruikte Mondriaan geen groen? Ik trachtte me een werk voor de geest te halen, maar het lukte niet. Ik kon alleen kijken naar de Turkse (of Marokkaanse, daar wil ik vanaf zijn) huismoeder die met twee grote tassen vol boodschappen diagonaal over het plein sjouwde. Haar benijdde ik. Zij had haar zaakjes op orde. Een gezin onderhouden leek me zonder twijfel de meest nobele taak die een vrouw kon vervullen. Carrière, dat was allemaal gebakken lucht. Gebakken lucht waarvan je heel riant kon leven, dat dan weer wel. Ik moest er niet aan denken dat ik de hand op de knip moest houden of dubbeltjes moest omdraaien of dat soort onzin. Daar had ik in mijn studietijd al genoeg ervaring mee opgedaan.

Misschien moest ik het einde van mijn baan bij *Mariquita* beschouwen als een kans om een heel andere weg in te slaan. Na mijn vwo was ik met mijn bijna achttien jaar te jong geweest om iets anders te ondernemen en ging ik dus maar in een moeite door naar de universiteit. Ook die doorliep ik zonder hobbels. Toen ik mijn master journalistiek behaald had was ik zo blij dat ik een baan kon krijgen, dat er niets anders meer in mijn gedachten opkwam. Ik was bijna vanzelf terechtgekomen waar ik nu zat. De meest glansrijke carrières zijn niet meer dan een aaneenschakeling van gelukjes en toevalstreffers. Doe er een scheutje talent bij en voilà: een uitblinker is geboren. En hij is net zo makkelijk te gronde te richten.

Ik kon een lunchroom openen. Een kinderkledingwinkel. Een boekwinkel, zodat ik tijd had om iets anders te lezen dan mijn tijdschriften – die waren vakliteratuur, uiteraard, maar dat was nu voorbij. Of ik werd fitnessinstructrice, dan kwam ik ook eens toe aan sporten. Binnen de kortste keren zou ik een afgetraind lijf hebben. Dan zou ik nonchalant langsgaan op de redactie om eens te kijken hoe het met ze ging. En zouden de monden van mijn oud-collega's openvallen bij de aanblik van mijn perfecte sixpack, toevallig zichtbaar omdat ik op weg zou zijn naar het strand en behalve mijn bikini alleen een luchtig rokje aanhad. Mijn zongebruinde benen zouden superslank zijn en daardoor dubbel zo lang lijken als nu.

Oké, ik dwaalde wat af. Voorlopig was ik gezegend met een paar stevige Hollandse benen en gezonde rolletjes op mijn buik, die ik er met twintig crunches per ochtend ook niet af zou krijgen. Zeker niet als ik daarna zwichtte voor een boterham met de smeuïge chocoladepasta die Michelle ter verleiding in de kast zette. Zelf kocht ik verantwoorde lightkaas en Special K, die mijn huisgenoot dan weer opat. Het was geen wonder dat zij zo mooi slank was.

Als echt alles mogelijk is, vroeg ik mezelf, wat zou ik dan doen? En wat zou ik doen als ik doodziek was en nog maar een jaar te leven had?

Ik stelde mezelf alle psychologische, doorgrondende levensvragen die ik me herinnerde uit zelftests in tijdschriften, in een poging een nieuwe richting in mijn leven te vinden. Maar het licht zag ik nog niet. Het was leeg in mij nu ik niks meer had dat ik na kon streven. Altijd was er die promotie, dat contract, dat prestigieuze interview geweest. Altijd was er iets en nu was er niets meer.

2

Hoelang ik al in gedachten verzonken was toen de voordeur openging, was onduidelijk. Ik wist wel dat het Michelle moest zijn. Het was alweer halfnegen. Mijn huisgenoot werkte geregeld veertien of vijftien uur op een dag. Belachelijk, vond ik, maar volgens haar was het heel normaal en werd je bij haar op kantoor ondergesneeuwd door streberige collega's als je weigerde over te werken. Er was altijd wel iemand die het in jouw plaats wilde doen. En die vervolgens ook de felbegeerde promotieplek voor je neus wegkaapte. Michelle leefde voor haar werk. Als ze een goede beurt maakte bij haar leidinggevende, was ze dolgelukkig; als een directe concurrent haar voorbijstreefde, keek ik een weekend lang tegen een donderwolk aan.

'Goedenavond,' gaapte ze, en ze plofte haar jasje en aktetas op de bank. 'Honger?'

'Ik lust wel wat.'

'Mooi, want ik heb vanaf mijn werk al bij de Chinees besteld. Het eten komt over een kwartier.' Michelle liet zich naast haar spullen op de bank vallen en slaakte een diepe, moeizame zucht. Ik moest ondanks mezelf lachen om het tafereel. De laatste keer dat er bij ons in huis een serieuze maaltijd klaargemaakt was, was met gemak een maand geleden. Bij de Chinees, Italiaan, Thai en Argentijn kenden ze ons adres daarentegen uit hun hoofd. Michelle deed de bestellingen altijd vanaf haar kantoor, als ze op het punt stond naar huis te gaan, en liet het eten ook daar op de rekening zetten. Het was een privilege dat ze kreeg dankzij het overwerken. Zo aten wij meestal gratis en werd koken nog minder aantrekkelijk. Het gratis eten was een belangrijke factor die mijn riante levensstijl mogelijk maakte, want als tijdschriftjournalist kreeg ik vooralsnog geen topsalaris. En ik zou het nooit meer krijgen ook.

Ik hoopte dat Cheng ons eten zou bezorgen. Hij had een oogje op Michelle en stopte altijd een zakje kroepoek bij de bestellingen omdat hij wist dat ze dat vergat. Sneu genoeg herkende Michelle het gebaar niet, want ze dacht ondertussen dat het een goede gewoonte van het restaurant was om iedereen gratis kroepoek te geven.

'Komt er vanavond wat op tv?' vroeg ze.

'Geen idee. Ik denk dat ik vanavond maar eens een boek ga lezen.' Nu ik geen baan meer had, moest ik me bezighouden met andere serieuze zaken. Ik wilde geen werkloze slampamper worden. Boeken lezen deed ik graag, maar het was er de laatste jaren niet van gekomen. Ik had in een tijdschrift een ervaringenreportage gelezen van een vrouw die haar televisie de deur uit deed. Ze was dolgelukkig en miste de beeldbuis geen seconde. Dat zou vast ook voor mij gelden. Bovendien was het goed om alvast te wennen aan het leesritme, mocht ik wel besluiten een boekhandel te openen. Vreemd genoeg voelde ik geen enkele behoefte om me vast in te schrijven bij de sportschool. Mijn plan om sportinstructrice te worden, viel dus alvast af.

Ik stond op uit de relaxstoel en speurde de kaften in onze boekenkast af. Het grootste deel ging over financiën en boekhouding (Michelles studieboeken) of sociologie (die van mij). Wij waren niet van die grote lezers, constateerde ik. Maar er stond wel een oud exemplaar van *De ondraaglijke lichtheid van het bestaan* van Milan Kundera, een boek dat ik alleen van naam kende. Best een intellectuele titel. Ik had geen idee hoe het in onze kast beland was. Als Michelle al een boek las, wat het een lekkere thriller van bijvoorbeeld Saskia Noort. En ik las, zoals gezegd, voornamelijk tijdschriften.

'Dat moet een heel goed boek zijn,' merkte Michelle op. 'Ik

heb het van Joshua. Als je het uit hebt, vertel je mij dan ook even wat je ervan vindt? Liefst met een paar details zodat ik het geloofwaardig kan overbrengen als hij ernaar vraagt.'

'Tuurlijk. Binnen een week,' pochte ik. Michelles broer was de meest belezen mens ter wereld en kon het niet verdragen dat zijn kleine zusje liever met haar neus in de paperassen zat dan in een goed boek.

'Je bent een schat.' Ze veerde op omdat de bezorgscooter van de Chinees het plein overstak. Het was inderdaad Cheng. Ik zag het aan zijn knalroze helm. Grapje van zijn collega's en nu zijn handelsmerk. 'Pak jij wat borden uit de keuken?'

Michelle begroette Cheng bij de voordeur en ik dekte de tafel voor ons tweeën. Meestal aten we voor de televisie onder het genot van een aflevering *Charmed*, waarvan ze de dvd-box voor haar verjaardag had gekregen – van mij natuurlijk. Nu maakte ik in plaats daarvan de eettafel vrij en legde ik er twee placemats op, twee grote diepe borden, een setje met een vork, mes en lepel (ook al heel uitgebreid voor ons doen, Chinees aten we normaal met alleen een vork), twee glazen en een kan water.

'Wat ben jij van plan?' vroeg Michelle, die het eten theatraal op de voortafel zette.

'Dineren.'

'Gek mens. We hebben Chinees, geen driegangendiner van een sterrenrestaurant.'

'Dat geeft toch niet. Nora werkt aan een artikel over gezond eten en ze vertelde me vandaag dat voor de televisie eten volgens de voedingsdeskundige de meest ongezonde manier is. Komt omdat je dan geen aandacht hebt voor je voedsel, doordat je constant afgeleid wordt door de televisie. Zo merk je niet wanneer je vol zit en eet je te veel.'

Dankzij mijn werk als journalist kwam mijn gedrag in vlagen. Als we de lezeres iets adviseerden, wilde ik die adviezen zelf ook zo veel mogelijk opvolgen. Ik vond het niet meer dan logisch om te testen wat we verkondigden. (Dat was ook weleens onmogelijk, trouwens, want we spraken onszelf meer dan eens tegen. Maar dat viel verder niemand op. De lezeres vergat onze adviezen sneller dan het blad in de papierbak lag.)

Shit, ging het door mijn hoofd. Onszelf? Verder niemand? Ik was geen onderdeel meer van *Mariquita*, dus dat soort dingen kon ik niet meer denken en mocht ik niet meer zeggen. Het besef drong stukje bij beetje tot me door. 'Kom gewoon hier zitten,' zei ik vastberaden tegen Michelle, die niet-begrijpend knikte en het plastic tasje naar de eettafel bracht. 'Ik moet je namelijk iets vertellen.'

Ze schepte onze borden vol met nasi en foe yong hai. Ik was vanwege mijn werk een tijdje vegetariër geweest – ook al zo'n leuke ervaringsreportage – en zodoende stapten we over van babi pangang naar een van de weinige vegetarische gerechten op de kaart van de Chinees. De foe yong hai beviel zo goed, dat we niets anders meer bestelden. Het was ook een stuk minder vet dan varkensvlees. Tenminste, dat leek me toch wel.

'Heb je spannend nieuws?' vroeg Michelle. 'Gaat het over een man?'

'Nee. Helaas niet!' Mijn huisgenoot en ik waren allebei single. Zij al anderhalf jaar, ik sinds alweer bijna een jaar. En dat terwijl we allebei zevenentwintig waren, een leeftijd waarop onze positie in de markt nog nét niet opgeëist was door de komst van een nieuwe generatie meisjes. Onze kansen waren nog niet verkeken. Maar dan moesten we ze wel grijpen.

'Jammer.' Ze nam een hap met een paar rijstkorrels en heel veel ei. Met volle mond vroeg ze: 'Nou, wat is het dan?'

'Mijn contract is niet verlengd.'

'Ben je ontslagen?'

'Nee, mijn contract is niet verlengd. Dat is iets anders dan ontslag.'

'Wat is het verschil dan?' Michelle beet op haar lip alsof ze het echt niet begreep. 'In beide gevallen ben je je baan kwijt.'

'Het verschil is dat je bij ontslag een fijne oprotpremie krijgt,' zei ik kwaad, 'en ik krijg helemaal niets.' Het kostte me veel moeite om deze mededeling te doen zonder in janken uit te barsten. Maar ik ging heus wel iets van mijn leven maken zonder deze baan, hoe dan ook, dus het gaf niet. Heus niet. 'Het geeft niet,' herhaalde ik hardop, in een verwoede poging de tranen tegen te houden.

'Wat klote voor je! Dit laat je toch niet over je kant gaan? Je hebt jaren voor die lui gesloofd!'

'Ik weet het. Hilde zei ook al dat ze het heel erg vond en dat ze me graag in het team had willen houden. Maar de keuze is niet aan haar. De uitgever kijkt alleen naar de financiële kant van het verhaal. Aan die kant is het risico te groot om iemand in deze tijd een vast contract te geven. Dat begrijp jij als vrouw van de financiën denk ik wel. Vaste contracten zijn er bijna niet meer, in het hele bedrijf niet. Alleen de uitzonderlijke talenten krijgen die nog.'

'En dat ben jij niet?'

'Ik weet het niet. Het is gewoon lastig momenteel.'

'Ja, maar dan nog. Ik schrik hiervan. Ik had geen idee dat het zó slecht ging.'

'Tja.' Ik nam een hap droge nasi. Het smaakte nergens naar en ineens kwam ook de structuur van de rijstkorrels met stukjes ongeïdentificeerde kruiden me vreemd voor.

'Wat ga je nu doen?' vroeg Michelle. Zonder mijn antwoord af te wachten, ging ze door: 'Je moet snel weer gaan solliciteren, hoor. Er zijn vast genoeg bladen die jou willen hebben en je wilt geen gat in je cv. Dat is de doodsteek voor je carrière.'

Ik haalde mijn schouders op. 'Het zal wel. Ik ga voorlopig weg uit de journalistiek.'

'Dat meen je niet.'

'Jawel. Het hoeft voor mij even niet meer.'

'Het is het enige wat je kunt,' zei ze goedbedoeld. 'Ik zie jou niks anders doen.'

'Mwoah. Ik kan heus wel meer dan dat.' Ik dacht terug aan eerder die middag. 'Hilde dacht trouwens net als jij van niet. Weet je wat ze me aanbood?' zei ik snerend. 'Ik mag voor *Mariquita* naar België afreizen. Ze heeft gelezen over een populaire commune die daar een milieu- en diervriendelijke leefstijl nastreeft of zo. Kun je het je voorstellen? Dan mag ik daar gaan wonen en columns schrijven over hoe het me bevalt tussen een stelletje vijftig jaar te late hippies.'

'En? Wat heb je gezegd?'

'Dat ik het een belachelijk plan vind, natuurlijk. Ten eerste ben ik totaal geen biotype en ten tweede… Is het gewoon een belachelijk plan. Een commune! In België! Kom op.'

'Er is anders niks mis met een beetje verruiming van je opvattingen. En ook niet met België, trouwens. Je kunt je kater beter daar uitzieken dan hier. De mensen daar zijn een stuk aardiger dan hier in Nederland.'

'Ik heb niks tegen België of tegen de Belgen, het hele idee zint me gewoon niet.'

'Biologisch België is zo gek nog niet,' hield Michelle vol met een grote hap verre van biologische rijst en eieren op haar vork. Het zou me niets verbazen als de Chinees eieren uit de legbatterij gebruikt voor zijn foe yong hai. Niemand controleert daar immers op. Ineens had ik ook geen trek meer in het eten.

'Laat een mens toch eens een paar waardeloze excuses verzinnen zonder daar direct overheen te walsen met onweerlegbare weerleggingen, zeg,' zei ik terwijl ik mijn bord van me af schoof. Nu kon ik niets meer tegen Hildes plan inbrengen dan een slap 'ik heb er geen zin in'. Dat België een mooi land was en dat biologisch eigenlijk heel logisch was, was voor mij nog geen reden om mijn boeltje te pakken en gelijk columns over deze leefstijl te schrijven. Ik had ook nog een leven buiten mijn werk om. Zoals het contact met mijn huisgenoot. En mijn familie. Die woonde niet om de hoek, maar we zagen elkaar minstens twee keer per jaar. Hmm, dat was ook niet echt vaak. Wel vond ik de goede relatie met mijn kapper zelf heel belangrijk. Maar voor hem was ik niet meer dan een reguliere trouwe klant met een spaarkaart die eens in de drie maanden langskwam voor een doodnormale knipbeurt.

Verder… Had ik eigenlijk niet zoveel. Logisch; ik was vooral bezig met mijn werk. Maar de mensen van de redactie zouden mij snel genoeg vergeten, zo ging het altijd als iemand de dagelijkse lunchroddels niet meer meekreeg. Ik had het zo vaak gezien, dat ik het niet kon ontkennen. Bij *Mariquita* was het uit het oog, uit de mond, uit het hart. Tenzij… Tenzij ik een superinteressante column ging schrijven over mijn belevenissen in België. Maar nee, daarover had ik mijn besluit genomen.

'Je krijgt de kans om uit je comfortzone te breken kant-en-klaar aangeboden,' vond Michelle. 'Daar zeg je toch geen nee tegen?'

'Dat uitgerekend jij moet beginnen over comfortzones,' lachte ik. 'Jij durft niet eens op die sexy rode pumps naar je werk te gaan. Als je vindt dat het een goed idee is, doe dan met me mee. Dan heb je pas echt lef. Dan breek je uit je comfortzone.'

'Je bent gek.'

'Nee, hoor. Ik denk alleen dat ook voor jou een *change of scenery* erg nuttig kan zijn. Wees eens heel eerlijk: zit er binnen nu en een jaar een promotie voor je in?'

'Waarschijnlijk niet. Maar binnen twee jaar wel, als ik zo doorga.'

'Als je zo doorgaat,' schamperde ik, 'zit je binnen twee jaar thuis. Of nee, dan lig je thuis. Onder de dekens met de gordijnen stijf dicht. Als je zo doorgaat, heb je binnen twee jaar een burnout te pakken.'

Michelle keek bedenkelijk. Haar gezicht was heel expressief; ik kon er vrij nauwkeurig aan aflezen wat ze dacht. Haar ogen gingen langzaam van de ene naar de andere kant van haar voorhoofd, alsof ze haar gedachten ermee volgde. Eerst wreef ze over haar kin, toen glimlachte ze even, daarna sloot ze haar ogen en drukte haar vingertoppen keihard tegen haar slapen. Ik volgde het tafereel met buitengewone interesse. Dit was een zeer gewichtig proces. Wikken, wegen en overwegen.

Besloot Michelle dat ze het een goed idee vond, dan was er geen twijfel mogelijk: we gingen. Samen met haar het avontuur aangaan vond ik een stuk minder eng en tegelijk een stuk spannender dan alleen. Ik zag al voor me hoe we onze koffers pakten voor een reis naar het zuiden, hoe we samen op de trein stapten, hoe we in stapelbedden lagen en avond aan avond praatten over de andere leden van de commune, en niet in de laatste plaats over de vele mannen die door het werk op het land bruin en supergespierd waren, hoe we alles met elkaar deelden en de hele nacht door lachten om niks, net als op vakantie, hoe ze mijn columns las en er positief commentaar op gaf, met hier en daar de kritische noot van iemand die dezelfde dingen meemaakte als ik – kortom, ik zag voor me hoe heerlijk het kon worden. Mits ze ja zou zeggen.

Haar overpeinzing eindigde met een kort knikje. 'Je hebt gelijk. Niet alleen jij, ook ik ben hard toe aan deze stap. Denk je dat er in die commune plaats is voor twéé voormalige carrière-vrouwen?'

'Voor vrouwen zoals wij? Ze ontvangen ons met open armen.'

*

'En in haar laatste maand heeft ze als klap op de vuurpijl een interview met Johnny Depp weten te krijgen, met een verbluf-fend resultaat waarvan onze lezeressen zullen smullen. Zoals jul-lie horen, maar ook uit persoonlijke ervaring weten, is Stella een doorzetter en vastbijter die het blad veel goeds heeft gebracht. Dat blijkt ook wel uit de volgende stap die ze zet: Stella wordt een van onze columnisten, en wel vanuit België. Daar gaat ze deel uitmaken van een commune. Ik zal je missen,' besloot Hilde haar speech. 'Maar ik ben heel blij dat je hebt besloten dat we jouw verhalen níet hoeven te missen.'

Ik kon het niet helpen dat ik ergens halverwege Hildes ode begon te sniffen. Van drie kanten kreeg ik een tissue aangereikt. Als er een afscheid was, stonden er net zo veel dozen Kleenex klaar als hapjesschalen van ons favoriete bakkertje. Ik was niet de enige die de zakdoekjes bij mijn afscheid nodig had. Hoewel sommige wat minder betrokken collega's – die van de marke-tingafdeling en de twee stagiaires die tijdelijk op de redactie rondliepen – vooral aanvielen op de hapjes, greep menig redac-tielid samen met mij naar de papieren troost. En vervolgens naar de champagne. Ik beweer niet dat ik mijn zorgen wegdronk, maar het hielp wel tegen het ergste zeer.

Desondanks deed ik mijn stinkende best om te lachen bij het in ontvangst nemen van de enorme hoeveelheid afscheidsca-deaus. Ze hadden alles uitgezocht op nut voor mijn komende avontuur: een grote (echt gigantische) koffer, een paar stevige schoenen en een tegoedbon voor vijf zelf uit te kiezen verzor-gingsproducten. Deze werden door fabrikanten toegestuurd en onder alle medewerkers verloot in een halfjaarlijkse tombola, maar ik kreeg omdat ik wegging de eerste keus en mocht me in het voorraadhok van de beautyredacteuren vergapen aan de dure producten. Ik koos één superdure pot crème en een grote fles parfum, voor de rest hield ik me in. Er moest wel iets overblijven voor de tombola.

Na de hausse gaf Nora me nog een klein pakje. Ze hield het zelf ook niet droog toen ik het uitpakte. Het was een haarelastiek met een Nederlandse vlag erop, waarmee ik mijn haar meteen samenbond. 'Ik ga je zo vreselijk missen hier,' zei ze. 'Kom je nog eens bij ons langs?'

'Dat doe ik absoluut.' Ik pinkte een traantje weg met een verse tissue. 'Zeker weten. En jij bent de eerste die een heel dikke knuffel van me krijgt.'

'Nu?'

'Als jij dat wilt, natuurlijk.' We omhelsden elkaar en in die knuffel deden we nog eens allerlei beloftes aan elkaar. Dat we zouden schrijven en mailen en bij elkaar op bezoek zouden komen. Dat we elkaar nooit zouden vergeten. Beloftes die we misschien wel en misschien ook niet na zouden komen. Maar wat ermee gebeurde maakte niet uit; het was precies wat we van elkaar wilden horen en dat was genoeg.

Ik nam een flinke slok champagne, waarmee ik alweer mijn vierde glas van de middag leegde. Het lege glas zette ik op een tafeltje en ik zette mijn feestgezicht op.

's Avonds vertelde ik, zittend op een volle verhuisdoos en met een pizzadoos op mijn schoot, over mijn afscheidsfeestje. Michelle had het hare op dezelfde dag gehad, want ook zij had een sloot vakantiedagen over die ze bij haar zelfgekozen ontslag opnam. Ze vertelde over het toneelstukje dat haar directe collega's over haar en het bedrijf opvoerden. Iedereen mocht het masker met Michelles gezicht erop even dragen, waardoor alle acteurs de kans kregen om haar karakteristieke stem na te doen. Michelle ontkende het bij laag en – vooral – bij hoog, maar ze had nu eenmaal een opvallende stem: minstens een octaaf hoger dan ik en daardoor schijnbaar altijd enthousiast.

Haar ogen werden vochtig toen ze de lovende woorden van haar collega's navertelde, maar ze realiseerde zich ook dat het beter was dat ze wegging. Ze had daar alles gedaan wat ze kon doen zonder overwerkt te raken.

Binnen een week waren we allebei losgekomen van ons werk. Het was heel raar om te merken hoe iets waar we jaren voor hadden gezwoegd, zo makkelijk en snel uit onze levens verdween. Door alles wat er in die ene week gebeurd was, leek die trouwens een stuk langer. We hadden de woningstichting gebeld – wij waren van die geluksvogels die voor een spotprijs een appartement huurden terwijl we allebei een bovenmodaal salaris ontvingen – en de huur opgezegd. Al het grote meubilair stond bij de kringloopwinkel in het vlakbij gelegen buurtwinkelcentrum. Het waren toch maar tweedehandsjes en bouwpakketten van Ikea en consorten. De dozen met kleine persoonlijke dingen konden we later in de week naar Michelles moeder brengen. Zij had een garage maar geen auto en vond het geen probleem dat de schaarse visite die ze ontving, in het vervolg zijn bolide op de oprit moest stallen.

We hadden alles geregeld. Ook het reisplan voor ons vertrek over twee weken was rond. We zouden met de Thalys reizen omdat Michelle dat graag wilde en in Antwerpen opgepikt worden door iemand van de commune. Deze wetenschap gaf ons allebei behoorlijk de kriebels. We gingen, het was definitief. Naar België om ons aan te sluiten bij een commune waar we bijna niets van wisten. Ik wist niet eens de naam van het dorpje waar de commune was. Zoiets ondoordachts deden bewust levende, doelgerichte vrouwen als wij normaal gesproken niet. Maar deze situatie was niet normaal, en dus deden we het wel.

Ik vond ons behoorlijk stoer. Mijzelf, maar vooral Michelle. Zij was niet ontslagen, zij had haar baas de bons gegeven. Haar leidinggevende smeekte haar nog om haar keuze te overdenken. Per e-mail weliswaar, dus hoe serieus ze dit moest nemen wist ze niet, maar haar besluit stond hoe dan ook vast. Als Michelle haar zinnen ergens op zette, kwam er niets meer tussen.

Hilde had in de tussentijd het krantenartikel over de commune teruggevonden en me daar een kopie van gegeven. Ik las het, het was opgebouwd aan de hand van interviews met twee Nederlanders die erheen gingen. Op zich klonk het goed: vers eten, leuke mensen, mooie omgeving. Maar ik had vaker meegemaakt dat een hoog aangeprezen accommodatie bij aankomst waardeloos was, dus ik was heel voorzichtig met mijn enthousiasme, zodat het alleen maar mee kon vallen.

Toch begon ik er steeds meer zin in te krijgen. De natuur scheen prachtig te zijn waar wij heen gingen en de commune was gelegen op een van de zonnigste plekjes in België. Daar kreeg ik bij voorbaat al een goed humeur van, dus dat kon alvast niet fout gaan.

Verder was ik vooral heel dankbaar dat Michelle met me mee ging. Ze wilde er niets van horen, maar ik bleef haar bedanken voor haar morele steun. Zonder haar had ik nog steeds zitten mokken over het verlies van mijn baan. Dan had ik een uitkering moeten aanvragen en naar het werkbedrijf gemoeten. En iedereen wist wat een treurige bedoening het daar was. Nee, dan ging ik veel liever naar België, al was het dan om met een groep hippies samen te wonen.

Het goede nieuws was dat ik er geld voor kreeg. Vlak voor mijn afscheid had ik met Hilde het columnistencontract doorgenomen. Ik ondertekende het met plezier. Mijn stukjes leverden me per maand duizend euro op. 'Heel redelijk aangezien er buiten de schrijftijd ook veel researchtijd in zit,' vond Hilde. Voor mij was het contract riant. Omdat ik geen kosten had – de commune was zelfvoorzienend en vroeg dus alleen inzet van de leden, geen geld – kon ik met mijn inkomsten een heel fijn spaarpotje opbouwen. Of ik ging ermee shoppen in Antwerpen. Wat ik ook deed, ik had het beter voor elkaar dan ik had durven dromen toen ik hoorde dat ik mijn baan kwijt was. Veel beter.

'Ik heb zin om die spullen bij mijn moeder te dumpen en gewoon te gaan,' verzuchtte Michelle. 'Het duurt nog zo lang!'

'Je hebt het net zo te pakken als ik. Maar we hebben de laatste twee weken echt nodig. Anders blijven er allemaal losse eindjes liggen. Je kunt de zaakjes beter goed geregeld hebben voor je vertrekt.'

'Weet ik ook wel. Ik geniet gewoon van de voorpret. Ik ben enthousiast over álles wat met onze verhuizing te maken heeft. Moet je kijken wat ik vandaag gekocht heb.' Ze pakte er een tasje van de boekhandel bij. 'Een Lonely Planet over België.'

'Oké... Jij hebt het officieel zwaarder te pakken dan ik,' gaf ik toe, en hierop barstte Michelle in lachen uit. Ik liet de lege pizzadoos zomaar ergens op de grond glijden en verloor me samen met haar in een bevrijdende lachbui.

3

'Dag lieverd,' zei mijn moeder voor de zoveelste keer. We stonden al een halfuur langer dan gepland op het perron te wachten omdat de Thalys vertraging had, maar voor mijn moeder kwam het afscheid alsnog te snel. Michelles moeder zat allang weer in de auto naar huis. Zij vond het nadat ze haar dochter op Amsterdam-Centraal had uitgezwaaid mooi geweest, want het parkeergeld rondom dat station liep snel op. Mijn moeder daarentegen bleef zo lang als ze kon bij me. 'Pas goed op jezelf,' drukte ze me op het hart. 'Geen drugs nemen, en als je al per se seks met iemand moet hebben, doe het dan alsjeblieft veilig. Je weet maar nooit wat iemand onder de leden heeft.'

'Mam...'

'Ik weet het, ik weet het. Je kunt prima voor jezelf zorgen en dat doe je ook al negen jaar. Het is alleen... Het idee dat je zo ver weg bent, straks. Als er iets gebeurt, kan ik niks voor je doen. Meis, moet je echt gaan?'

'Ja,' zei ik vastberaden, inmiddels volledig overtuigd van deze missie. 'Ik moet dit echt doen. Het avontuur roept! En het is maar België, in een noodgeval ben je er zo.'

'Je hebt ook gelijk.' Mijn moeder keek langs me heen naar de trein, die nu eindelijk het station binnenreed. 'Het is goed dat je iets spannends gaat doen. Altijd maar die veilige studie en die veilige baan, dat is niks voor een jonge, energieke meid zoals jij.

Ga nu maar. Ga lol hebben en dingen ontdekken. Dat is belangrijk.'

Ik keek mijn moeder verward aan – waar kwam deze plotselinge omslag vandaan? Was het besef nu eindelijk tot haar doorgedrongen dat ik ging, wat ze ook zei? Of vond ook zij het goed dat ik uit mijn gespreide bedje werd geschopt?

Het maakte ook niet uit. Ik gaf haar een knuffel, fluisterde 'dank je wel' in haar rechteroor. Ze maakte zich van me los en tilde een van mijn koffers op. We moesten gaan, want onze tickets waren alleen geldig voor deze trein en op dit tijdstip. (Een halfuur eerder, dus.)

Mijn met Michelle gebundelde krachten waren genoeg om de gigantische koffers in het bagagerek te tillen. Gelukkig waren er in de trein geen restricties wat betreft formaat of gewicht, zoals in het vliegtuig. We hadden elk twee grote koffers, een rugtas én een handtas. Wat ik ook geprobeerd had, het lukte me niet om minder dan acht paar schoenen mee te nemen. En van al mijn kleding kon ik ook slechts twintig stukken met een schoon geweten achterlaten, waarbij het in de meeste gevallen ging om dikke sokken en slaapshirts, want, zo redeneerde ik, die kon ik in België ook wel weer kopen.

De deur ging dicht en mijn moeder stond nog steeds op het perron. Ze kreeg mij ook snel weer in het vizier en zwaaide uitbundig met haar zakdoekje. Hoe nostalgisch, zo'n zwaaizakdoek. Ik wenste dat ik nog een katoenen zakdoek bij me droeg, maar ik was sinds ik op mezelf woonde volledig overgestapt op de papieren tissues. Daarmee was het een stuk minder charmant zwaaien.

Voor ik het wist, kon ik haar niet meer zien. Ik liep de coupé in. Michelle had onze zitplaatsen al gevonden. Ook de zak drop in mijn rugtas had ze er al uit gevist. Die lag geopend op het tafeltje tussen de twee bankjes in. 'Daar gaat alweer een kwart van onze voorraad,' zei ik lachend terwijl ik een muntdropje in mijn mond stak. 'Ik ben bang dat we na een week in België al geen drop meer hebben.'

'Genieten doe je nu,' vond Michelle. 'En wie weet verkopen ze daar ook drop.'

'Ik betwijfel het.'

'Ja, ik ook. Maar goed. Ik neem er nog een!'

De trein minderde alweer snel vaart om te stoppen op Schiphol, waar weinig mensen instapten. Het grootste deel van de trein zat al vol en de rest zou in Antwerpen instappen. De stad waar wij er alweer uit gingen voordat de reis goed en wel begon. Toch voelde ik er helemaal niets voor om naar Parijs te gaan. Stad van de liefde, stad van het licht; voor mij hoefde het niet. Wij waren op weg naar iets veel mooiers. Een heuse bestemming, niet zomaar een weekendje weg.

Ik zat net lekker in een boek – na *De ondraaglijke lichtheid van het bestaan* had ik de smaak van het lezen na jaren weer behoorlijk te pakken – toen Michelle zich klaarblijkelijk verveelde. Ze onderbrak me: 'Zin in een kop koffie? Ik ga naar de restauratiewagon, die hebben ze in de Thalys.'

'Koffie uit de restauratiewagon is net zo slecht als op het station,' antwoordde ik afwezig.

'Geeft toch niet? Dan hebben we ook even een loopje.'

Daar had ze gelijk in. Mijn benen zouden wat beweging vast prettig vinden. Ik knikte, pakte mijn tas met waardevolle spullen op en liep achter Michelle aan naar de sober ingerichte restauratiewagon. Naast een paar formicatafeltjes bevond zich daarin een soort balie met een plastic wand waarachter alle etenswaren uitgestald stonden. Er zat een gat in die wand waardoorheen je bestellingen kon plaatsen, de prijslijst hing ernaast. De balie werd die dag gerund door een vrouw met een spitse neus. Ze was, zo schatte ik, niet Nederlands.

Michelle had hetzelfde gevoel, want ze vroeg haar in gebrekkig Frans om twee koppen koffie en twee 'muffins du chocolat', zonder te informeren of ik die extra calorieën wel naar binnen wilde werken. Nu ze erover begonnen was, wilde ik dat trouwens heel graag. Wat dat betreft schatte ze me goed in. Ik geloof bijna dat Michelle mijn zwakheden beter kent dan ikzelf. Alleen gebruikte zij die zwakheden om mij te trakteren, terwijl ik ze wilde kennen zodat ik mezelf in toom kon houden. Wat, dat moge duidelijk zijn, voor geen meter lukte. En een muffin zou nou ook niet bepaald het verschil maken.

We namen onze koffiebekers met plastic dekseltjes en muffins in plasticfolie mee terug naar de coupé. Onze reis was alweer over de helft, we reden ergens in Brabant. 'Antwerpen ligt op maar een steenworp afstand van de Nederlandse grens. Als je in België bent, ben je al ongeveer in Antwerpen,' zei Michelle vrolijk. Ik moet tot mijn schaamte bekennen dat ik zo'n verwend kreng was voor wie dichtbij gelijkstond aan saai. Ik was er dus nog nooit geweest. Derhalve had ik nooit echt opgelet waar de stad lag; het was niet meer dan een tussenstop geweest op weg naar zuidelijker oorden. Mijn manier van reizen was de laatste jaren afgegleden van verwondering over alles wat ik zag tot een instelling die nog het dichtst in de buurt kwam van 'verstand op nul, blik op het eindpunt'. Geen zin om te letten op wat er onderweg allemaal voorbijschoot.

Vanaf nu zou ik het radicaal anders doen. De afgelopen weken had ik veel tijd gehad om na te denken en dat was goed voor me geweest. Nu wist ik bijvoorbeeld dat mijn leven me veel te snel ging. Ik kon mezelf nauwelijks bijhouden. Waarom ik zo doorraasde, kon ik dan weer niet bedenken. Wat had ik eraan om mezelf constant voorbij te rennen en weer in te willen halen? Sinds twee weken had ik weer tijd voor dingen waar ik eerder niet eens aan kon denken. Lezen, wat ik tijdens mijn studie zo graag had gedaan. Gewoon door de stad lopen zonder dat ik iets nodig had, om te genieten van de geuren die overal vandaan kwamen, om er een middagje uit te zijn.

Ik keek uit het treinraam en zág werkelijk wat er buiten gebeurde. Een eenzame fietser op een weggetje parallel aan de spoorlijn, bijvoorbeeld, en een groep rennende koeien – ik wist niet eens dat koeien konden rennen! Ik stootte Michelle aan en ook zij was verbaasd over het behoorlijk hoge tempo waarmee de logge dames door het gras raasden. Alsof ze ergens door opgejaagd werden. Maar ik zag niks; geen boer, geen stier. Misschien kunnen koeien ook tikkertje spelen, bedacht ik.

Natuurlijk was dit pas een begin. Ik was nog maar net begonnen met mijn nieuwe leven. Maar tot dusver beviel het me uitstekend. Ik had ook het gevoel dat Michelle in de weken na haar ontslag was opgeleefd. Dat kon natuurlijk ook komen door de spanning vanwege onze aanstaande megaverhuizing, die onze levens sinds het grote besluit behoorlijk had gedomineerd.

De laatste paar dagen voor ons vertrek had ik door alle hectiek weinig meer over die keuze kunnen nadenken. Pas nu ik een paar uurtjes niets anders kon doen dan koffiedrinken en chocolademuffins eten, kwamen de overpeinzingen hierover terug. Ik geloofde dat het de juiste beslissing was. De commune waar we naartoe gingen, leek me inmiddels te gek. Zorgeloos en vrij, exact wat ik wilde zijn. Ik glimlachte tevreden en pakte mijn boek er weer bij.

'We moeten uitkijken naar een bordje met onze namen erop,' herinnerde Michelle me toen we op station Antwerpen rondliepen met op onze ruggen de tassen, in onze handen de kleine koffers en achter ons aan rollend de grote koffers. 'Voor je het weet lopen we eraan voorbij en gaan ze zonder ons weg.'

'Dat zal wel meevallen. Ze weten voor wie ze komen; ze vertrekken heus niet zonder de langverwachte nieuwe bewoners.' Lastig puntje was dat we niet wisten wie op ons wachtte. De commune wilde geen foto's versturen vanwege de privacy van de bewoners, ook van degene die ons van het station haalde. Ik verwachtte dat het bordje omhooggehouden werd door een jonge dertiger met een baardje en dreadlocks – die hij zou hebben uit praktisch oogpunt, want dreadlocks hoef je nooit te wassen.

Mijn verbazing was dan ook aanzienlijk toen ik achter het met onze namen beschreven kartonnen bordje het vrolijke, frisgewassen gezicht zag van een jonge vrouw in een fleurig zomerjurkje. Ze zwaaide naar ons, zij wist wel wie wij waren. We hadden met onze aanmelding meteen een vakantiefoto van ons samen meegestuurd. Blijkbaar had de vrouw ons goed bestudeerd, want vooral ik was sinds die foto, anderhalf jaar eerder tijdens de wintersport, best veranderd. Ik had mijn haar nu zomers blond geverfd en was behoorlijk wat boller in mijn gezicht. Michelle daarentegen veranderde nooit. Ik kende haar nu zes jaar en in al die tijd was er nog geen haartje verschoven. Ze zaten stuk voor stuk even perfect als toen.

Ik was best een beetje opgelucht dat het deze vrouw was die ons kwam oppikken. Ze zag er betrouwbaar uit, vriendelijk. Zo gauw we iets dichter bij haar kwamen, zag ik dat ze een meisje bij zich had. Ze hield de hand van het meisje in haar rechterhand geklemd; het bordje met onze namen hing links van haar nu ze doorhad dat wij op haar af kwamen.

'Hallo meiden,' zei ze opgewekt met een lichte, Vlaamse klank. 'Hebben jullie een goede reis gehad?'

'Uitstekend,' zei Michelle. 'Bij vertrek hadden we nog wat vertraging, maar die is er onderweg redelijk uit gereden. En jullie? Staan jullie hier al lang?'

'O, welnee, dat valt reuze mee. Twintig minuten of zo. Het verkeer op weg hiernaartoe was ook behoorlijk druk. Ik onderschat het nog iedere keer dat ik naar Antwerpen rijd. Normaliter kom ik hier niet, dus verkeersopstoppingen zijn we niet gewend, net zo min als twintig stoplichten in een straat.' De vrouw lachte. 'Ik heet trouwens Claire en dit is mijn dochtertje, Pandora.'

'Zoals in de Griekse mythe!' zei ik opgewonden

'Inderdaad.' Pandora straalde erbij. Zo te zien mocht ze mij nu al. Dat was mooi meegenomen – het oordeel van kinderen weegt doorgaans zwaar mee in het oordeel van hun ouders, wist ik, en ik vermoedde dat Claire hierop geen uitzondering vormde.

Ik had niet verwacht dat er überhaupt kinderen in de commune zouden leven. Bij een groep blowende nietsnutten pasten voor mijn gevoel geen kinderen, en al helemaal geen verantwoordelijke ouders die hun dochtertjes uitdosten in schattige jurkjes. Misschien moest ik mijn beeld van de commune iets bijstellen. Claire en Pandora maakten me benieuwd naar de andere bewoners, en met name naar de vader van Pandora. Het kleine meisje was namelijk oogverblindend mooi. Ze had goudblonde haren tot halverwege haar rug, engelachtig blauwe ogen en een fijne bouw. Pandora lachte naar me. 'Hoe heet jij?'

'Stella.'

'Wat een mooie naam! En jij?'

'Ik ben Michelle.'

Het meisje knikte goedkeurend. Bij haar konden we het nu al niet meer fout doen. 'Komen jullie mee?' vroeg Claire. 'Ik heb de truck op een plekje staan waar je maximaal een uur mag parkeren. Als we niet opschieten, krijg ik een boete. Dat is zonde van het geld.' Ze pakte de hand van haar dochter weer beet en wenkte ons mee naar de uitgang van het station.

De benaming 'truck' was niets te veel gezegd: ons vervoermiddel had nog het meest weg van een legervoertuig, met een grote cabine als basis en een met canvas afgedekte laadbak achterop. 'Het spijt me dat ik niets anders heb. Er is uitgerekend vandaag een groep mannen op pad met de jeep. Zij gingen ook *off terrain* rijden, dus ik moest wel genoegen nemen met de truck. Ik hoop niet dat jullie het vervelend vinden om dicht op elkaar te zitten. Of je moet in het laadruim willen, maar dat is alleszins oncomfortabel.'

'Het is prima zo,' zei ik met een bevestigend knikje. 'Ik ben allang blij dat er een wagen beschikbaar is, maakt niet uit wat voor een.'

'Wat had je dan gedacht? Dat we alles lopend deden?' Ze glimlachte naar me en gaf me een knipoog. 'We leven in onze commune wel bewust, maar niet onnodig ouderwets. Ook wij gebruiken machines om te komen waar we komen moeten. Het verschil met andere mensen is dat wij onnodige ritjes vermijden.'

'Maar jullie hebben geen internet,' merkte Michelle op. 'Dat is toch nuttig?'

'Daar valt over te twisten. Internet hebben we niet hard genoeg nodig en het zou op onze locatie een hoop extra kosten. Het lukt ons om met een groep van driehonderd mensen geheel zelfvoorzienend te leven, wist je dat? In feite besteden we niks. Als je bedenkt wat de gemiddelde Belg er iedere maand doorheen jaagt... Nou, daar gaan je oren van klapperen. Dat hoeft voor mij niet meer. Ik ben heel gelukkig dat ik van zo weinig kan leven.'

Ik geloof dat op dit moment mijn wangen even rood waren als die van Michelle. Wij jasten er samen ook elke maand een klein vermogen doorheen. Met de huur, shoppen (vooral schoenen waren een zwak), uitgaan, lunchen op het werk en af en toe een grote onverwachte uitgave, ging het razendsnel. Ik kon me niet voorstellen dat een groep van driehonderd mensen het redde zonder neveninkomsten, zoals een paar fijne uitkeringen en subsidies van de Belgische staat. Michelle, die mij verwonderd aankeek, kon dat godzijdank ook niet. Ik was tenminste niet de enige wiens ideeën over de kosten van levensonderhoud bepaald waren door de moderne maatschappij.

'Kom, stap in,' maande Claire ons, 'anders krijg ik zometeen een boete. Die parkeerwacht daar staat wel heel verdacht naar ons te loeren met zijn bonnenboekje in de aanslag.'

Claire ging achter het stuur zitten met Pandora naast haar. Vanaf de passagierskant schoven Michelle en ik erbij. Zo krap was het niet eens; de cabine was minstens een meter breder dan een gewone personenauto en de bank liep van portier tot portier. Behendig stuurde Claire de truck uit het parkeervak en door het drukke stadsverkeer van Antwerpen. In vergelijking met de wegen van Amsterdam was het een en al hellingproef, maar Claire slaagde glansrijk. Het was te merken dat zij een rasechte Belgische was.

'Ik zou hier nooit met zo'n zware truck durven rijden,' zei Michelle.

'Och. Het is een kwestie van wennen. De eerste keer is het eng, zoveel auto waarover alleen jij de macht hebt, maar ik merk het nu haast niet meer. Na een paar keer met iemand mee te rijden durfde ik al alleen met de truck op pad. De truc is dat je oefent op een plek waar het niet zo druk is. Als de wagen dan gaat rollen, zit je niet meteen tegen een andere auto aan.'

Michelle knikte, maar leek weinig overtuigd. 'Dat oefenen moeten we maar voor later bewaren.' Ik was het hartgrondig met haar eens.

Onderweg praatte Claire vrolijk met ons mee. Ze leek inderdaad niet in de gaten te hebben dat ze een voertuig van vijftien meter onder haar kont had. Ze manoeuvreerde het gevaarte moeiteloos, terwijl ik al moeite had de stationwagen van mijn ouders te parkeren. Nu waren de parkeerplaatsen in Amsterdam ook wel veel te krap voor de gemiddelde stationwagen. Zelfs met een simpele, compacte Ka, de auto waarin ik een tijdje had rondgereden omdat ik toen nog vaak naar Leiden ging, waar een studievriendin woonde, was het soms een crime om netjes in het vak terecht te komen. Ik was de tel van geraakte paaltjes, gemaakte krassen en geknakte spiegels al na een paar maanden kwijtgeraakt.

We reden de stad uit en zetten onze tocht voort door het pittoreske platteland van België. Af en toe kwam er een dorpje voorbij met een verloren café, en ik kreeg voor het eerst in mijn leven een warm gevoel bij de huizen met een zijmuur in ruitjespatroon, waarbij het leek alsof er een ander huis met een taartmes van afgesneden was.

Door de cabine schalde de muziek van K3, waar Pandora een groot fan van was. Ze zong alle liedjes van voor tot achter en zonder haperen mee, uiteraard in smetteloos Vlaams. Tijdens de refreinen van de bekendere nummers zongen Michelle, Claire en ik vrolijk met haar mee.

Na een mij volstrekt onbekend aantal kilometers kwamen we aan in het zoveelste kleine dorpje, dat bestond uit niet meer dan een hoofdstraat met een paar zijweggetjes waaraan nog wat huizen stonden. Aan de lange doorgaande weg waren een kruidenier en een kiosk gevestigd, zodat mensen in elk geval niet iedere dag uit hun dorp weg hoefden. Vlak na dit dorpje sloegen we rechtsaf en reden een heuvel op. Boven aangekomen verrees een oud gebouw dat mij voorkwam als een klooster. Claire stapte uit de truck en duwde het gietijzeren hek open. 'Dit is een voormalige abdij,' bevestigde ze toen ze weer instapte. 'Vijftien jaar geleden overleed hier de laatste monnik. Er was geen nieuwe aanwas meer. Toen kocht een groep mensen het gebouw om er samen in te gaan wonen. Sindsdien is de commune gegroeid tot wat het vandaag de dag is. Het spreekt mensen blijkbaar aan, hoe wij leven. Maar daar hoef ik jullie niets over te vertellen!'

Ze parkeerde de truck en sommeerde ons alle drie om uit te stappen. Pandora hielp ze een handje, voor haar was de afstap van de laatste trede van het trucktrapje naar het grindpad iets te groot. 'Je zou het aan de buitenkant niet zeggen, maar dit gebouw is enorm. Iedereen heeft zijn eigen kamer. En we hebben in de oude kapel een gezamenlijke ruimte waar we eten en waar van alles georganiseerd wordt. Verder hebben we zestien gastenkamers voor mensen die even uit het hectische leven willen ontsnappen. Hier komen ze tot rust. Ik ben de gastvrouw voor al deze gasten, maar ook voor jullie als nieuwe bewoners heb ik die functie,' verklaarde ze. 'Ik ben daarom ook degene die jullie wegwijs maakt.'

We liepen over het grindpad naar de abdij. Rustig was het er zonder meer. Het overheersende geluid was dat van de vogels die besjes en zaadjes van de commune jatten, maar vogelverschrikkers stonden er niet. De bewoners namen het voor lief. Dat kon ook wel met zo veel groenten en fruit. Zover ik kon zien, was het land begroeid. Ook waren er kippen, schapen, geiten, varkens en een aantal koeien. Het voelde helemaal niet als thuis, eerder alsof ik met vakantie was. Logeren bij de boer, zoiets.

'Alle grond in de omtrek van de abdij is van ons,' vertelde Claire. 'We verbouwen groentes op het land en in de kassen, waar we de meer exotische soorten kweken. Op de heuvelhelling staan onze druiven. Dat is onze grootste inkomstenbron: we maken onze eigen, honderd procent Belgische wijn. Zelf drinken we niet zoveel, maar het is een geliefd streekproduct dat we distribueren naar diverse winkels in de provincie.'

Dat verklaarde ook meteen hoe de commune zelfvoorzienend kon zijn. Bewonderend keek ik in het rond. Het was net een klein land. Alles wat je nodig had, was aanwezig. En als het er niet was, was het bij de kruidenier in het dorp te koop. Maar ik zag geen wiet of andere verdovende middelen. Alles was verantwoord en gezond. Deze mensen hadden een haast vrome leefstijl. In een voormalig huis van God konden ze ook bijna niet anders.

Ik voelde me een tikje ongemakkelijk, want mijn leefstijl was allesbehalve bewust. Oké, af en toe had ik bij de supermarkt in Amsterdam wel een product gekocht met zo'n logootje van 'Ik kies bewust', maar ook ik wist dondersgoed dat mayonaise in geen geval écht gezond kon zijn. Hooguit beter dan de andere soorten. En Michelle was in dit opzicht al niet veel heiliger dan ik. Zij kocht af en toe gezondere voedingsmiddelen, maar wel voorverpakt. Ook voor haar was de aanblik van zo veel vers schokkend.

We waren op een boerderij beland, en wat voor een. Dit was zoveel mooier dan ik me had voorgesteld, dat mijn eerdere gedachten over de commune als hippieparadijs plotseling lachwekkend waren.

Pas toen ik over de grootste verbazing heen was en me omdraaide naar de ingang van de abdij, zag ik de kleine menigte die naar buiten was gekomen om de nieuwe aapjes te bekijken.

Nieuw bloed, altijd interessant. 'Hallo,' zwaaide ik dommig. 'Ik ben Stella.'

Michelle volgde mijn voorbeeld.

Claire, die merkte hoe onbeholpen we erbij stonden, troonde ons mee naar binnen. 'Jullie leren iedereen vanzelf kennen,' zei ze geruststellend. 'Het heeft geen zin om nu al iedereen persoonlijk de hand te schudden en vervolgens hun namen weer te vergeten. O ja, dat is waar ook! Ik geef jullie allebei een smoelenboek. Daarin staat iedereen die hier woont. Als je dat een paar keer doorneemt, kom je een heel eind.'

Ze ging ons voor door de hal en naar boven over een statige trap, met zo'n gelakte houten leuning waar je als kind vanaf wilt glijden – en als twintiger stiekem ook nog, gewoon om te voelen hoe soepel dat gaat: afzetten, vaart maken, het bochtje om naar beneden en op beide benen landen.

Aan de muren rondom de hal en boven de trap hingen portretten van katholieke iconen. Ik herkende Maria en Jezus, die me aanstaarden, net als een hele trits heiligen die ik niet kende.

Boven aangekomen viel het lieflijke, antieke beeld van de abdij in duigen. De muren waren een bonte verzameling van direct op de muren geschilderde kunstwerken, zo te zien gemaakt door de huidige bewoners. Verderop in de gang was iemand bezig met een zonnebloem die tot aan het plafond reikte. De man stond op een ladder om zo hoog te kunnen schilderen.

Wij sloegen af voordat we het kunstwerk in wording passeerden. 'In deze gang hebben we vrije bewonerskamers,' vertelde Claire. 'Willen jullie samen een tweepersoonskamer of apart van elkaar een eenpersoonskamer?'

Ik keek naar Michelle. In ons appartementje hadden we allebei een eigen slaapkamer gehad, maar hier wilde ik om te beginnen liever een kamer met haar delen. Het idee dat ik in een spookachtige abdij alleen zou liggen, stond me niet zo aan, terwijl het idee om samen de dag door te nemen, met onze hoofden op de zachte kussens, met onze ogen dicht maar klaarwakker, me juist aansprak. Ze zag in mijn ogen wat ik dacht en zei: 'Samen. Een tweepersoonskamer zou super zijn.'

'Dan weet ik exact welke jullie mogen hebben. Hij is gloednieuw, er heeft in de vijftien jaren na de overname van de abdij nog nooit iemand in geslapen.' Ze zag onze schrik. 'Er is niks mis mee, wees grust. We hebben simpelweg zo veel ruimtes dat het er niet van kwam. Het voordeel hiervan is dat jullie alles naar eigen inzicht mogen inrichten. De kamer heeft twee bedden en twee grote kasten, dat is alles.' Claire liep naar het einde van de gang en opende een zware houten deur voor ons. 'Sloten hebben we hier niet, maar je kunt erop rekenen dat er nooit iemand zomaar binnenkomt. Alleen de schoonmaakploeg verleent zichzelf toegang. Als je bij iemand naar binnen wilt, klop je aan.'

Onze kamer was inderdaad kaal. Daardoor leek hij des te groter, want de twee bedden stonden strak tegen de zijmuren en de kasten aan de voeteneindes. In het midden was een vrije ruimte en recht tegenover de deur werd de hele wand in beslag genomen door een panoramaraam. Dat was er later in gezet; het zag er veel te modern uit voor een abdij. Daarbij stelde ik me meer zo'n nisje in de muur voor waardoor je net een straaltje zonlicht kon zien, waarin je als monnik 's morgens knielde om te danken voor een nieuwe dag.

Het verbaasde me dat ze toestemming hadden gekregen om de grote ramen erin te zetten. De abdij leek me op zijn minst beschermd erfgoed, misschien zelfs een monument. Ik was desondanks heel blij met het panoramaraam. Dat gaf uitzicht op de zonovergoten heuvels rond de abdij. Ik kreeg vaak een kriebelig gevoel bij plaatsen met voelbare geschiedenis, vooral als die geschiedenis met religie te maken had, maar door de grote bak licht was het spookachtige ervan uitgewist.

'Redden jullie het zo?' vroeg Claire.

'Het is een mooie ruimte,' zei Michelle. 'Alleen zoals je zei wel wat kaal. Waar kunnen we terecht voor extra meubilair?'

'Beneden runnen we een kringloopwinkeltje. Mensen brengen hun afdankertjes erheen en wij kunnen die voor een klein bedrag verkopen. Sommige stukken houden we zelf. Daar mag je iets uitkiezen. Het zijn vaak opknappertjes. Voor het opknapwerk kun je terecht in de werkplaats. Alles wat je nodig hebt, vind je daar. Gereedschappen, verf, stoffen... En mensen die je kunnen helpen als je zelf niet zo handig bent,' voegde ze eraan toe. 'Geeft niks hoor, iedereen heeft zijn eigen talenten. Je bent welkom om je eigen talent in te zetten en te ontplooien. Als je wilt, mag je trouwens ook de muren versieren. Maakt niet uit hoe. Deze vleugels van de abdij mogen we vrij aanpassen, zolang we de gastenverblijven en de gezamenlijke ruimtes intact laten. Goed, genoeg informatie voor vandaag. Ik laat jullie nu met rust, jullie zijn denk ik moe. Mocht je trek hebben, dan is er over een uur een lunch in de eetzaal. Ik breng straks nog twee smoelenboeken zodat jullie de gezichten kunnen bekijken.'

'Dank je wel, Claire,' zei ik na deze overweldigende hoeveelheid informatie.

'Niets te danken. Het is mijn taak.'

Het lukte ons om een paar uurtjes slaap te pakken, de uurtjes die we die ochtend door het vroege vertrek gemist hadden. Michelles wekker ging om twee uur 's middags weer af, waarna we onze koffers uitpakten en alle spullen in de kasten ordenden. Ik was blij dat het redelijk paste. Het was wel heel schandalig geweest als we met twee van die grote linnenkasten op de kamer alsnog bij de kringloop moesten vragen om extra kastruimte.

Daar hadden ze wel andere dingen die we voor de aankleding van onze kamer konden gebruiken. We zochten een staande lamp, een vloerkleed en een bankstel uit. Voorlopig hadden we daar genoeg aan. Het vloerkleed zorgde voor een zachte landing van onze uit bed stappende voeten, de lamp gaf een fijn sfeerlicht af en de bank zetten we zo voor het raam neer dat we vanaf daar het beste uitzicht hadden.

Aangezien we allebei geen zin hadden om de spullen op te knappen, vroegen we alleen om hulp bij het naar boven brengen. Die kregen we van de twee mannen die de kringloopwinkel runden. Zij gingen er geregeld met de truck op uit om spullen op te halen en weer naar kopers te brengen, vertelden ze, dus ze waren getrainde sjouwers. Ze kregen de bank moeiteloos de trap op terwijl wij erachteraan sukkelden met het vloerkleed en de lamp.

Toch miste de kamer nog iets, vond Michelle. We gingen terug naar de kringloop voor accessoires en toen spotte ze een platenspeler en een doos vol elpees. 'Mogen we die op onze kamer zetten?' vroeg ze de verkoper.

Hij lachte. 'Ik zou niet weten waarom je dat wilt, maar van mij mag je. Er is geen vraag meer naar platen.' En zo kwamen we aan een dertigtal elpees en een perfect werkende speler. Michelle zocht de allereerste plaat uit, van haar idool Kate Bush: *The kick inside*. Daarop stond een van haar favoriete nummers aller tijden. Ik moest muisstil zijn terwijl het draaide. Het nummer heette *The man with the child in his eyes* en was volgens Michelle de bevestiging dat er ergens op de wereld een man was die voor haar bestemd was. Die haar kende voordat ze elkaar ontmoetten, die haar voor altijd zou liefhebben. En dat uitgerekend deze plaat in de doos van de kringloop zat, zag ze ook als een teken.

Ze had haar ogen dicht en ik keek gefascineerd toe hoe ze reageerde op de muziek. Haar gezicht bewoog mee met elke toon. Doordat ik zo naar haar keek, raakte ik weer net zo van haar in de ban als de eerste keer dat ik haar zag, uitbundig dansend in een eetcafé waar niemand anders danste. Ik was net een maand bezig met mijn studie in Amsterdam en kende nog niemand van buiten de universiteit.

Dat ze dat durft, had ik toen gedacht. Ze was zo expressief, zo schaamteloos, zo... inspirerend. Het gaf mij de moed om haar aan te spreken. Daar reageerde ze positief op en zo werd ze mijn gids in de stad waar zij op dat moment zelf pas net iets meer dan een jaar woonde.

Nu had ze dezelfde uitdrukking op haar gezicht als die eerste keer. Zij had ook iets van een kind in haar ogen, al had ze die nu gesloten. En niet alleen in haar ogen. Wie zo impulsief én overtuigend was dat ze mij zover kreeg om halsoverkop naar België te gaan en in een commune te leven, moest iets bijzonders hebben. Het was weliswaar niet haar idee, maar zonder haar was ik nooit op Hildes voorstel ingegaan. Dankzij Michelle zat ik op een zachte plofbank, in de zon, in een oude abdij, luisterend naar een betoverende plaat van Kate Bush, genietend, vrij.

4

Pas tegen etenstijd begaven we ons naar de gezamenlijke ruimte in de kapel, die op dit tijdstip als dinerzaal diende. De kapel was makkelijk te vinden door het geluid te volgen, maar we hadden van Claire ook een kaartje gekregen met daarop alle gangen en vertrekken in de abdij. Daarnaast had ze ons allebei een boekje gegeven met leefregels en informatie, maar dat had ik nog niet doorgenomen. Het zou allemaal wel loslopen de komende tijd. In regels had ik voorlopig geen zin.

De commune dineerde niet stipt om zes uur zoals de meeste Nederlanders, maar rond achten. Dan waren de werkers op het land klaar en kon iedereen ontspannen eten. De kookploeg daarentegen was wel vanaf zes uur bezig met de voorbereidingen, en dus rook het al ruim een uur van tevoren zeer aanlokkelijk. Michelle en ik moesten ons inhouden om niet alvast een vinger in een van de pannen te steken. Zodra het eten klaar was en de tafels gedekt, klonk een bel, die overal in de abdij te horen was. Voor elke gelegenheid was er een verschillende melodie waarmee de conciërge zijn medebewoners liet weten wat er gaande was. Dit kleine stukje informatie over de beltraditie kende ik uit het boekje van Michelle. Zij wilde weten wat de functie was van de bel die zojuist ging.

In onze slippers (voor luchtige voeten, net zo luchtig als de spaghettitopjes en korte rokjes die we op deze julidag droegen) liepen we uitgelaten de trap af naar de eetzaal. De voormalige kapel herkende ik alleen nog aan de glas-in-loodramen en de verhoging met de kansel erop, voor de rest was alles gemoderniseerd. Kerkbanken waren vervangen door lange tafels met plastic stoeltjes rondom. Aan een van de tafels stonden twee versierde stoelen. Ik vermoedde dat die voor ons waren; het zou een leuk gebaar zijn naar de nieuwelingen. Toch wachtte ik even af of iemand ons daadwerkelijk naar die plaatsen wees – er konden net zo goed twee jarigen zijn. De geboortedata van alle bewoners, die ook in het smoelenboek vermeld stonden, had ik niet onthouden bij het vluchtig doorbladeren.

Claire kwam op ons af en leidde ons inderdaad naar de versierde stoelen. Ik nam erop plaats en kwam erachter dat mijn topje iets te kort was, waardoor een van de rafelige slingers heel irritant in mijn onderrug kietelde. Onopvallend, ondertussen vrolijk lachend, krabde ik even goed langs de plek waar het kriebelde en probeerde de slinger omhoog en mijn topje omlaag te duwen. Het lukte niet: beide partijen vielen meteen terug in hun oude positie. Niet op letten, prentte ik mezelf daarom in, gewoon doen alsof er niets aan de hand is – en af en toe even krabben.

Onze gastvrouw Claire (die inderdaad ook in het smoelenboek de titel 'gastvrouw' achter haar naam had staan, iets wat ze blijkbaar graag benadrukte) verwelkomde iedereen bij het diner. Ze riep de chef-kok erbij die er in het echt heel anders uitzag dan op de foto, en een stuk minder knap was. Hij vertelde wat er vanavond op het menu stond. We kregen een verse groentesoep vooraf, als hoofdgerecht lam en het toetje was de specialiteit van de chef: huisgemaakte chipolatapudding. Alles was huisgemaakt, maar bij de pudding werd het om een of andere reden benadrukt.

Het leek wel of we in een restaurant aten. Wie maakte er nu drie gangen klaar voor een simpele doordeweekse maaltijd? En dan ook nog met lam? Er waren die lente zeker te veel lammetjes geboren.

'Maar voordat we beginnen met eten,' riep Claire de likkebaardende menigte tot de orde, 'wil ik twee mensen naar voor roepen. Zij zijn vandaag aangekomen om onze commune te versterken met hun sterke, Hollandse karakters en hopelijk ook met hun persoonlijke talenten. Een warm onthaalapplaus voor Michelle en Stella!'

Michelle trok me aan mijn arm omhoog omdat ik te beduusd was om op te staan. Ze sleurde me mee naar de plek waar Claire stond, op de verhoging, voor de kansel, waar voorheen een predikant of dominee of wat ze in een abdij ook hebben had gestaan, die een vrome groep monniken leerde over het geloof. Men peinsde er in die tijd niet over om in deze ruimte te eten, vermoedde ik, tenzij het een hostie of zoiets was. Laat staan dat ze het opaten zonder ervoor te bidden. Heilig was de commune in elk geval niet.

'Laten we met jou beginnen, Michelle,' zei Claire tot mijn opluchting. 'Vertel eens iets over jezelf.'

Michelle nam het woord en vertelde iedereen waar we vandaan kwamen, wat haar achtergrond was en – op Claires aandringen – wat ze hier in de commune hoopte te vinden: een sociale omgeving, inzicht in zichzelf en een rustgevende plek. Vervolgens vertelde ik ongeveer hetzelfde, met het verschil dat ik iets verzweeg: mijn column, de belangrijkste reden waarom ik hiernaartoe was gekomen. Het voelde niet alsof men zou accepteren dat ik mijn ervaringen in de openbaarheid bracht. Aangezien hier geen tijdschriften werden gelezen en al zeker geen Nederlandse, liep ik toch geen gevaar op ontdekking. Ik liet het maar zo.

'En dan is het nu tijd voor de meest officiële vraag van het voorstelrondje,' kondigde Claire op gespannen toon aan. Ze knipoogde naar een man die vlak bij ons zat. Ik herkende zijn gezicht wel, maar had zijn naam niet onthouden. Vervolgens richtte ze zich weer tot ons. 'Zoals jullie misschien wel is opgevallen, heeft iedereen in onze commune een eigen taak. Een baan, zou je kunnen zeggen. Wel, die krijgen jullie ook. Of nou ja, krijgen… Je mag er zelf een kiezen. Momenteel hebben we op verschillende plekken iemand nodig. Alles staat in deze uitdraai.' Ze overhandigde ons allebei een stapeltje aan elkaar geniete A4'tjes met vacatures. Tenminste, daar leken de omschrijvingen van de banen wel op: benodigde capaciteiten, aantal uren dat je er naar schatting wekelijks mee bezig zou zijn en wie je collega's werden. 'Neem het rustig door en beslis dan welke job je wilt uitoefenen. Het zou fijn zijn als dit snel lukt, maar het belangrijkste is dat je op de goede plek terechtkomt.'

'Het zal vast snel lukken,' verzekerde Michelle haar. Ik betwijfelde of dit ook voor mij gold. Maar goed, er was niet direct haast bij. Ik legde de lijst onder mijn versierde stoel neer en viel aan op de groentesoep. Tijdens het eten praatte ik met Michelle en met onze overburen aan tafel, maar het gesprek ging niet over de vacatures. Pas tijdens het toetje lazen we die door. Ik vroeg me bij elke vacature weer af of Michelle er net zo verbaasd over was als ik.

Natuurlijk moest er ook in een commune werk verzet worden, dat snapte ik. Waarom we dat al op de eerste dag op ons bord kregen, snapte ik echter niet. Het was leuk om in de schijnwerpers te worden gezet, maar dat we meteen al onze taken moesten vervullen, vond ik ietwat overhaast. Ik had op z'n minst een rustige week verwacht om te acclimatiseren.

Na het eten ging iedereen er in rap tempo vandoor. De afwasploeg nam alle vuile vaat mee naar de keuken, die aan de oude kapel grensde, en het twee vrouwen tellende animatieteam nodigde ons nog even snel vanaf de kansel uit om over een kwartier in de huiskamer naar een film te kijken. Daar werd op het grote scherm *Little miss sunshine* vertoond, een film die ik al drie keer had gezien. Ik wilde hem best nog eens zien, maar ik wilde nog veel liever terug naar boven om deze avond met mijn kamergenoot te bespreken.

Tegen Michelle hoefde ik niets te zeggen. Zij begreep mij zonder woorden. Ze pakte onze vacaturelijsten op en liep voor me uit naar de hal, de trap op en rechtstreeks naar onze kamer. Dit alles in flink tempo; ik sprintte haar achterna.

Op de kamer liet ze zich met een zucht op haar bed ploffen.

'Wat een ontvangst hè,' zei ik. 'Ik dacht eindelijk een tijdje niet te hoeven werken.'

'Dat droombeeld was te mooi om waar te zijn. Ook in een commune moet je werken. En ik vind het echt geen probleem, hoor, maar heb je gezien wat voor baantjes het zijn?' Michelle kwam kreunend omhoog en pakte de lijst erbij. 'Dit bijvoorbeeld. Bibliothecaris. Doet alle klussen die met onze rijke boekencollectie van doen hebben: bestellen, afschrijven, uitlenen, schoonhouden, eventueel binnengebrachte boeken uit de kringloop inbrengen. Wie wij zoeken: iemand die van lezen houdt en zijn medebewoners kan adviseren welke boeken te lezen. Een communicatief sterke persoon die ook orde kan houden. Geschatte ureninvestering: de bibliotheek is elke werkdag van tien uur 's ochtends tot twee uur 's middags geopend. Inclusief de taken hieromheen kun je rekenen op vijfentwintig uur per week. Collega's: geen. De vorige bibliothecaris is tot onze grote spijt overleden en we zoeken derhalve een vervanger.'

'Leuk, toch?' vroeg ik vertwijfeld. 'Dit is een van de weinige functies die me een beetje aanspreken.'

'Ik vind het allemaal weinig uitdagend overkomen. Maar vertel op: welke lijken je nog meer wat?'

'Iets in de kookploeg. Lekker kokkerellen, dat lijkt me wel wat. Of een baantje in het naaiatelier. Aan deze omschrijving te zien is het daar erg gezellig. Hier staat dat de collega's drie vrouwen zijn. Nou, dan leer je de commune pas echt snel kennen. Alle roddels zullen daar bliksemsnel de ronde doen.'

Michelle lachte hardop. 'Ja, dat klinkt inderdaad als een broeinest van hardnekkige geruchten. Helaas ben jij helemaal niet zo'n roddeltante, en ook al niet echt een naaister. En koken? Sorry, Stel, maar dat kun je wel vergeten. Ze zoeken wel iemand met talent, niet zomaar iemand die het wel leuk lijkt om een beetje te kokkerellen.'

'Nou, vertel jij me dan maar wat ik moet doen, als jij het zo goed weet,' zei ik.

'Bij nader inzien vind ik bibliothecaris toch wel iets voor jou. De laatste tijd heb je het lezen echt weer opgepakt, sinds je dat boek van Joshua las. Je vangt denk ik weinig zon in de bieb,' peinsde Michelle, 'maar naast het werk houd je veel vrije uurtjes over. Dat haal je dus makkelijk in. Tijd genoeg om op het terras te relaxen met een Belgisch abdijwijntje. Ideaal!' vond ze. 'En wat lijkt je geschikt voor mij?'

'Hmm. Lastig. Ik had eigenlijk alleen voor mezelf nagedacht,' gaf ik toe. Ik speurde nog eens door de vacaturelijst, en toen viel me een bekende naam op onder het kopje 'collega's'. Het was saai werk, maar Michelle kon het met twee vingers in haar neus doen, want ze had ruim genoeg ervaring. 'Wat denk je hiervan? Boekhouder. Houdt bij wat er aan geldelijke middelen binnenkomt, zowel vanuit de kringloopwinkel als de verswinkel en de wijnverkoop, en wat er weer uit gaat. Verzamelt bonnetjes en ordent de informatie. Wie wij zoeken: iemand met een goed stel hersenen en verstand van financiën, die niet bang is voor een uitdaging. Onze administratie is meer werk dan je zou denken. Geschatte ureninvestering: per boekhouder kost deze taak plusminus dertig uur per week, vooral door de kleine transacties en het bij elkaar zoeken van de cijfers. Ook het contact met de belastingdienst en met onze leveranciers behoort tot je taken. Je mag het werk naar eigen inzicht indelen, maar het team prikt meestal vaste tijdstippen. Collega's: Rolf en Edgar,' las ik enthousiast voor. 'Perfect toch? Je gebruikt je ervaring én houdt een heleboel tijd over om leuke dingen te doen. Zoals met mij op het terras relaxen met een Belgisch abdijwijntje, precies zoals je al zei.'

En met Edgar, dacht ik erachteraan, maar dat zei ik uiteraard niet hardop. Michelle had een gruwelijke hekel aan koppelen en alles wat ernaar riekte. Nou, als ze dankzij mij Edgar als collega had, zou ze daar wel anders over gaan denken. Hij was negenentwintig jaar en zag eruit om op te vreten, tenminste; als zijn foto in het smoelenboek representatief was voor zijn verschijning. Edgar had geen vrouw, want als hij die had gehad stond het erbij, dus hij kon hooguit een vriendin in de commune hebben. Daar kon Michelle wel tegenop. Zij was een gedistingeerde, slimme vrouw. En dat zou hij, wanneer hij met haar ging werken, snel genoeg doorhebben. En dan zou ze hem moeiteloos om haar vinger winden. Maar dat was allemaal van later zorg.

'Het klinkt best goed,' zei ze na een korte denkpauze. 'Ik weet tenslotte best het een en ander van financiën.'

Bij het zien van de grimas die ze trok terwijl ze dit zei, proestte ik het uit. 'Best het een en ander!' gierde ik. 'Ja hoor, jij weet best het een en ander van financiën! Net zoals Wubbo Ockels wel het een en ander weet van zonne-energie, zeker. Die baan heb je in je zak, dat geef ik je op een briefje.'

Toen mijn lachbui was weggestorven, dacht ik tevreden aan mijn eigen keuze om bibliothecaresse te worden. Toegegeven, in Nederland had ik nooit veel gelezen, maar dat kwam door een chronisch tijdgebrek, daar was ik al achter. De inhaalspurt was ingezet en in de commune kon ik mijn achterstand in een paar weken inhalen. Hoeveel boeken zouden er in die bibliotheek staan? Een rijke collectie, stond er in de vacature. Dat kon zowel slaan op de kwaliteit als op de kwantiteit. Het waren er vast niet zoveel. Er woonden tenslotte maar driehonderd mensen, een stuk of duizend boeken leek me voor die groep het maximum. Als ik er in een week tien kon lezen, wat me heel realistisch leek, had ik al een procent gehad. En kon ik anderen adviseren zoals van me verwacht werd.

De rest van de avond praatten we niet meer over ons werk. Die keuze was gemaakt en het was makkelijker gegaan dan ik had verwacht. We bespraken de mensen die we ontmoet hadden, van Claire en Pandora tot de serveerster die ons bij elke gang té vrolijk toelachte. Een echte roddelaar zou ik nooit worden, maar onschuldig praten over anderen ging me prima af. Wel hield ik wijselijk mijn mond over Edgar. Hem hadden we die avond niet eens gezien, dus het zou heel raar zijn geweest als ik hem ter sprake bracht – Michelle had nog geen idee wie haar nieuwe liefde werd. Daar zou ze binnenkort wel achter komen.

Om elf uur knipten we het licht uit en luisterden naar de plaat van Jesus Christ Superstar, waarmee we onze eerste dag in de abdijcommune in stijl afsloten. De muziek verdween al snel naar de achtergrond en ik viel als een blok in slaap.

Na het ontbijt, waarbij ik schandalig veel naar binnen werkte omdat er schandalig veel meer op tafel stond dan ik gewend was, kwam Claire naar ons toe. Ze vroeg meteen waar het op stond: 'Hebben jullie al besloten welk team je wilt versterken?'

Ik knikte. Mijn besluit stond zo vast als het in dit vroege stadium van mijn verblijf hier staan kon. Ik werd bibliothecaresse. Angstaanjagende visioenen van de grijze muis met dikke brillenglazen die in onze buurtbibliotheek vroeger de boeken onder haar hoede had, verdrong ik, en ik verving ze door het beeld van mijzelf in een chique bibliotheek met een glaasje wijn in de hand. Dat beviel me een stuk beter. En viel het toch tegen, dan kon ik altijd nog switchen naar de keukenploeg. Of in het ergste geval schoonmaakster worden. 'Ik wil de bibliotheek runnen,' zei ik trots.

'Geweldig!' Claire gaf me een schouderklopje. 'Daar hebben we al ruim twee maanden niemand meer zitten, dus het is hoog tijd.'

'Twee maanden?' vroeg ik verschrikt.

'Maak je niet sappel, er is in de tussentijd goed voor de boeken gezorgd. Ze zijn door de schoonmaakploeg van de betreffende vleugel afgestoft en staan allemaal keurig op de plank, want uitleningen hebben we zonder bibliothecaris maar even niet gedaan. De bewoners zullen dolblij zijn als de bibliotheek weer opengaat! Vooral als er iemand met kennis van zaken zit. Wat heb jij met literatuur?'

Ik haalde mijn schouders op. Shit, nu stond ik voor het blok. Ik kon niet toegeven dat ik pas de laatste tijd weer begonnen was met lezen. Dan stuurde ze me linea recta door naar de afwasploeg. Maar ik kon ook niet liegen dat ik heel belezen was. Stel dat zij een veellezer was en me allerlei vragen stelde waarop ik het antwoord niet wist, dan stond ik nog harder voor joker.

'Stella heeft de afgelopen paar weken superveel gelezen,' viel Michelle me bij.

'En voor die tijd?' vroeg Claire, maar voordat ik antwoord kon geven, vervolgde ze: 'Zomaar een gokje: toen had je nooit tijd?'

'Vreselijk hè!' beaamde ik opgelucht. 'Mijn werk hield me zo bezig, dat ik nergens anders aan toe kwam.'

'*Work's a bitch,*' vond Claire. 'Geeft helemaal niks, het komt hier snel weer goed.'

'Dat hoop ik echt. Ik ben van plan om mijn kennis en smaak te ontwikkelen.' Ja, dat klonk zoals het zijn moest, stelde ik vast. Toegewijd. Betrokken. Hier scoorde ik punten mee.

'Prima. Met ingang van vandaag heb jij de verantwoordelijkheid voor de bibliotheek. En jij, Michelle?'

'Mijn voorkeur gaat uit naar de boekhouding,' zei ze op zakelijke toon. 'Bij het grote bedrijf waar ik in Nederland werkte,' ze noemde bewust de naam niet om de hardnekkige spookverhalen die over het bedrijf de ronde deden niet over zich heen te krijgen, 'was ik accountant. Ik ben dus zeer goed thuis in financiële zaken. De boekhouding lijkt me dé plek om mijn talent in te zetten voor de commune. Ik werk gestructureerd en heb een natuurlijke autoriteit, waardoor mensen altijd stipt op tijd de door mij gewenste documentatie aanleveren.'

Het was te merken dat ze dit verkooppraatje vaker had afgedraaid. Ze klonk zeer overtuigend en indrukwekkend; geen speld tussen te krijgen. Claire kon dat dan ook niet. 'Oké. Dat lijkt me tiptop in orde. Ik zal jullie benoemingen op het mededelingenbord schrijven en dan mogen jullie kennismaken met je nieuwe werkplek. Stella, jij krijgt veel vrijheid om de bibliotheek naar eigen inzicht te runnen. Onze vorige bibliothecaris had een nogal eigenzinnig systeem dat je absoluut niet over hoeft te nemen, want verder snapte niemand er iets van, dus we kunnen het je ook niet uitleggen. Dat geheim heeft hij mee het graf in genomen.'

Bij deze opmerking kroop er een rilling over mijn ruggengraat. Ging ik werken in het heiligdom van een dode? Hij was misschien niet ter plekke overleden, maar het was wel zijn domein, dat ik nu overhoop mocht gooien.

Nou ja, niet aan denken. Ik had mijn keuze gemaakt en ging er het beste van maken.

'Voor jou, Michelle, lijkt het me raadzaam om eerst kennis te maken met je collega's Rolf en Edgar. Zij werken al langer op de boekhouding en kunnen je er werkelijk alles over vertellen, voor zover dat met jouw achtergrond nog nodig is. Ah, daar heb je Edgar net. Edgar!' riep Claire. 'Joehoe!'

Hij kwam op een drafje naar ons toe, Claires harde roep kon hij niet negeren. 'Nieuw Nederlands bloed,' zei hij direct, en hij nam ons van top tot teen op. 'Ja, volgens mij zijn jullie een prima aanwinst voor de *community*.' Edgar zei het met een sexy Vlaams accent en een plastic lach die op zijn gezicht geschroefd leek. Totaal niet overtuigend. Jammer, want hij was wel knap. 'Ik ben trouwens Edgar, maar dat hadden jullie al begrepen.'

'Stella,' zei ik, en ik stak mijn hand naar hem uit. Toen Michelle hetzelfde deed, lukte het haar niet om haar eigen naam fatsoenlijk uit te spreken. Ze bleef hangen op de sj-klank en hakkelde terwijl ze hem de hand schudde. Dit ging de goede kant op, stelde ik vast. Verbazingwekkend hoe makkelijk dat ging. Eén dag in België en het was al raak. Kwam ze dan op haar werk echt nooit iemand tegen die even leuk was als Edgar? Ik kon het me nauwelijks voorstellen. Als je voor dat wereldje koos, moest je toch een zwak hebben voor mannen die strak in het pak vochten om de grote klanten en pochten over hun vangsten. Niet dat deze Edgar zo op mij overkwam, integendeel. Hij had op die rare lach na een relaxte houding, nonchalant. Misschien was het juist dat gebrek aan zelfverheerlijking dat ervoor zorgde dat hij zo snel tot haar kon doordringen.

'Jullie worden collega's,' deelde Claire mee terwijl ze haar hand heen en weer bewoog tussen Edgar en Michelle. 'Michelle kiest ervoor het boekhoudteam te versterken. Zij is accountant geweest bij een miljoenenbedrijf, dus met haar kennis van financiën zit het wel goed.'

'Zei ik het niet? Een grote aanwinst voor de commune. En al zeker voor ons kleine schakeltje daarin.' Edgar glimlachte naar Michelle, maar het was nog steeds plastic. Ik kreeg er de kriebels van toen hij dezelfde lach op mij richtte. 'En wat ga jij doen?'

'De bibliotheek nieuw leven inblazen.'

'Wauw, ook al een topper. Sinds die oude Nestor overleden is, is het een stuk minder leuk om boeken te lezen. Als je er al een bemachtigt, want de bibliotheek is dicht. En dan weet ik ook niet wat ik moet kiezen. Nestor wist altijd de beste boeken aan te raden. Er ligt een grote druk op jouw schouders als je het net zo goed wilt doen als hij.'

Ik knikte flauwtjes. Waar halen mensen toch die drang vandaan om de vervanger te vergelijken met zijn voorganger? vroeg ik me af. De nieuweling doet het op zijn eigen manier. Al dat gehang in het oude vertrouwde, daar wordt niemand beter van. Progressie is belangrijk, sprak ik mezelf moed in. Nieuwe mensen, nieuwe doelen.

Zo was het voor mij tenslotte ook. Nu ik niet meer kon streven naar een carrière in de tijdschriftenuitgeverij, kreeg ik de kans om het te proberen als columnist. En nu ook als bibliothecaresse. Dat was goed. Dat was doelen bijstellen. Dat was vooruitgang.

Maar Edgars afwachtende blik zorgde ervoor dat ik me toch niet kon inhouden om op zijn opmerking te reageren. 'Ik ben ervan overtuigd dat ik het even goed zal doen als jullie geliefde Nestor. Het zal even wennen zijn, voor iedereen, maar dan hebben jullie weer een mooie bibliotheek die loopt als een geoliede machine.' Zo. Ik had gezegd.

'Ik ben heel blij dat te horen. Wanneer ga je terug open?'

'O, dat weet ik nog niet, hoor. Ik moet de bieb eerst maar eens bekijken en de boel inventariseren. Zo gauw ik dat heb gedaan, zal ik laten weten wat ermee gebeurt,' zei ik. Wie weet kon ik een groots openingsfeest geven. Een soort boekenbal, waar in plaats van opgeprikte schrijvers alleen leesfanaten naartoe mochten. Dan zou ik de kookploeg vragen of ze iets toepasselijks klaarmaakten, soep met lettervermicelli of zo, en liet ik het geheel opluisteren door de muzikale talenten van de commune, die ik via het smoelenboek kon opsnorren. (Er stonden ook hobbylijsten bij de profielen. In feite was het smoelenboek gewoon een vriendenboekje. Het enige wat er nog aan ontbrak, was een overzicht van de favoriete kleuren van alle communebewoners.)

'Waar lach je zo geheimzinnig om?' vroeg Claire.

'Niets, niets bijzonders. Ik denk dat de heropening van de bibliotheek heel feestelijk wordt, dat is alles. Jullie horen binnenkort meer van me.'

'Ik ben benieuwd! Ga maar snel aan de slag, je hebt vast een hoop werk te doen. Je kunt de sleutel van de bibliotheek afhalen bij onze conciërge, Bill. Hij wijst je ook de weg naar de vleugel waarin de bibliotheek zit. Je weet waar Bills kantoortje is?'

'Ja,' dat wist ik wel. Direct naast de hoofdingang van het oude gedeelte van de abdij zat een pijpenlaatje waarin Bill huisde en van waaruit hij toezicht hield op het reilen en zeilen van de commune. Hij beheerde alle sleutels, hield de roosters bij, stuurde de schoonmakers aan en luidde een paar keer per dag de bel. Al deze informatie had ik uiteraard uit het smoelenboek, waar naast Bills foto een uitgebreide tekst stond over zijn functie als conciërge. Onmisbaar voor de commune, heette hij daarin. Maar ik had tot nog toe over niemand gehoord die wél misbaar was.

'Edgar en Rolf gaan me inwijden in de boekhouding,' zei Michelle nadat ze zonder verder stotteren een gesprekje met haar nieuwe collega had gevoerd. 'Ik ga nu met hem mee naar het kantoortje. Red jij je?'

'Natuurlijk. Ik ga gelijk naar Bill toe, ik ben heel benieuwd geworden naar mijn nieuwe werkplek. Veel plezier.' Ik gaf Michelle een onhandige knipoog. Dat deed ik anders nooit, dus ze snapte er vanzelfsprekend niks van en trok haar wenkbrauwen naar me op voordat ze achter Edgar aan liep.

Claire ging er met een tevreden uitdrukking in haar ogen vandoor. De nieuwelingen hadden hun plek gevonden, haar taak als gastvrouw zat erop.

'Hier is het,' zei Bill. Hij was verrukt geweest toen ik hem vertelde dat ik de bibliotheek overnam en legde meteen zijn inroosterwerk neer om me de weg te wijzen naar het boekenwalhalla, zoals hij het noemde. 'Dit is de sleutel. Het is een van de oudere ruimtes in de abdij, want de monniken hielden ook van lezen. Volgens mij hangt hier op dat gebied iets aanstekelijks in de lucht, want ongeveer iedereen hier in huis is een lezer. Wanneer kan ik een boek komen lenen?'

'Dat hoor je zo snel mogelijk.'

Ik nam de sleutel van de conciërge over. Het was een ouderwetse sleutel met een krullerige kop en enorme tanden die met een toepasselijk zwaar geluid in het slot van de dikke, houten deur schoven. Ik draaide twee keer en kon toen de deurklink induwen. Met mijn volle gewicht duwde ik de deur open.

De ruimte die voor me verscheen, was adembenemend. Alle wanden stonden vol met boeken, gerangschikt op decennium en onderverdeeld op alfabet, van de grond af tot vlak onder het vijf meter hoge plafond. Waar de boekenkasten ophielden, recht tegenover de deur, zat een glas-in-loodraam waardoor het zonlicht in allerlei kleuren weerkaatste op de boekkaften. Eronder was een open haard waaromheen drie comfortabele leren stoelen stonden, voor wie in de bibliotheek wilde lezen, of voor wie gewoon van de rust wilde genieten. In het midden van de ruimte stond een antiek bureau met een ladenblok waarin de kaartjes voor uitleningen waren ondergebracht.

Het was alsof ik honderd jaar terug in de tijd was gegaan. Het enige wat erop wees dat dit niet het geval was, waren de recente boeken, waarvan Nestor er ook een aantal in zijn indrukwekkende collectie had opgenomen. Mijn pas herontdekte boekenhart ging er sneller van kloppen. Ik zag mezelf al op de verrijdbare ladder naar de allerbovenste plank klimmen om dat ene speciale boek te pakken en in een van de leren leesstoelen de uren te vergeten terwijl ik mezelf verloor in een verhaal, net zo lang tot ik de bel hoorde voor het avondeten, maar dat geluid alleen ter kennisgeving aannam omdat ik te diep in mijn boek zat om het weg te leggen voor zoiets futiels als eten. (Ik hoopte vurig dat ik ooit zo over eten kon denken – voorlopig was dat in mijn beleving allesbehalve futiel.)

'Dank je wel, Bill,' zei ik. 'Hier red ik me voorlopig wel mee.'

'Veel succes. Als je iets nodig hebt, weet je me te vinden.' Hij wierp nog een laatste verlekkerde blik over zijn schouder toen hij de bibliotheek verliet. De boeken hadden twee maanden achter slot en grendel gestaan, niemand mocht erbij. Nu was het aan mij om ze weer toegankelijk te maken en de leeshonger van mijn medebewoners te stillen. Maar hemeltjelief, dat zou een rotklus worden. Het waren veel meer boeken dan ik verwacht had en het systeem zag er niet alleen eigenzinnig, maar ook hopeloos verouderd uit.

Ik ging naar boven voor mijn laptop. Die kaartenbakken waren dusdanig oud, dat Nestor ze beter mee zijn graf in had kunnen nemen. Of nou ja… Ik was wel blij dat ze er waren. Zonder was ik verloren geweest als ik de bibliotheek wilde digitaliseren, of ik moest de boeken stuk voor stuk van de plank halen, en dat zou echt een meerjarenplan geworden zijn.

Vanuit het grote raam van mijn kamer zag ik een groep mannen op het land aan het werk. In het snikhete weer droegen ze alleen een tuinbroek, zonder T-shirt, waardoor de voorflap losjes om hun torso bungelde en uitzicht gaf op de gespierde en gebruinde lichamen van deze harde werkers. Dat was heel wat anders dan de kantoorlui die onder hun nette pakken kippenborstjes en bierbuiken verborgen. Maar ja, wie was ik om dat te veroordelen? Ik was zelf ook een ster in het verbergen van mijn zwakke punten. Althans, dat dacht en hoopte ik wel.

Met het fijne beeld nog op mijn netvlies ging ik terug naar de bibliotheek. Daar begon ik zonder uitstel aan de rotklus die me waarschijnlijk een volle week zou kosten. Ik besloot de kookploeg te vragen of ze iets gigantisch wilden voorbereiden voor als ik zover was dat de bibliotheek weer open kon, want tegen die tijd zou ik het verdiend hebben.

Ik kwam terug in de hal die leidde naar mijn nieuwe onderkomen en zag dat de deur ervan openstond. Ik had hem niet op slot gedaan – dat leek me niet nodig, ik was tenslotte maar een paar minuten weg. Bovendien kon ik me niet voorstellen dat iemand zo ongeduldig was om zomaar de bibliotheek binnen te walsen.

Het kon een schoonmaker zijn. Die hadden de afgelopen tijd ook de bibliotheek onderhouden en wisten misschien niet dat er een nieuwe bibliothecaris was. Ik trok de deur iets verder open, maar er was geen schoonmaker binnen. Wel een klein meisje met prachtig golvend lang haar: Pandora. Ze stond boven aan de verrijdbare trap en reikte naar een boek.

Wankelend.

Doodeng.

'Pandora!' riep ik. 'Kom naar beneden!'

'Wacht even. Ik heb het bijna.'

'Kom nú naar beneden. Ik pak het wel voor je.'

'Beloofd?'

'Ja, ja, beloofd! Alsjeblieft, kom hier!'

Ze greep de twee zijkanten van het trappetje en kwam sport voor sport naar beneden. Zodra ze binnen reikafstand was, pakte ik haar vast om haar te ondersteunen, ook al was het gevaar grotendeels geweken nu ze zo laag op de ladder stond.

'Wil je me nooit meer zo laten schrikken?' vroeg ik zodra ze met beide benen voor me op de grond stond. 'Ik dacht dat je te pletter zou vallen! Het is hier hartstikke hoog, dat is gevaarlijk!'

'Excuseer. Ik kwam langs en de deur was open, dus ik dacht dat ik weer mocht lezen.'

'Oké.' Ik had mijn ademhaling weer onder controle. 'Het is al goed. Je kon het ook niet weten. Lees je graag?'

'O ja, ja, heel graag! Toen ik klein was, las Nestor me altijd voor. Later mocht ik in mijn eentje boeken uitzoeken, en toen ik leerde lezen, mocht ik dat ook zelf doen. Deze stoelen heeft hij voor mij neergezet. Eerst kon je hier alleen lenen, maar nu ook lezen. En hij stak vaak de open haard aan.'

Ze was net een kleine Matilda. Altijd in de bibliotheek te vinden. 'Welke boeken vind je mooi?'

'Mijn lievelingsboek heet *De geheime tuin*. Het staat daarboven.'

'Dus dat wilde je pakken?'

'Ja,' zei ze met neergeslagen ogen. 'Het spijt me.'

'Ik zei toch al dat het goed is? Nou, zullen we dan eens kijken of ík dat boek voor je kan pakken?' Nu beklom ik de smalle trap tot aan de bovenste sport, waarvandaan ook ik maar net tot de hoogste plank kon reiken. Met een hand aan de zijkant van de trap en het boek in de andere hand klom ik trillend weer naar benden.

Pandora straalde toen ik het boek aan haar overhandigde. 'Mag ik nu lezen?'

'Vooruit. Maar dan mag je het tegen niemand zeggen, want de bibliotheek is officieel nog niet geopend. Het moet ons geheimpje zijn.'

Ze knikte bloedserieus. Geheimen, daar hielden kinderen van. Ze bewaren was een heel ander verhaal. Ik ging er maar van uit dat niemand het me kwalijk zou nemen dat ik haar al in de bibliotheek had gelaten. Ach, dat kon toch ook bijna niet. Ze was het enige kind in de commune, ze knepen vast vaker een oogje toe tegenover Pandora.

Ze krulde zich op in een van de leren stoelen met het boek op de dikke leuning. Ik wist niet hoe ik de open haard moest aansteken, dus liet ik het maar zo. Het was vandaag toch veel te warm voor een haardvuur.

'Stella?' vroeg ze na een paar minuten. Ik had mijn laptop net opgestart en de eerste kaartenbak uit het ladenblok gepakt om aan de slag te gaan. 'Mag ik jou voorlezen?'

'Ja hoor,' zei ik verbaasd. 'Dat lijkt me heel leuk.'

Glimlachend bladerde ze terug naar de eerste bladzijde van *De geheime tuin*. Vanaf daar las ze me voor met een rustige, prettige vertelstem, helder articulerend en met variërende tempo's en toonhoogtes voor de verschillende stukken van het boek. De hele ochtend en middag las zij voor terwijl ik de boeken in de computer registreerde. Pas toen de bel voor het avondeten ging, sloot zij het boek en ik de bibliotheek. Het was een productieve dag geweest.

5

Voor het eerst in mijn leven ging ik de stad Antwerpen werkelijk bezoeken. Ik had tegen beter weten in een aanvraag ingediend voor internet in de bibliotheek. Daarmee wilde ik boeken bestellen en de markt in de gaten houden, maar volgens Bill was het uitgesloten. Het zou een vermogen kosten om internetkabels in de commune te krijgen. We mochten al van geluk spreken dat we elektriciteit hadden, vond hij. En de commune was zuinig op de centen. Als je iets niet uit eigen zak kon betalen, ging het meestal niet door, tenzij het in het belang van de gehele commune was. Aangezien Nestor het altijd gered had zonder internet, was de noodzaak van een internetaansluiting onvoldoende aantoonbaar. Ja, dat snapte ik ook wel. Het was meer een gemakszaak dan een noodzaak.

Misschien was het ook maar beter. Omdat ik een paar boekwinkels ging leegkopen, kreeg ik de beschikking over de jeep voor de rit naar Antwerpen. Stukken comfortabeler dan het openbaar vervoer, dat in deze contreien waardeloos scheen te zijn. Er kwam een keer per uur een bus en dan moest je ook nog twee keer overstappen of verder met de trein, die volgens Claire in België weer veel te duur was in vergelijking met de bus.

Zij had nog voorgesteld dat ik naar Hasselt of Leuven zou gaan, allebei dichterbij, want de commune lag een stuk ten zuidoosten van Antwerpen. Ik snapte ook al niet waarom ze ons daar van het station had afgehaald terwijl zelfs Maastricht iets dichterbij was. Maar daarover wilde ik ook niet te lang nadenken, want Maastricht was zo verdomd Nederlands en daar was ik juist van weggegaan. Ik wist Claire ervan te overtuigen dat het boekenaanbod in Antwerpen veel uitgebreider en beter was, en nou ja, dat ik er gewoon mijn zinnen op had gezet.

Op de snelweg naar de stad, de radio hard aan, was ik helemaal in mijn element. Ik had zowaar zin om de auto vol te laden met boeken en de bewoners te verrassen met de nieuwe aanwinsten die de heropende bibliotheek ze zou bieden. Ik wist ook al welke boeken ik wilde hebben, want boekrecensies in kranten en tijdschriften had ik voorheen wel altijd gelezen om ondanks mijn tijdgebrek op de hoogte te blijven van wat er zoal te lezen viel.

Antwerpen doemde na een inderdaad vrij lange rit – voor mijn gevoel veel langer dan toen Claire ons ophaalde – voor me op en ik parkeerde de jeep net buiten het gebied waar betaald parkeren gold. In het laadruim lag een van mijn rolkoffers om later de boeken mee te versjouwen. Ik liet hem nog even liggen, eerst was het tijd om de stad te verkennen.

Het land was prachtig, maar de stad was een deel van mij. Ik had de stad nodig om mijn batterij weer op te laden. De geuren, de mensen, de hondendrollen – ik vond ze allemaal geweldig. Zelfs toen ik er met mijn meest fashionable laarzen middenin stapte.

Foeterend (ja, er zitten toch ook minder leuke kanten aan geweldige dingen) veegde ik de poep zo goed en kwaad als het ging af aan een grasveld. Honden schijnen elkaars drollen heel lekker te vinden, dus de andere schijtbeesten waren vast dolgelukkig met de poep die ik voor ze van de stoep naar hun toilet had verplaatst.

Met opgeheven hoofd – mijn neus zo ver mogelijk verwijderd van de walm onder mijn laarszool – liep ik verder in de richting van het centrum. Het paradijs wachtte op mij. Op mij en op de creditcard van de commune. Verbazingwekkend, hoe makkelijk ik de beschikking had gekregen over de geldbron toen ik vertelde dat ik boeken wilde kopen. Maar ja, als mensen zo weinig vertier hadden, want behalve 's avonds een filmvertoning en af en toe een spelletje was er geen entertainment, kon ik me voorstellen dat ze boeken verslonden.

De eerste winkel die ik bezocht, was geen boekhandel. Voordat de bibliotheek openging, wilde ik ook iets doen aan de inrichting. Een van de meest dringende en in het oog springende punten was het vloerkleed dat er nu lag: een oud, stoffig berenvel met de uitgeholde berenkop er nog aan vast. En tja, ik was bepaald geen fan van dode dieren op de vloer, zelfs als ze van vlees en botten ontdaan, schoongemaakt en lekker zacht waren. Claire raadde me af om hiervoor iets uit de kringloopwinkel te zoeken (daar was ik erg blij om) en gaf me een adresje waar volgens haar sublieme vloerkleden verkocht werden. Ik had verstand van interieurzaken noch Antwerpen, dus ging ik op haar oordeel af. De winkel waar ik met de communecreditcard op zak binnenstapte, zag er prijzig chic uit.

Ik probeerde het tapijt op de vloer van de winkel niet te veel aan te raken met de zool van mijn linkerlaars. Straks liet ik bruine sporen achter en stuurden ze me weg. Wat heel terecht zou zijn, maar ik kon het er niet bij gebruiken. Steunend op de zijkant van de laars bewoog ik me onhandig door de winkel. De weeïge geur viel door de typische stof- en lijmgeur haast niet op. Als ik al een vlek achterliet, kon ik doen alsof ik het niet doorhad en hoogst verbaasd reageren wanneer het een ander opviel. Ik voelde aan een gordijnstof en oefende zachtjes mijn verontwaardigde reactie. 'Poep? Wat smerig, zeg! Welke onverlaat komt er nu naar binnen met poep onder zijn schoenen?'

Terwijl ik zo stond te oefenen, verscheen er ineens een vrouw van middelbare leeftijd naast me. Met een kop als een biet draaide ik me naar haar toe, er nog steeds voor zorgend dat de poepzool de grond niet raakte. De vrouw had een vriendelijk gerimpeld gezicht en een koninklijk kapsel met een subtiel donkerblond kleurtje en grove krullen. 'Gordijnen nodig?'

'Nou, dat niet, maar ik vond het zo'n mooie stof, daar moest ik even aan voelen. Ik wil eigenlijk een nieuw vloerkleed. Ik werk in een oude bibliotheek en op het moment ligt er een berenvel op de vloer. Daar krijg ik de kriebels van, dus ik wil wat anders.'

'Dat moet wel een heel bijzondere bibliotheek zijn,' dacht de vrouw, 'met een berenvel op de grond. Die dingen zie je niet vaak meer.'

'Godzijdank niet. Maar goed, u hebt gelijk. Het is ook geen gewone bibliotheek; het is de bieb van een voormalige abdij. Al zal dat berenvel nou ook weer niet uit de tijd van de monniken stammen... Nu zit er een commune waarvan ik lid ben geworden en hun vorige bibliothecaris had denk ik geen smaak.' Ik realiseerde me dat het nogal veel informatie was. 'Raar verhaal, ik weet het.'

Ze lachte. 'Claire heeft jou zeker gestuurd.'

'Eh... Ja! Hoe wist u dat?'

'Ik ben haar moeder. Altijd als er iets van gordijnen of vloerkleden nodig zijn, stuurt ze haar medebewoners hiernaartoe. Bereid je er maar vast op voor dat ze je vanavond uithoort. Zelf komt mijn dochter niet langs, maar ze wil wel op de hoogte blijven van hoe het met mij gaat.'

'Waarom neemt ze dan geen contact op?'

'Ach, dat kind... Ze denkt dat ik niet merk dat hier mensen uit haar abdij komen. Zelf is ze te trots om ooit toe te geven dat ze me mist, of wat de reden ook is waarom ze hier mensen naartoe stuurt terwijl ze zelf op afstand blijft. Toen ze naar die commune ging, hadden we ruzie. Die is nooit uitgepraat.'

Ik vroeg maar niet waarover die ruzie ging.

'Tja,' mompelde ze.

'Bent u ooit bij haar geweest?'

'Geen denken aan! Alle gasten moeten zich telefonisch aanmelden. Als ze mijn naam op de lijst ziet staan, schrapt ze die en laat ze iemand anders bellen dat er geen ruimte meer is. Zomaar langsgaan heeft ook geen zin. Maar je mag haar gerust zeggen dat het goed met me gaat, want dat is alles wat ze wil weten.'

'Ik zal het doorgeven,' beloofde ik. 'Verder nog berichten?'

'Niet dat ik weet. Het gaat hier zijn gangetje zoals het al jaren zijn gangetje gaat. Er is in een stoffenwinkel weinig te beleven, maar er ligt brood op de plank en ik kan af en toe met vakantie. Ik ben er content mee.'

Hoewel ik me er weinig bij voor kon stellen, knikte ik. Wie weet zou ik over dertig jaar ook wel tevreden zijn met bijna niets.

Het kan gek lopen en dat had het in haar leven gedaan. Ze was oud geworden, had een dochter gekregen, en ineens zat die dochter met haar kleindochter in een commune en was zij de eigenaar van een stoffen- en vloerkledenwinkel.

'Laten we een mooi vloerkleed voor je uitzoeken,' stelde Claires moeder voor. 'Je kunt niet terugkomen zonder.' Ze nam me mee, zij met een redelijk tempo in haar pas en ik nog steeds met poep onder mijn laars, wat me ernstig vertraagde en beschaamde. We liepen naar de achterzijde van de winkel, waar een indrukwekkende collectie tapijten en vloerbedekkingen over grote rollen hing. Voor het gemak was er ook een boek met stalen en foto's van de tapijten. Ik bladerde er onder toeziend oog van de vrouw doorheen. 'Is er iets bij wat je mooi vindt?'

'Eerlijk gezegd heb ik geen flauw idee. Mijn smaak is nogal onderontwikkeld.'

Ze lachte hartelijk. 'Iedereen heeft smaak, alleen verschillen die onderling nogal. Maak je vooral geen zorgen. Als jij het mooi vindt, past het bij jouw bibliotheek. Daar gaat het om, niet om wat anderen van je smaak zullen denken. Kijk nu nog eens, en dit keer zonder te denken aan andere mensen.'

Ik deed wat ze vroeg en bleef hangen bij een dieprood tapijt met gouden elementen. Ondanks haar waarschuwing stelde ik me voor dat anderen het kitscherig zouden vinden, wanstaltig zelfs. Maar ik vond het mooi. 'Dit is het,' zei ik daarom. 'Hoe groot is het?'

'Zo'n drie bij vier meter. Een behoorlijk vloerkleed, maar dat mag ook wel in de ruimte die jij beschrijft. Kleinere tapijten zouden daar niet genoeg opvallen.'

'Te gek! Pak maar in.'

'Een snelle beslisser,' zei ze. 'Weet je zeker dat je er niet even over wilt nadenken? Het hele tapijt wilt zien voor je een definitieve keuze maakt?'

'Een echte verkoper,' merkte ik op, 'zou niet moeilijk doen. Omzet is omzet en je weet dat de commune het kan missen. Dus ik zou niet weten waarom ik na moet denken. Van nadenken word je meestal niet wijzer.'

'Jongedame, ik zeg het niet vaak, maar je hebt gelijk. Ik roep er iemand bij om het van de rol te halen en dan is dit prachtige vloerkleed van jou.'

Die iemand was de eigenaar van de Turkse bakkerij naast haar winkel, een potige man die zijn handen graag voor de oudere dame uit de handen stak. Met het nieuwe tapijt in de laadbak van de jeep, en even later ook een behoorlijke stapel boeken, liet ik de wagen nog even alleen. De buurt zag er vertrouwd genoeg uit en de spullen waren niet bepaald jatwaardig, hoewel het vloerkleed een behoorlijke duit uit de communekas had gekost, zelfs met de twintig procent korting die ik van de winkeleigenaresse kreeg in ruil voor een goed woordje bij haar dochter.

Ik snapte de relatie tussen die twee voor geen meter. Natuurlijk had Claires moeder me er bewust weinig over verteld om het snapbaar te houden, maar de situatie was hoe dan ook uiterst raadselachtig. Waarom zou een jonge vrouw met een baby vertrekken naar een commune en tegelijk verwikkeld raken in een ruzie met haar moeder, die zo heftig was dat hij ruim tien jaar na dato nog altijd niet uitgepraat was? Dan moest er wel iets vreselijks aan de hand zijn. Of de ruzie wás de reden voor haar vertrek. Maar dan nog... De Claire die ik kende, was vrolijk en vriendelijk, geen type om zomaar haar biezen te pakken, en vooral geen type om haar moeder in de steek te laten. Haar moeder om wie ze wel gaf, anders zou ze mij niet naar diens winkel sturen voor een tapijt. Er waren genoeg tapijtwinkels in Antwerpen waar ik even goed had kunnen slagen.

Het was een vreemde zaak, en dat was het.

Ik liep de verwarrende gedachten uit mijn hoofd op weg naar de Grote Markt. Er moest geschreven worden en het moest snel, want het nummer met mijn eerste column ging al over twee weken naar de drukker. Hilde liet die ruimte vrij zodat ik zo snel mogelijk verscheen, in plaats van – zoals in de gewone planning, die met speling – pas anderhalve maand na mijn aankomst in de commune. De looptijd voor stukken was zo lang omdat er van alles mis kon zijn en dan was er nog ruimte voor aanpassingen. Met mij durfde ze het wel aan in een superkrappe planning. Nu moest ik haar hoge verwachtingen alleen nog even waarmaken.

Het bruisende hart van Antwerpen was op deze dinsdagochtend, een werkdag als alle andere, vergeven van de mensen. Ze wezen elkaar in allerlei talen op allerhande bezienswaardigheden, variërend van een zakje verse patat met een enorme klodder moddervette mayonaise tot een straatmuzikant die in het Vlaams een hit van onze Marco Borsato ten gehore bracht. De lokale bevolking daarentegen was op het eerste gezicht nergens te bekennen.

Na een speurtocht over de Grote Markt (dat die zijn naam eer aandoet, daar kwam ik ook snel achter) vond ik een grand café met draadloos internet. Ik installeerde mezelf aan een van de tafeltjes die uitkeken over het plein. Had ik een inspiratieloos moment, dan had ik tenminste iets om naar te kijken. Ik klapte mijn laptop open en logde met de prepaidkaart van het café in op hun draadloze netwerk.

Time flies when you're on the internet.

Eerst las ik alle e-mails uit mijn twee inboxen. De meeste waren nieuwsbrieven die in Amsterdam interessant waren geweest maar in België niet boeiden, en verdwenen in de prullenbak. Maar er waren ook mails bij die ik aandachtig las. Zoals die van mijn moeder, die vroeg hoe het ging en een uitgebreide update gaf van haar leven, dat van mijn vader, en dat van mijn broer. En van Hilde, met achtergrondinformatie over het fenomeen communes. En van mijn lieve oud-collega Nora, die klaagde hoe saai het op de redactie was sinds mijn vertrek. De vleierij! Maar... Het voelde heel goed dat ik niet vergeten was. Sterker nog, dat ik gemist werd.

Met een heerlijk warm gevoel vanbinnen surfte ik naar de sites uit mijn favorietenlijst om te zien wat mijn online vrienden zoal meegemaakt hadden de afgelopen tijd. Ik plaatste geen reacties bij de weblogs en op de fora waar ik voorheen geregeld actief had gereageerd, dat kostte te veel tijd. Bovendien kon ik de discussie toch niet bijhouden als ik maar zo sporadisch inlogde, en vaker kon ook niet vanwege die internetkwestie. Toch was het leuk om te lezen wat er allemaal doorging zonder mij.

Alles ging door zonder mij.

Alles, behalve *Mariquita*. Daar waren ze niet van mij af. Daar bouwden ze nog op mij. Daar wilden ze mijn columns hebben.

Na mijn surfavontuur was ik toe aan een nieuwe prepaidkaart voor internet, en ik haalde meteen de grootste cappuccino in een kartonnen beker, waarmee ik me heel onafhankelijk en schrijfsterachtig en grootstedelijk en ronduit stoer voelde toen ik weer achter mijn laptop kroop.

Nu kwam het erop aan. Mijn vaste schrijfstek was mijn bureau op de redactie geweest, dat had ik nu niet meer. Het uitzicht op Nora was vervangen door het uitzicht op een Grote Markt die krioelde van het leven. Hier moest het gebeuren. Maar als ik hier, met alle inspiratie om me heen, niet kon schrijven, kon ik het nergens.

Goddank lukte het. Oké, met moeite, maar dat zou geen lezer merken. Ik schreef en schaafde net zo lang tot het eruitzag als een degelijke column. Fotootje erbij, eindredactie eroverheen en voilà, een columnist was geboren. Ik was herboren.

Ik dronk de laatste slokken van mijn koud geworden cappuccino en kwam erachter dat in een frappuccino beduidend meer suiker zit, want afgekoelde cappuccino leek er in de verste verte niet op en was eigenlijk gewoon smerig. Onder het twijfelachtige genot van deze koffie las ik het resultaat nog een laatste keer door.

Het was goed geworden. Ik logde opnieuw in op het draadloze netwerk en stuurde Hilde een reply op haar e-mail met dank voor de aanvullende informatie. In de tekst van de mail schreef ik ook een verhaal over mijn belevenissen in België, meer dan de column van maar vierhonderd woorden. Die stopte ik in de bijlage. Ik prevelde een gebedje naar niemand in het bijzonder op het moment dat ik op 'verzenden' klikte. Het was lang geleden dat ik het zo spannend had gevonden om een stuk naar mijn chef te sturen.

Na een ontspannende rit door het landelijke gedeelte van België kwam ik terug op de commune. Ik laadde de spullen uit de jeep en bracht ze naar de bibliotheek, waar ik alle dozen met boeken in een hoekje op elkaar stapelde. Ondanks mijn frisse gevoel had ik geen puf om alles uit te zoeken. Het vloerkleed liet ik ook opgerold liggen. Morgen weer een werkdag.

Op de gang naar onze kamer hoorde ik de platenspeler al – Michelle was er ook. De afgelopen paar dagen hadden we elkaar weinig gezien en waren we, als we eenmaal 's avonds laat in bed lagen, te moe geweest om meer te zeggen dan welterusten.

Of dat nu wel ging lukken, betwijfelde ik, want ik trof Michelle voor pampus liggend op haar bed aan, met de platenspeler op de grond ernaast geschoven zodat ze die kon bedienen zonder op te hoeven staan. Ze was dus of heel erg lui, of heel erg moe.

Zo gauw ze mijn gezicht zag, veerde ze op. 'Stella! Waar kom jij vandaan?'

'Antwerpen,' zei ik met gepaste trots. 'Ik heb wat inkopen gedaan voor de bibliotheek. En... mijn eerste column geschreven.'

'Ging dat een beetje?'

'Een beetje super! Binnen een uur was ik klaar. Nou ja... Binnen het uur nadat ik me al anderhalf uur mentaal had voorbereid, maar dat spreekt voor zich. Het belangrijkste is dat ik er echt heel blij mee ben. Wil je hem lezen?'

'Natuurlijk! Heb je een printje?'

'Nee, ik heb hem geschreven in een grand café. Je kunt het stukje direct vanaf de laptop lezen, ik heb het opgeslagen.' Ik zette mijn computer aan en hing hem weer aan de stroom, want na een lange dag werken was de batterij zowat leeg. Het viel me mee dat hij het überhaupt had volgehouden. Ik zocht de nieuw aangemaakte columnmap op en opende het document. 'Alsjeblieft,' schoof ik de laptop naar haar toe. 'Benieuwd wat je ervan vindt.'

Ik ging op mijn bed tegenover Michelle zitten en bestudeerde haar gelaatstrekken terwijl ze mijn stukje las. Ondertussen speelde de elpee met afschuwelijk atonale muziek door, wat de spanning extra aanzette. Het was dat onze kamer uitbundig verlicht en verwarmd was, anders had ik kippenvel gekregen.

Aan Michelles boventanden, die haar onderlip omklemden, kon ik zien dat ze het in elk geval aandachtig las. De twinkeling in haar ogen verraadde dat er voor haar herkenbare stukjes in zaten. Maar het enige echt doorslaggevende signaal was haar oordeel toen ze klaar was: 'Leuk! Helemaal Stella.'

'Niet raar?'

'Jawel, natuurlijk wel. Zoals ik al zei: helemaal Stella.'

'Jij vuil wicht!' lachte ik. 'Ik bedoelde of er geen gekke dingen in zaten. Voor jou.'

'Ik ben wel wat gewend. Ik woon al jaren samen met een journalist, weet je nog? Na alle keren dat ik model heb gestaan voor een 'goede kennis' of 'een van je vriendinnen' in jouw artikelen, mag ik ook weleens met naam genoemd worden.' Het was waar. Ik had haar verhalen vaak in verkapte vorm gebruikt als aanleiding voor een artikel. Maar altijd in overleg, en altijd zonder haar naam erbij. Michelle klapte de laptop dicht. 'Het is een leuke column. Je mag er trots op zijn.'

'Dank je wel.'

'Wil je dan nu alsjeblieft ophouden met nagelbijten? Het ziet er niet uit.'

Geschrokken haalde ik mijn vinger uit mijn mond. Al die tijd had ik ongemerkt als een konijn aan mijn nagels zitten knagen. 'Sorry,' zei ik. 'Het is alleen... Ik ben lange tijd niet zo nerveus geweest. Wat nou als Hilde het tien keer niks vindt? Dan kom ik er ook nog eens pas over een week achter, want ik kan hier niet op het internet. Of nog erger, als de lezers het saai vinden? Die spanning... Ondraaglijk!' overdreef ik op een toon alsof ik mezelf van top tot teen kon opvreten. Maar het scheelde ook niks. Mijn nagels waren al onder de spanning bezweken, dus ik vond mijn angst heel terecht.

'Ze vinden het geweldig, let op mijn woorden. Je hebt jezelf ruimschoots bewezen. En met afgekloven nagels word je heus geen betere columnist. Dus laat alsjeblieft je vingers met rust en wacht lekker af tot volgende week.'

Zoals zo vaak had Michelle gelijk. Ik kon er nu niets meer aan veranderen, de column was verstuurd, tobben had geen zin. Misschien zou een ontluikende romance tussen twee collega's helpen om me af te leiden van de zenuwen. 'Hoe gaat het met je werk?'

'Steeds beter. Het zou je verbazen hoeveel boekhoudkundig werk hier te doen is. O ja, dat herinnert me eraan: geef mij meteen de bonnetjes van je inkopen van vandaag. Dan kan ik die weer invoeren.'

Ik pakte mijn tas erbij, haalde de twee bonnetjes uit mijn portemonnee en gaf ze aan Michelle, die er al een mapje voor had. 'Het verbaast me niets dat er zo veel werk is,' zei ik. 'Ze zijn hier best makkelijk met geld uitgeven.'

'Vind je? Ik hoor tot nu toe niets dan gejammer over de schamele budgetten.'

'Bij mij is het andersom. Kijk maar eens hoeveel ik vandaag aan boeken heb besteed.'

'Vijfhonderd euro? Allemachtig, dat is vijf procent van het maandbudget!'

Ik knikte, uiterst tevreden met de financiële vrijheid die mij als bibliothecaresse gegund werd. 'En dan mocht ik ook nog een vloerkleed kopen om het stoffige berenvel te vervangen dat voor de open haard lag.'

'Ongelooflijk. Hier moet ik het nodig eens met Rolf en Edgar over hebben.'

'Nu we het toch over hen hebben,' sprong ik er handig in, 'heb je een beetje leuke collega's?'

'Ze zijn super. Rolf is knettergek. Hij is ook een Nederlander, maar zit hier al negen jaar, dus nu vertelt hij constant Nederlandermoppen die hij van de Belgen hier geleerd heeft. Inclusief een Vlaams accent. Het is om je te bescheuren met hem. Weet je hoe ze in Nederland een demonstratie beëindigen?'

'Met een heleboel geweld,' zei ik.

'Nee hoor, dat is niet nodig. De politie gaat gewoon rond met een collectebus.' Ze lachte besmuikt. 'Dat soort grappen dus. Waarvan er ook veel gaan over hoe dom wij zijn, dus die ken je al als Belgenmop, alleen moet je ze andersom vertellen.'

'Van mij hoeft het niet zo,' zei ik snel, voordat ze er nog meer kon tappen. 'En hoe is Edgar?'

'Voor zover ik weet is hij een schatje, maar ik kan niet echt hoogte van hem krijgen. Hij houdt zich vooral bezig met zijn werk en daarbuiten heeft hij weinig te melden. Ik vind hem nogal… raar. Maar het geeft niet. Ik heb genoeg lol met Rolf!'

'Goh, wat vreemd. Hij is wel knap, hè?'

'Als je hem op de schaal van *eye candy* beoordeelt, ja, dan scoort Edgar inderdaad erg hoog. Maar ik ben er niet zo zeker van dat zijn uiterlijk mijn werktempo bevordert. Net zo min als Rolfs Nederlandergrappen.'

'Zolang jullie het redden, is er niks aan de hand, lijkt me.'

'Precies. Dat zei Rolf ook al. Hij en Edgar hadden een vacature voor teamversterking aangevraagd omdat het voor twee man te veel werk was, maar met z'n drieën lukt het allemaal makkelijk. Zo gigantisch veel werk is het nu ook weer niet. Iedereen bewaart de bonnetjes keurig voor ons en we hebben een goed administratief systeem.'

Het laatste wilde er bij mij niet in gezien de antitechnische houding van de commune, maar ik was blij dat Michelle haar plek had gevonden. Ondanks dat zij erop had aangedrongen, voelde het namelijk toch alsof ik degene was geweest die ons allebei naar België sleepte, omdat míjn chef het had voorgesteld. Het zou superlullig zijn geweest als bleek dat Michelle er spijt van had. Een keer het roer omgooien is goed te doen; twee keer is een stuk moeilijker.

Daar hoefde ik gelukkig niet te veel over na te denken, want de rest van de week had ik het razend druk met de voltooiing van de vernieuwde bibliotheek en de voorbereidingen van het openingsfeest. Verspreid over de hele abdij hingen posters met de aankondiging dat vanaf zaterdag weer boeken geleend konden worden. En natuurlijk dat iedereen van harte uitgenodigd was voor de feestelijke opening om vijf uur stipt, wanneer ik het eerste boek uit de nieuwe collectie zou uitlenen aan Pandora. Zij hield me iedere dag gezelschap terwijl ik de boeken indexeerde, afschreef – rijp voor de kringloopwinkel of in het ergste geval voor de prullenbak – en de laatste hand legde aan de inrichting. Zonder het starende berenvel was de bibliotheek een stuk prettiger om in te werken. Het nieuwe vloerkleed was dan misschien duur, het was ook van topkwaliteit.

Ik had er alle vertrouwen in dat de bibliotheek opnieuw een succes zou worden. Niet in de laatste plaats omdat ik al veel zogenaamd toevallige passanten uit de ruimte moest weren vóór de dag van de officiële opening.

De kookploeg bracht de groentesoep met lettervermicelli op een verrijdbare kar naar de vleugel. Hij moest op de gang blijven staan. In de bibliotheek mocht je niet eten, ook niet bij hoge uitzondering. Ik vertelde maar niet dat ik er in de aanlooptijd naar de heropening al een stuk of twintig boterhammen had gegeten.

Aangetrokken door de geur van de soep of door de wetenschap dat er weer boeken verkrijgbaar waren, of allebei, druppelden de bewoners de gang binnen. Ook Claire en Pandora waren een kwartier voor de opening aanwezig. 'Is het gelukt om een mooi tapijt te vinden?' vroeg Claire. Door de drukte had ik al een paar dagen niet met haar gepraat.

'Dat zul je zo zien.'

'Ah toe, laat mij vast kijken.'

'Nee. Ik kan geen uitzonderingen maken,' zei ik streng.

Heel even drong ze aan, om vervolgens radicaal van onderwerp te veranderen. 'Wat vind je van België? En dan bedoel ik natuurlijk niet alleen hier in de commune, maar... Antwerpen bijvoorbeeld?'

Misschien toch niet zo'n radicale onderwerpswitch. Haar vragen waren zo doorzichtig dat ik er haast om moest lachen. Het lukte me om mijn gezicht in de plooi te houden terwijl ik haar het antwoord gaf waar ze zo duidelijk om vroeg. 'Heel vriendelijk. De eigenaresse van de winkel waar jij me naartoe stuurde, was ook hartstikke aardig. Ze gaf me zelfs korting.'

'Ja, dat is echt iets voor m... Voor Fien,' verbeterde ze snel. 'Kun je altijd van op aan. Hoe ging het trouwens met haar?'

'Voor zover ik weet goed. Ze zag er gezond uit. Verder heb ik er niet naar gevraagd. Ik was tenslotte een klant, dus we hebben vooral over tapijten gepraat. Ik wist niet dat je haar kende.'

'Kennen, kennen... Dat is een groot woord. Ze heeft een fijne stoffenwinkel en daarom doen we graag zaken met haar. Meer is het niet.'

Ik glimlachte alsof ik haar geloofde. Aandoenlijk, hoe ze probeerde te verhullen dat ze wilde weten hoe het met haar moeder ging. Voor ik een gevat antwoord kon verzinnen, klonk het belsignaal dat ik Bill voor deze gelegenheid had laten componeren. De gang stond vol met soep etende mensen die even later hun vieze vingers op mijn boeken zouden leggen. Ik had spijt van mijn lettervermicelliplan. Leuk bedacht, weinig doordacht.

Hopelijk hadden ze het fatsoen om hun handen af te vegen aan hun broek.

'Dames en heren,' las Claire voor van een handgeschreven briefje. 'Toen onze oude Nestor van ons heenging, wist niemand welk lot de bibliotheek beschoren was. Iedereen aan wie ik het vroeg, weigerde de functie, bang om onder te doen voor Nestor. Tot deze reddende engel onze commune kwam versterken. Ik wilde haar en haar vriendin geen kans geven zich te laten beïnvloeden in hun keuze, dus gaf ik ze op de eerste dag al opdracht een functie te aanvaarden. En warempel, ze koos voor de bibliotheek. Vandaag opent Stella de heringerichte en opnieuw geïndexeerde bieb, die weer garant zal staan voor uren leesplezier. Stella, aan jou de eer.'

Ik nam de sleutel met een ritueel gebaar van haar over en stak die in het slot, het slot dat ik de afgelopen weken al zo vaak had opengedraaid, maar nooit met zo hevig trillende handen als nu. Iedereen keek toe hoe ik de zware deur opende en daarmee driehonderd mensen opnieuw toegang verleende tot het boekenparadijs dat maanden gesloten was geweest.

Binnen had ik sfeerverhogende kaarsen branden en ik had samen met Pandora vast een begin gemaakt aan een idee waarmee zij tijdens de voorbereidingsweek was gekomen: het grote lezersboek, naast de deur, waarin iedereen zijn leeservaringen kon opschrijven. Het doorlezen van andermans commentaren zou herkenning en inspiratie opleveren, dacht Pandora, en ik dacht het ook. Bij de kringloopwinkel hadden we een gastenboek gevonden waarin slechts een paar pagina's beschreven waren. Die scheurden we eruit en Pandora schreef op de eerste bladzijde als begin van het boek een stukje over *Nils Holgerson*, een van de boeken die ze mij had voorgelezen.

Ik wist me geen houding te geven en ging aan het bureau zitten. Claire deelde bij de ingang servetjes uit (hoe slim!) en nodigde mensen uit mijn werk te bewonderen. Dat deden ze, ze liepen langs de kasten vol boeken en pakten er hier en daar een boek uit. 'Mag ik dit lenen?' vroeg een man met een snor, die ik zo gauw niet herkende. Ik knikte en voerde zijn gegevens in op mijn lap-top. 'Bedankt!' zei hij. 'En veel succes hier. Ik ben maar wat blij dat je dit doet.'

Hij was niet de enige. Van de opening tot het avondeten liep het non-stop door en ik leende ruim honderd boeken uit. Het was even aanpoten, maar ik had mezelf in een ruime week gepro-moveerd van nieuweling tot gewaardeerd communelid. Dat ging een stuk sneller dan in de journalistiek.

6

'Dus dit is nou wat ze noemen het goede leven,' zei Michelle vol overtuiging. 'Op maandagmiddag – jawel, máándagmiddag! – languit in de zon met een glaasje versgeperst sap binnen handbereik en uitzicht op hardwerkende hunks. Hier kan ik wel aan wennen, geen enkel probleem.'

'Anders ik wel!' Ik had vandaag een redelijk drukke dag gehad in de bieb, waardoor ik blij was dat ik om twee uur 's middags in mijn recht stond om de boel dicht te gooien en de stoffige boeken te verruilen voor een terrasstoel. Ook Michelle en haar collega's hadden de goede gewoonte om al hun werk te doen voor de zon op zijn hoogtepunt was, dus zij was deze middag samen met mij vrij.

Hiervan kon ik in Amsterdam alleen maar dromen. Hoe mooi het weer ook was, ik zat meestal op de redactie of ergens in een interviewruimte op locatie, waar verbazingwekkend vaak geen zonnestraal binnenkwam. En moest je me nu eens zien. Van top tot teen ingesmeerd met zonnebrand rook ik heerlijk en dankzij mijn correctiebikini zag ik er redelijk uit, want het broekje bedekte mijn onderbuik, waar de grootste vetophoping van mijn lijf zich bevond. Daarbij lag ik languit gestrekt en zodoende leken mijn vormen een stuk minder gevormd dan ze in werkelijkheid waren.

Ik voelde me top.

'Weet je wat ze hier moeten aanleggen?' vroeg ik.

'Een zwembad,' antwoordde Michelle direct.

'Hoe wist je dat?'

'Ik zou niet weten wat anders. De combinatie klopt: zon, zwembad en terras. Dat is een bijna net zo logische drie-eenheid als zon, zee en strand. Aangevuld met een lekkere fruitcocktail en een fijn uitzicht is het plaatje compleet.'

'We missen hier dus eigenlijk maar een ding.'

'Valt mee, hè?' vond Michelle. Ze gaf me de verrekijker aan, die we afwisselden om de werklui verderop beter te kunnen spotten. 'Kijk hem daar eens, in zijn superkort afgeknipte spijkerbroek. Zie je die kont? Daar zou ik mijn tanden best eens in willen zetten.'

Ik speurde de heuvel af en zag wie ze bedoelde. Hij plukte volgroeide druiven van de wijnranken en stopte ze in een mand – af en toe verdween er ook een in zijn mond. De pitten spuugde hij nonchalant terug in het zand. Hij was één met de natuur waarin hij werkte. Zijn ontblote torso was diepbruin van de vele zonuren en zijn haar ultrablond. Alle spieren die met hem mee werkten, tekenden zijn strakke lijf wanneer hij bewoog, en dat deed hij continu. Deze man was lichtjaren verwijderd van knap of aantrekkelijk. Hij was zoveel meer dan dat, dat zelfs een gewoon aantrekkelijke man als Edgar verbleekte bij zijn goddelijke heetheid.

Hij was te mooi. Ik had me danig ongemakkelijk gevoeld als ik hem van dichterbij kon bekijken, ook al wilde ik het wel. Laat staan dat hij mij van dichterbij bekeek. Of stel je voor dat ik met hem naar bed zou gaan... Ik had niets tegen vrijen met het licht aan, maar met hem? *No way.* Geen sprake van. Wat als hij mijn putjes zag, en nog erger, mijn bobbeltjes? Mijn hangende borsten en mijn metersdiepe navel? Ik zou de lakens om me heen wikkelen als een slaapkamerstola en me uit de voeten maken voor hij ze van me af kon trekken.

Waarom ik dat allemaal bedacht... Tja. Omdat hij toch wel echt heel erg aantrekkelijk was. En omdat ik door mijn weinig inspannende levensinvulling daadwerkelijk tijd had om over zulke dingen na te denken. Als journalist, zelfs toen ik nota bene een vriend had gehad om naar hartenlust mee te seksen, had ik bijna alleen aan mijn werk gedacht.

'Smakelijk,' zei ik tegen Michelle omdat ik wist wat ze wilde horen. De vleeskeuring was een traditie die ze graag in ere hield.

'Op een schaal van een tot tien?' vroeg ze.

Ik speelde het spelletje mee: 'Elf!'

'Ja hè, hij is echt lekker. Ik geef hem minstens een acht. Misschien kan hij nog stijgen als ik hem van dichterbij zie. Raar toch dat hij ons nu pas opvalt. Ik herinner me niet dat ik in het smoelenboek langer bij zijn foto ben blijven hangen.'

'Nee. Maar daarin staat hij ook alleen met zijn hoofd, niet met alles erop en eraan.'

'Ik ga het boek nu halen,' zei Michelle, en ze sprong op van haar terrasstoel. 'Ik moet weten wie hij is!'

Terwijl zij naar onze kamer rende om de hunk op te sporen, nipte ik van mijn sapje en keek nog eens naar de mannen op de heuvel. Ze waren allemaal bruin en gespierd, maar geen van allen zo perfect bruin en gespierd als onze mysterieuze man.

'Zo zo, Stel, nog steeds aan het gluren? Volgens mij heb ik hem gevonden, hoor,' lachte Michelle. Ik schoof mijn ligstoel dichter bij die van haar. Ze liet me de pagina zien waarop de pasfoto van de adonis stond. Hij heette Yvo en was buiten het druivenseizoen algemeen landbewerker, wat verklaarde waarom hij zo woest aantrekkelijk was. Een ruige landarbeider zoals ze nog maar sporadisch gemaakt werden. Zijn gezicht was op de pasfoto inderdaad onopvallend, gewoontjes, wat verklaarde waarom we zomaar over hem heen gebladerd waren bij de eerste keer dat we het smoelenboek doornamen.

Michelle zuchtte. 'Hij is zó mooi. En hij komt nog uit Amsterdam ook, dus geen gedoe met een onverstaanbaar accent. Wat een perfecte man. Ik ga nu even met mijn ogen dicht liggen hopen dat hij in mijn dromen verschijnt, oké?'

'Dat kan bijna niet anders.'

Ze gaf al geen antwoord meer, diep verzonken in haar fantasie. Ik had geen slaap, dus ik draaide me op mijn buik en sloeg het boek open waarin ik sinds een dag bezig was. Dankzij alle tijdschriften die ik in mijn redactietijd verslonden had, kostte het me geen enkele moeite om de letters op te vreten. Alleen moest ik mijn spanningsboog nog wat oprekken. Het was net als met de spagaat: hoe vaker ik oefende, hoe beter het ging (tenminste, zo herinnerde ik me de theorie van toen ik een blauwe maandag op ballet had gezeten).

De zon brandde op mijn rug. Nog even en ik pakte er een parasol bij, want zo gezond was uv-straling nu ook weer niet. Of ik draaide me gewoon even om. Steunend op mijn rechterarm maakte ik de draai en kreeg de zon vol in mijn gezicht. Met het boek vlak voor mijn ogen schermde ik het felle, verblindende licht af.

Michelle was intussen in een diepe slaap gevallen en snurkte onregelmatige snurkjes. Ze droomde nu vast niet meer over haar druivenplukker, maar over een bizarre afgeleide ervan, zoiets als druiven fijnstampen met je blote voeten. En beeldde ik het me nu in, of bewogen haar tenen?

'Betrapt, dames!'

Ik keek op van mijn boek en werd direct weer verblind door de zon. Knipperend met mijn oogleden kwam ik overeind, en ik hield mijn hand boven mijn wenkbrauwen. Langzaam kwam de figuur voor me scherper in beeld – het was Yvo, met een T-shirt aan, waardoor hij er plotseling een stuk minder spannend uitzag. Ik twijfelde of ik Michelle uit de droom moest helpen, maar toen werd ze zelf al wakker. 'Yvo!' riep ze uit zo gauw ze zag wie ons had gevonden.

'Zo, dus je weet ook al hoe ik heet?'

'Natuurlijk. Claire heeft ons een smoelenboek gegeven, net als iedereen.'

'En meteen ook maar een fotografisch geheugen erbij.'

'Nou nee, maar zo iemand als jij vergeet ik niet.' Haar onbeschaamde, zelfverzekerde geflirt maakte me jaloers. Ik wilde dat ik zo kon flirten. Zo vol vertrouwen dat het bij de man in kwestie in goede aarde zou vallen.

'Je neus groeit!' zei Yvo. Michelle voelde aan het puntje van haar neus, waarop hij in lachen uitbarstte. 'Ja hoor, ik zie het al: een liegbeest. Vertel eens, dames, waarom waren jullie mij aan het bespioneren?'

Michelle keek hem onschuldig aan. 'Ik weet niet waarover je het hebt.'

'Jawel.'

'Nee,' zei ze, en ze moffelde de verrekijker weg onder het stoelkussen.

'Wees niet bang, ik straf niet.' Yvo lachte een stralende lach. 'Ik voel me gevleid.'

Nu lachte Michelle ook. 'Oké, ik geef het toe. Stella en ik doen als we op een terras zitten, welk terras dan ook, altijd een mannenkeuring. Die wilden we ook weleens op de commune uitproberen. Vandaar dat we misschien éventjes naar jou keken.'

'Langer dan eventjes,' drong hij aan.

'Iets langer. Héél iets.'

'En... Wat is jullie oordeel?'

'Je krijgt gemiddeld een negenenhalf. Een nette score.' Dat hij ook een elf had, vertelde ze er niet bij. Zo moest hij tot de conclusie komen dat hij bij ons allebei een negen of hoger scoorde. 'Vooral het showtje met de druivenpitten viel in de smaak. Iets minder vonden we het gedeelte waarbij je met je pink in je oor groef en hem vervolgens in je mond stak, maar ik ga ervan uit dat je daarna je tanden gepoetst hebt.'

'Iets langer dan eventjes, zegt ze dan. Jullie hebben me ongegeneerd begluurd!'

'Klopt,' gaf ze nu toe. 'We konden er niks aan doen, de verrekijker bleef steeds weer bij jou plakken.'

Nu waren ze allebei ronduit aan het flirten. Ik had geen aandeel in dit gesprek, maar ik kon ook niet zomaar opstaan en weglopen. Dus luisterde ik naar de flauwe grapjes die ze maakten, lachte wat dommig mee en pikte alle hints op die ze elkaar gaven. Michelle, die anders nooit verder ging dan oppervlakkig flirten, bewoog zich bevallig naar Yvo toe. Blijkbaar maakte de verandering van omgeving iets in haar los. Dat iets liet zij op haar beurt weer los op Yvo, die er honderd procent voor openstond.

Geheel onverwacht kwam zijn volgende vraag: 'Hebben jullie zin om straks mee te gaan hardlopen?' Die vraag had niets in zich dat ik kon bestempelen als flirterig of sexy. Voor het eerst in vijf minuten verplaatste zijn blik zich ook kort van Michelle naar mij.

'Het is hier geweldig lopen, echt geweldig. Je weet niet wat je meemaakt, zo mooi.'

Volgens mij is het geweldig, wilde ik met een sarcastisch toontje papegaaien, maar Michelle was me voor en had geen greintje spot in haar stem: 'Goh, doe jij ook aan hardlopen?'

'Ik probeer het bij te houden. In Amsterdam liep ik vier keer per week een ronde van tien kilometer, daarmee hield ik mezelf in goede conditie. Hier kom ik er niet zo vaak aan toe. Dus áls ik ga, maak ik er een wat langere route van.'

'Nog langer dan tien kilometer?' schrok ik. Dat was een afstand waarvoor lopen geen moment in me opkwam en waarvoor ik, als het even kon, de auto pakte. 'Lukt mij nooit.'

'Voor je eerste keer maak ik een uitzondering. Rondje van vijf kilometer is genoeg. En loop jij weleens, Michelle?'

'Af en toe. Op amateurniveau, stel je er maar niet te veel bij voor.'

Yvo knikte goedkeurend. 'Mooi. Dat is dan geregeld. Ik ga meestal vlak voor het eten, dus we vertrekken over een kwartiertje. Dan hebben jullie ook even de tijd om je om te kleden. Zien we elkaar zo bij het hek?'

'Yes!' Michelle veerde omhoog en greep me bij mijn arm. 'Kom Stel, we gaan rennen.'

Ik moest mee. Er viel niets tegen in te brengen. Alle argumenten die ik aandroeg: a) ik heb nog nooit hardgelopen; b) ik ben te dik; c) ik heb geen hardloopschoenen en d) ik heb bijna geen conditie, werden door Michelle afgedaan met een flauw handgebaar dat het midden hield tussen a) eens moet de eerste keer zijn; b) je moet niet zo zeuren; c) het kan ook op gewone sportschoenen en d) conditie is er om te kweken. Waar ze gelijk in had en dat wist ik, maar ik had gehoopt dat ze het opgaf voor mijn argumenten op waren.

Maar dat gebeurde niet. Dus stond ik op simpele sportschoenen van de Scapino in een oude joggingbroek en een verwassen, kreukelig hemdje bij het hek van de abdij de opwarmingsoefeningen te doen die volgens Yvo onmisbaar waren omdat ik voor het eerst ging hardlopen. 'Essentieel,' benadrukte hij nog eens.

Anders kon ik wachten op blessures. Naar mijn idee tartte ik het lot sowieso al enigszins door te gaan hardlopen. De mens, en zeker ik, was al jaren niet meer gewend zo snel te gaan. Dat ze in de oertijd in berenvellen rondrenden met een speer in hun hand, wilde niet zeggen dat de moderne homo sapiens dat kunstje zomaar na kon doen.

Yvo en Michelle dachten daar heel anders over. Ze hielden het hek vast en strekten hun benen zo ver mogelijk. Daarna boog Michelle voorover om te laten zien dat ze met gestrekte benen haar handen plat op de grond kon leggen. Allemaal voor de show, want met haar elastieken benen moest ze haar ellebogen tegen haar tenen leggen om iets van een stretch te voelen. Yvo keek bewonderend naar haar, en volgens mij vooral naar haar kont. Ik strekte wat links en rechts en voor en achter, maar had niet het gevoel dat ik hierdoor beter voorbereid was op het hardlopen.

'Kom op, dames, we gaan. Zijn jullie er klaar voor?' vroeg Yvo, die al op de plaats jogde als een fanatieke aerobicsleraar. Of nee, zoals die lui bij *Nederland in beweging*, zo zag het eruit. Inclusief strakgespannen broek waarin zijn complete pakket zichtbaar was. Het enige wat hij nog miste, was een headset. Gelukkig voor hem was de lesgroep klein genoeg voor zijn onversterkte stembereik. Het zou mij benieuwen of dat na de training nog zo was.

Voor ik kon reageren op zijn vraag, voor ik überhaupt het antwoord erop wist – was ik er klaar voor? kon ik er klaar voor zijn? – zetten mijn loopmaatjes de eerste stappen richting het lagergelegen dorp. Ik jogde rustig achter ze aan de heuvel af. De relaxte loopstijl van Yvo kon ik niet evenaren, maar tot dusver ging het redelijk gemakkelijk. Ik zweette me niet te pletter en het lukte me te reageren op Michelles vraag of ik me goed voelde. Mijn 'ja' kwam er ietwat verwrongen uit, maar niet hijgerig.

Maar ja, dat was dan heuvelaf. We moesten straks hoe dan ook weer omhoog. Misschien wist Yvo een route waarmee de klim wat geleidelijker ging dan deze afdaling, anders vreesde ik voor mijn hart en, mocht ik het overleven, voor mijn kuitspieren.

Onder aan de heuvel stopten we om alweer te rekken. Michelle kwam naast mij staan. 'Je doet het hartstikke goed voor een ongetrainde loper.'

'Jij anders ook,' vond Yvo, die zich binnen bewonderafstand bevond.

'Ja, maar ik ben niet ongetraind. Ik liep geregeld rondjes in het Vondelpark.'

'Aha, het befaamde Vondelpark. De plek waar de helft van alle Amsterdamse lopers op zondagochtend zijn rondjes maakt. Ondertussen kun je er je kont niet meer keren, maar ze blijven komen.'

'Tja... Maar het klinkt zo leuk hè, hardlopen in het Vondelpark. Collega's gingen ook en ik ging met ze mee. Deed het vooral leuk bij de koffieautomaat op maandagochtend. Degenen die elkaar de dag ervoor in het Vondelpark hadden gegroet, vormden een soort verbond. Zelfs als je ook hardliep, maar dan in Purmerend of zo, hoorde je er niet bij.'

Ik verbaasde me over deze rare hardloopcultus, waarvan Michelle me nooit iets had verteld, en was blij dat ik me nooit door haar had laten overhalen om op zondagochtend mee te gaan naar het Vondelpark.

'Heel kosmopolitisch,' zei Yvo, wat me vreemd voorkwam, want welke druivenplukker gebruikte nu woorden als kosmopolitisch? Toen drong het weer tot me door dat hij geen druivenplukker van afkomst was. Grijnzend vervolgde hij: 'Ik geef de voorkeur aan de vrije natuur. Hebben jullie zin om het bos in te gaan?'

Even overwoog ik een protest. Heel even maar, want ik wist dat het geen zin had. Al mijn protesten tot dusver waren in de wind geslagen, wat op zich al knap was aangezien de windkracht vandaag rond of onder de nul lag.

Door het dorp heen liepen we richting het bos, dat niet ver van de doorgaande weg lag. De omgeving van de abdij was rijk aan verschillende landschapsoorten. Het grootste deel bestond dan wel uit heuvels en landbouwgrond, maar er moest ook een rivier in de buurt zijn en er was dus het bos waarin je, volgens de toeristenfolders in de entreehal van onze abdij, geweldig kon mountainbiken.

'Ik moet even uitrusten,' hijgde ik toen we door het dorpje heen waren gerend. 'Kan niet meer.'

Yvo knikte begrijpend en stopte, waarop ook Michelle haar pas inhield. Meteen begon ze met haar armen te zwaaien en liet zien dat ze ook het molentje kon. Gatverdamme, wat sloofde ze zich uit. Ik kon het niet lang meer aanzien.

'Jullie mogen anders wel zonder mij verdergaan,' bood ik aan. 'Ik houd jullie alleen maar op.'

'Ben je gek!' zei Yvo. 'We zijn hier met zijn drieën aan begonnen, dus we maken het ook samen af. Het geeft niks als je af en toe moet stoppen. Iedereen moet ergens beginnen. Ik vind dat je het hartstikke goed doet voor de eerste keer.'

'Ja!' viel Michelle hem verrukt bij. 'Ik weet nog dat ik voor het eerst ging hardlopen. Geloof me, Stel, ik was kapot. Kapot! Na een paar minuten kon je me al wegdragen. Het zweet gutste van mijn voorhoofd en ik hijgde als een… ik weet niet wat!'

Ik wist dat ze overdreef, maar vond het fijn dat ze vertelde hoe onervaren en onfit ze ooit zogenaamd geweest was. 'Oké dan,' gaf ik me over. 'Ik ga mee.'

'*Yeah*!' riep Yvo, en hij stak een strijdlustige vuist in de lucht. Met zijn andere hand haalde hij een van de minuscule flesjes uit zijn multifunctionele hardlopersriem. 'Hier, drink wat water.'

Dankbaar dronk ik het flesje leeg (met een inhoud van honderd milliliter of zo) en gaf het hem terug. We zetten met een rustige pas, net iets sneller dan hoe ik gewend was door de stad te lopen, koers richting het bos. Dit was prima uit te houden. Goed, ik voelde dat ik een workout onderging, maar dat mocht ook best. De pijn viel me alles mee.

Na een kronkel in de weg verscheen ineens het bos, dat we op ons gemak in jogden. De aarde rook heerlijk na het onweer van de afgelopen nacht. Er gaat niets boven de geur van een bos na een fikse regenbui. Of liever nog tijdens, maar het nadeel daarvan is dat je er zelf ook nat van wordt. En plakkerig.

Net toen ik in een lekker ritme dreigde te komen, stonden Yvo en Michelle alweer stil. We waren op een open plek met rondom een kring van keien. Ik plantte mijn kont op een van de keien en keek omhoog. Er was door het dichte bladerdak weinig van de hemel te zien, maar een paar straaltjes licht kwamen er wel doorheen.

'Wat is het hier mooi,' fluisterde Michelle.

'Prachtig,' fluisterde ik terug.

Zo keken we alle drie in bewondering en stilte omhoog, tot Yvo het op zijn heupen kreeg. 'We moeten terug naar de commune. Normaal blijf ik nooit zo lang weg. Straks zijn we te laat voor het eten en worden er mensen ongerust.'

Hierop lachte ik besmuikt en wierp Michelle een blik van verstandhouding toe, maar zij leek geen deelgenoot te zijn van deze verstandhouding. Ze snapte ook niet wat er grappig aan was. Maar kom op zeg, te laat voor het eten – alsof we veertien waren! Zoiets verzon je toch niet.

Yvo had ineens een behoorlijke dot peper in zijn reet nu hij bang was om het diner te missen. Met iedere stap die hij zette, ging zijn tempo een tandje omhoog. Ik deed mijn uiterste best om hem en Michelle bij te houden. We renden nu de heuvel weer op en ik voelde het steken in mijn kuiten. Ook mijn voeten begonnen te protesteren tegen de blaren die ze opliepen doordat ik de verkeerde schoenen droeg. Alles aan mijn benen deed pijn.

'Hoe ver moeten we nog?' hijgde ik.

Zonder achterom te kijken, antwoordde Yvo: 'Twee kilometer of zo.'

'En hoeveel hebben we er al gehad? Drie?'

'Nee, een stuk of vijf. Ik heb het rondje iets uitgebreid.'

Ik kon nauwelijks geloven dat ik er al vijf kilometer op had zitten, en dat in een kleine drie kwartier, inclusief pauzes. Maar twee kilometer, iets minder dan de helft van wat ik al gedaan had en dan ook nog steil oplopend, dat was te veel. Ik stopte abrupt. Het duurde even voor Michelle en Yvo het doorhadden, ze renden namelijk al de hele tijd voor me uit, maar uiteindelijk merkten ze toch dat de olifantenpassen achter hen verstomd waren.

Michelle was de eerste die zich omdraaide. 'Gaat het niet meer?'

'Nee. Ik geloof dat ik een paar gigantische blaren kweek, en als ik niet uitkijk ook een kuitblessure.'

'Oké. Dan wandelen we terug de heuvel op. Geeft niet,' zei ze vergoelijkend. Tegen Yvo zei ze: 'Ga jij maar vooruit. Je mag tegen de rest zeggen dat we eraan komen, als we te laat zijn voor het eten.'

'Doe ik. Sorry dat ik zo hard van stapel liep, Stella. Het ging zo goed, dat het net leek alsof... Nou ja, ik dacht dat je het aankon. Sorry.'

'Al goed. Ik snap het wel. Jij bent iets meer snelheid en afstand gewend.' Als om te bewijzen dat ik daar gelijk in had, zette hij het op een hardlopen. Met grote, lenige passen verdween hij al snel uit het zicht. Wij gingen hem wandelend achterna. 'Dank je wel dat je voor me stopte,' zei ik tegen Michelle.

'Tuurlijk. Ik laat jou toch niet in de steek. Niet voor een man die ik net ken.'

'Nee, nee! Dat bedoelde ik ook niet! Maar... je vindt hem wel erg leuk, hè?'

Michelle glimlachte geheimzinnig en rende een paar passen voor me uit. Ze was zich zelf ook bewust van haar boekdelen sprekende gezicht, maar wat ze niet wist, was dat ik het al afgelezen had voor ze het kon verbergen.

Tot over haar oren.

Pas de volgende ochtend, nadat ik mijn onvermijdelijke blaren verzorgd had en Michelle heel lief mijn kuiten had gemasseerd, was ik blij dat ik mee was gegaan. Ik zat op een van de luie stoelen in de bibliotheek en las een door mij nieuw aangeschaft boek. Als ik iets inkocht, moest ik natuurlijk wel weten waarover het ging. Deze zeer relaxte kant van mijn werk overheerste nu ik de eerste dagen na de opening en de daarbij behorende hausse aan uitleningen achter de rug had. Af en toe kwam er iemand binnen die wat rondkeek en vervolgens een boek meenam, meer had mijn baan niet om het lijf. Ik had de administratie op orde en kon in ieder gevraagd genre een boek aanbevelen.

Bibliothecaresse zijn in deze commune was zoiets als Paris Hilton in de rest van de wereld: ik hoefde bijna niets te doen en was toch razend populair. Beroemd durfde ik mezelf niet te noemen, maar mijn status kwam erbij in de buurt. Ik was in ieder geval in de korte tijd dat we hier waren bekender geworden dan Michelle. Zij werkte hard aan haar bekendheid door iedereen lastig te vallen om bonnetjes en overzichten, maar ik betwijfelde of dat ook een populaire soort bekendheid zou zijn.

Om kwart over twaalf kwam Pandora binnen met de broodjes. Het verbod op eten in de bibliotheek gold niet meer, had ik besloten, en dus verorberde ik mijn twee waldkornpuntjes met verse roomkaas en fijngesneden bieslook daar. Pandora at broodjes met hagelslag die overal terechtkwam. Ik trok de grens bij hagelslagvlekken in de boeken, dus moest ze haar brood eerst opeten voor ze verderging met lezen. Ze maakte er een gewoonte van om met de lunch langs te komen. De eerste dag had ze nog gevraagd of ik het vervelend vond. Ik lachte haar uit, maar op een leuke manier. De bibliotheek was van iedereen. Ze hoefde niet te vragen of ze er mocht zijn.

'Wat wil je vandaag lezen?' vroeg ik.

'Iets met… katten.'

'Echte katten of fantasiekatten?'

'Dat maakt me niet uit.'

Ik verschoof de trap naar de kinderboekenkast en speurde naar *Minoes*. Dat boek had ik zelf als kind gelezen en geweldig gevonden, net als de verfilming jaren later, die me eerlijk gezegd helderder voor de geest stond dan het boek. Daarvan wist ik alleen nog hoe geniaal ik het vond toen ik het uit onze bibliotheek had gehaald. (Zo geniaal dat ik het liet verlengen ook al had ik het uit, gewoon zodat ik nog eens terug kon gaan naar de stukjes waarom ik bij de eerste lezing zo moest lachen.) Ik greep het boek van de plank en gooide het naar beneden.

'Minoes,' las Pandora van de kaft. 'Dat klinkt leuk.'

'Mooi zo. Ik ben er om de lezers te adviseren.' Dit zei ik erbij in de hoop dat ze haar moeder zou vertellen hoe goed ik haar hielp. Pandora was, op het voorlezen na, geen spraakzaam meisje. Ik moest mijn uiterste best doen als ik het over iets anders wilde hebben dan het boek waarin ze bezig was.

Ik vroeg me af of ze altijd en overal zo gesloten was. Met

vriendinnetjes van buiten zag ik haar nooit en in de commune was ze de enige onder de twintig. Ze kreeg les van een voormalige basisschooljuf en ging op zondagochtend naar de kerkdienst in het dorp, waar ze vermoedelijk ook tussen de andere communeleden zat.

Niet zo gek dat ze haar toevlucht zocht in een fantasiewereld. Maar waarom ze nooit eens andere kinderen uit de kerk meenam, was toch raadselachtig. De abdij met zijn vele hectares speelgrond en met alle dieren leek me een paradijs voor kinderen. Als ik er als kind lucht van had gekregen dat ik iemand kende die in zoiets woonde, had ik niets liever gewild dan met haar (of zelfs met een hem) spelen. En alle andere kinderen ook.

Wanneer Pandora las, vormde zich een zachte glimlach rond haar lippen en twinkelden haar ogen. Ze stopte constant om terug te lezen en wilde van iedere pagina wel een stukje aan mij voorlezen zodat ik kon meegenieten. Aan sociale gevoelens geen gebrek dus. Ik snapte er niks van.

'Pandora,' zei ik toen ze het boek dichtklapte om terug naar haar les te gaan. Ze keek op. 'Waarom neem jij nooit vriendinnetjes mee naar huis?'

'Omdat ik geen vriendinnetjes heb. En al helemaal geen huis.'

'Dit is toch je huis?'

Ze lachte. Het was geen leuke lach. Ik zou bijna zeggen onheilspellend, maar dat was overdreven voor een kind van haar leeftijd.

'Nee, dit is mijn huis niet,' zei ze. Hierna draaide ze zich om en verliet mijn bibliotheek voor ik kon doorvragen. Altijd doorvragen, had ik als journalist geleerd. Zolang iemand er nog enigszins voor openstaat, altijd doorvragen. Maar Pandora stond er niet voor open. Ze draaide zich al om voordat ik mijn derde, vierde, vijfde, ontelbare vragen op haar kon afvuren. Dergelijke brutaliteit was ik gewend van mensen die zichzelf heel wat vonden, en met name van hun bodyguards. Zij waren eigenlijk de enigen die je zo onbesuisd met vragen durfden achterlaten. En Pandora.

Ik kon me niet meer concentreren op mijn eigen leeswerk. Misschien moest ik bij Claire naar haar dochter informeren.

Maar ja, wat moest ik dan zeggen? 'Ik vind dat ze raar doet' of zo? Dat zei je niet over andermans kinderen.

Dat ging dus niet door. Ik zette het van me af, haalde bij Bill een stofzuiger voor de hagelslag en een stofdoek voor de kaften, waaraan ik de rest van de middag besteedde. Ik begon bovenin en werkte naar onderen. 'Afstoffen doe je van boven naar beneden, meisje' – ik hoorde het mijn oma nog zeggen.

7

Ik voelde een nieuwe verslaving opkomen. In hetzelfde grand café als vorige week had ik weer een kingsize cappuccino in een slurpbeker besteld, en ik genoot intens van iedere slok – in de hele beker zaten er minstens twintig. Het kostte de nodige moeite om me in te houden bij de aanblik van alle lekkers voor bij de koffie dat de leuke, maar iets te jonge jongen me met zijn zachte g wilde aansmeren. Michelle had niets met het accent van de Vlamingen, zij vond zelfs het Brabants niet om aan te horen. Ik smolt daarentegen bij het horen van het zangerige Vlaams, dat zoveel mooier klonk dan mijn eigen, snoeiharde Hollands.

Om het verleidelijke accent en de verleidelijke brownies te weerstaan, liep ik met mijn kop koffie naar boven. Daar stonden tafeltjes bij een raam dat van het plafond tot de vloer reikte. Vanaf daar kon ik de mensen op het plein nog beter bespieden dan beneden. Die drukte had ik nodig om te schrijven. Ik was zo gewend aan razende reporters, zeurende eindredacteuren, rinkelende telefoons en met armen vol kleding heen en weer rennende modemeisjes, dat ik zonder die *hustle and bustle* geen letter op papier kreeg. Het achtergrondgeluid verwerd dankzij mijn hierop afgestemde oren tot een monotone brij die me ervan verzekerde dat er van alles gebeurde, maar ook dat ik me er niet mee hoefde te bemoeien. Die wetenschap gaf mij meer rust dan alle stilte van de wereld.

Eerst checkte ik weer mijn mail. Ook een ingesleten gewoonte: ik kon niet werken als ik wist dat er mails op lezing of antwoord wachtten. De meeste berichten gooide ik direct in de prullenbak en dat ruimde alvast lekker op. Vervolgens opende ik de mail van Hilde; *RE: Column*. Gisteren verstuurd.

'Stella, wat houd ik toch ontzettend veel van jou! Dit is helemaal ráák! Echt, niets meer aan doen. Ik stuur het zo door naar de vormgeving en je ziet binnenkort het resultaat in het blad. Mail me je adres voor de presentexemplaren. Liefs, Hilde.'

Ik glunderde. Ik straalde. Ik glom. Ik was een bundel van licht die op het hele café reflecteerde. Wow. Ze vond het niet goed, ze vond het geweldig. Ze was niet blij, ze was uitzinnig. Ze vond me niet aardig, ze hield van me. Wow.

Vliegensvlug zocht ik op internet het adres van de stoffenwinkel van Claires moeder. Ik had het vermoeden gekregen dat de post in de commune gecheckt werd en wilde geen risico lopen. Ik mailde het adres meteen door naar Hilde zodat ik daar vanaf was en opende een nieuw document nu ik zoveel inspiratie had. Die hoefde ik niet eens meer uit mijn omgeving te halen, want door de extase vlogen de woorden als vanzelf uit mijn hoofd. De tussenkomst van mijn vingers en het toetsenbord was nauwelijks merkbaar. Ik schreef sneller dan het licht en knikte alleen even toen de jongen in het Vlaams vroeg of ik nog een cappuccino wilde, want natuurlijk wilde ik dat, zo helder van geest was ik ook nog wel. Laat maar doorkomen die sloten koffie, zei ik met mijn knikje. Ik was niet te stuiten.

Binnen een halfuur had ik de vijfhonderd woorden getypt. Nu moest ik even afstand nemen. Ik dronk mijn vers aangeleverde beker koffie zo traag mogelijk leeg en keek naar de mensen beneden. Een geërgerde oude vrouw met een hondje dat bij elke boom stopte voor een plas (neem dan ook geen reu!), zoenende tieners die er niet om maalden of ze door iemand gezien werden, een man die met een sjoelbak onder zijn arm het plein schuin overstak. Ze vochten om mijn aandacht en toen was mijn koffie alweer op.

Ik las mijn column aandachtig door. Hij ging over mijn eerste hardlooples, feitelijk het enige columnwaardige moment in de hele week, en was grappig – dacht ik. Hoopte ik. Michelle zou het niet leuk vinden dat ik haar geflirt met Yvo er ook in had opgenomen, maar ze had me toestemming gegeven om haar in mijn stukjes te gebruiken. Dat gold dan ook voor de stukjes waarin privédingen aan bod kwamen, vond ik.

De column was goed zo. Ik logde weer in op internet en opende mijn mailbox. Zonder naar de nieuw binnengekomen spam te kijken, stuurde ik mijn tweede column naar Hilde. En nu maar duimen dat ze er net zo blij mee was als met de eerste.

Ik klapte mijn laptop dicht en zag dat de jongen weer naast mijn tafeltje stond. 'Nog een cappuccino?'

'Nee, dank je wel.'

'Iets anders dan?'

'Zeg eens iets met een g.'

'Eh… Gemberkoek.'

'Nee, dank je wel. Houd niet van gember. Ik wil wel een brownie om mee te nemen.' Daar ging ik vast spijt van krijgen, maar ze zagen er voortreffelijk uit. De jongen bracht me een papieren zakje met daarin mijn chocoladecakeje. Voor de twee cappuccino's en de brownie gaf ik hem tien euro. Hij opende zijn portemonnee al om wisselgeld terug te geven, maar ik schudde mijn hoofd. 'Mag je houden. Jij hebt het harder nodig dan ik.'

'Dank je! Weet je wel hoeveel procent van de rekening dat is?'

'Zo snel kan ik niet rekenen. En ik hoef het niet te weten.'

'Zoals je wilt. Ik moet nu verder. Misschien zie ik je terug?'

'Volgende week,' zei ik. 'Zelfde tijd, zelfde plaats. Tot dan.' Ik pakte mijn tas op en liep met snelle passen de wenteltrap af.

Viel ik nu voor een minderjarige? Het was mogelijk dat hij net achttien was, maar hij kon de twintig nog niet gepasseerd zijn. Wat afschuwelijk was ik toch. Hij had mijn zoon… Nee, dat had nooit gekund. Zo erg was ik nu ook weer niet. Op mijn negende was ik nog niet vruchtbaar geweest.

Mijn benen voelden hooguit trekkerig na de hardloopafmatting, die nog geen dag geleden had plaatsgevonden. Ik liep met een redelijke soepelheid door de stad. Het viel me alles mee hoe ik mijn eerste training doorstaan had.

Het kon geen toeval zijn dat ik op een hardloopwinkel af liep. Met de brownie achter mijn kiezen kwam het me heel verstandig voor om nu te investeren in deugdelijke hardloopschoenen en dito kleding. Dan kon ik echt gaan trainen en in het gunstigste geval een heuse conditie opbouwen. Zo een waarmee ik niet meer hijgde als ik moest rennen om de bus te halen. Dat zou te gek zijn.

Ik dacht er niet verder over na en liep door naar binnen. De geur van nieuw plastic kwam op me af, tegelijkertijd met de glimmende sportiviteit van de oogverblindende winkel. Met mijn vingertoppen ging ik door een rek, voelend aan de fijne stofjes van de hardloopshirts. Glad en aerodynamisch. Ze voelden iets te snel aan voor mij.

De hele zijmuur stond vol met schoenen. Schoenen kopen was een liefhebberij van me, want schoenen pasten altijd. Laarzen trouwens niet. Dat kwam door mijn *killer*-kuiten.

Bij iedere schoen stonden op een bordje termen waarvan ik nog nooit gehoord had. Wat was bijvoorbeeld anti-pronatie? Of een neutrale schoen? Wat ik er wel uit haalde, was dat die twee niet samengingen. En dat sommige vrouwenmodellen niet geschikt waren voor vrouwen van boven de zeventig kilo was ook duidelijk. De meeste hardlopende vrouwen wogen natuurlijk bijna niks. Vijftig kilo op z'n hoogst. Maar ik was ruim tien kilo zwaarder dan de bovengrens van de helft van deze schoenen.

Ik was hier niet op mijn plek. Net toen ik naar de uitgang wilde rennen (jawel, rennen!), verscheen een überknappe en vrolijke verkoper naast me. 'Hulp nodig?'

'Ja,' zuchtte ik. 'Ik weet helemaal niks.'

Zijne knapheid werd nog vrolijker en ik had het vervelende gevoel dat ik als een prooi voor hem was.

'Het belangrijkste is dat je weet wat je wilt,' zei hij.

'Zelfs dat weet ik niet.'

'Zoek je een paar schoenen?'

'Een volledige hardloopuitrusting.'

'Awel! Een beginner! Laten we dan ook beginnen bij het begin: de looptest.'

De looptest? Nu ging hij te ver. Ik moest hier echt weg en snel ook. Ik was koud begonnen met hardlopen of ik werd al aan een test onderworpen. 'Sorry,' zei ik, 'maar volgens mij begrijp je het niet. Ik heb pas een keer gelopen. Ik hcb gewoon een paar schoenen nodig waarmee ik geen blaren krijg en kleding waarin ik niet al te veel zweet, dat is alles.'

'Wij schepen onze klanten niet op met zomaar een schoen. Kom nu maar mee, dan testen we er een paar op de baan. Niets om bang voor te zijn. Wat is je maat?'

'Veertig.' De verkoper knikte alsof hij dat al had geraden met één blik op mijn voeten, pakte een doos van de stapel en liep met een zelfverzekerde pas, half wandelend en half hardlopend, voor me uit naar een in de plastic vloer gegoten patroon van een atletiekbaan. Ik had bij binnenkomst gedacht dat het voor de sier was, zoals de NS sporttreinstellen had met lijnen op de vloer, maar nee, het was bedoeld om overheen te lopen. Dat had ik weer. Midden in de winkel waar het stikte van de ervaren hardlopers, moest ik mijn onkunde tentoonspreiden. Ik zweette al bij voorbaat.

'Trek deze schoen maar aan. Dit is een neutraal model.'

'Wat betekent dat?'

'Hij heeft, behalve de gewone demping die vrijwel elke hardloopschoen heeft, geen correctie. Zo kan ik precies zien hoe jij je voeten neerzet.'

Aha. Ik trok de schoenen aan en ging aan het begin van baan drie staan. Er liep niemand op banen een en twee, een hele opluchting. Zo had ik tenminste de ruimte voor mijn alle kanten op zwabberende benen.

Van de ene naar de andere kant van de winkel was het hooguit dertig meter. Dat haalde ik heus zonder hijgen. Op de middelbare school kon ik met de piepjestest ook een paar keer heen en weer voor het hijgen begon. En dan nog een paar keer voor ik de piep niet meer haalde, maar zelf wel zo erg hijgde dat er piepjes uit mijn keel ontsnapten.

Zover hoefde het hier niet te komen.

'Oké, ga maar!'

Het stelde niks voor. Ik zette zoals ik gewend was de ene voet voor de andere en liep naar de overkant. Geen *big deal*. Alleen de ogen die in mijn rug prikten, maakten het onnodig lastig.

Aan het eind van de baan draaide ik me om. 'Heel goed,' zei de verkoper. 'Nu terug.'

Ik snelde terug naar de startlijn en stapte van de baan af. Dat was dat. Hij wenkte me naar de monitor, ik mocht het resultaat samen met hem bekijken. Het shot van alleen mijn voeten en enkels kwam vertraagd in beweging. Het zag er niet uit.

'Zie je wat je doet?' vroeg hij hoopvol. Ik schudde mijn hoofd. Ik zag van alles, maar niets wat ik op intelligente wijze kon benoemen. 'Je rolt goed af,' constateerde hij, 'dat is top, maar je steunt ook te veel naar binnen. Dat kan op termijn tot gewrichtsklachten leiden. Een knieblessure heb je zo te pakken.'

Alsof hij me ervan wilde weerhouden überhaupt door te gaan met hardlopen, zo bracht hij het. Kijk maar uit, meisje, als je aan hardlopen begint. Voor je het weet, val je uit elkaar van ellende. Het is een wonder dat ik hier nog sta. Maar ja, ik ben dan ook fit en sterk. Dat kunnen we van jou niet zeggen – jij steunt te veel naar binnen. Dat is hardloopjargon voor kansloos. Houd er maar meteen mee op, dat scheelt ons en de rest van de hardloopwereld een heleboel ellende.

Maar dat zei hij niet. 'Niks ernstigs, hoor. Wat jij doet, doen een heleboel lopers. Het officiële woord hiervoor is overpronatie. Je hebt correctie nodig en dan ben je klaar voor de kilometers. Wacht maar, ik haal een paar schoenen met anti-pronatie.'

Ik wachtte geduldig tot hij met een stapeltje schoenendozen terugkwam. Het eerste paar was – en dit overdrijf ik niet – afschuwelijk lelijk. Omdat hij zo veel moeite voor me deed, trok ik ze toch aan en liep erop heen en weer over de atletiekbaan. We bekeken de beelden. Tot mijn schrik vond hij dat de schoenen mijn overpronatie goed corrigeerden. Dat was ik met hem eens, mijn voeten kwamen rechter op de baan neer dan op de neutrale schoen. Maar betekende dat ook dat ik erop wilde rondlopen? Nee.

Het volgende paar was al veel beter. De schoenen hadden lichtgroene accenten en zagen er wat minder gelikt en gestroomlijnd uit. Daarmee wekte ik tenminste niet de indruk dat ik mezelf overschatte. Bij de eerste stap wist ik het: dit waren ze.

Het leek of ik over de baan zweefde. Geen gewicht aan mijn voeten, maar lucht.

'Dit zijn ze,' zei ik trots voordat hij me de beelden kon tonen. Ik wilde niet riskeren dat hij iets op mijn droompaar aan te merken had. Of nou ja... Ik moest wel weten of deze op de lange termijn bestand waren tegen mijn gewicht. Er hingen niet voor niets bordjes bij. 'Hoeveel mag je voor deze schoenen maximaal wegen?' vroeg ik.

'Pff, dat weet ik niet uit mijn hoofd. Hoezo? Jij bent toch niet zwaar?'

Ik staarde hem een lang moment ongelovig aan, tot ik wist dat hij het meende. 'Je bent geweldig! Ik neem ze, en jou erbij.'

De verkoper knikte en stopte de schoenen terug in hun doos. 'Shirtjes en shortjes hangen aan de rekken. In deze tijd van het jaar heb je nog geen lange tight nodig, je hebt voorlopig genoeg aan een kort broekje. Qua shirts is het maar net wat je zelf lekker vindt zitten. Ik houd deze schoenen voor je apart. Als je bent uitgeshopt, rekenen we alles in een keer af.'

Het moeilijkste was achter de rug. Alleen nog een shirtje en een shortje, het klonk zo simpel als een kilo Elstar. Ik pakte een paar kleuren en modellen hardloopshirts uit het rek en zocht willekeurig een aantal shorts bij elkaar. Op het eerste gezicht waren ze identiek, maar er waren vast verschillen die mijn amateursoog niet kon onderscheiden en daarom nam ik een kleine selectie mee in het pashok.

Over het shirt was ik het snel met mijn lichaam eens: een knalroze, getailleerd shirt dat mijn borsten super deed uitkomen en mijn blubberbuik verborg. '*Ladies and gentlemen, we have a winner,*' fluisterde ik glimlachend tegen mijn spiegelbeeld.

De short was lastiger. Van voren zagen ze er allemaal redelijk uit, maar van achteren was het een ramp, keer op keer. Zelfs over mijn schouder kon ik zien dat de putjes spontaan in mijn billen sloegen en dat het vet op mijn dijen er irritant onderuit piepte. Ik paste alle shorts twee keer, maar het werd er niets beter op. Uiteindelijk draaide het dus toch uit op een kansloze onderneming.

Buiten het pashok speurde ik naar de vleiende verkoper. 'Hier kan ik niets mee,' zei ik waar het op stond. 'De pasvorm van deze broekjes is niet geschikt voor vrouwen zoals ik.'

Hij knikte alsof hij het met zijn slanke, gespierde benen begreep. 'Dat horen we vaker van... vrouwen zoals jij,' knipoogde hij. 'Daarom hebben we sinds kort ook rokjes in ons assortiment. Hier, dit zijn ze.'

Ik bekeek het rek met rokjes, dat me misplaatst had geleken in een hardloopwinkel. Het waren net tennis- of hockeyrokjes. 'Zijn die voor hardlopen?'

'Kijk, er zit een short in. Het enige verschil is dat je er vrouwelijker uitziet.'

'Dank je wel,' zei ik, en ik duwde hem alle shorts in zijn armen. Met drie soorten rokjes verdween ik weer in het pashokje. Het eerste dat ik aantrok, was al helemaal goed. De short eronder zat precies hetzelfde als de andere die ik had gepast, maar ik zag er dankzij de bedekkende stof tien keer beter uit. Dat dit een kansloze onderneming was, vergat ik meteen weer. Ik had zowaar zin om van Antwerpen terug naar de commune te lopen in plaats van die stinkende, trage bus te nemen. Maar een dergelijke afstand lopen was in dit stadium nog iets te hoog gegrepen. Dat zou over een paar maanden wel komen.

Bij het afrekenen gaf hij me een tasje vol met flyers, en apart nog een foldertje voor een feest in Antwerpen. 'Ik zou het plezant vinden als je komt,' zei hij erbij.

'Waarom?' Ik bekeek de folder. Zulke feesten kende ik wel en eigenlijk had ik er best zin in, maar ik snapte niet waarom hij me ervoor zou uitnodigen, tenzij hij een van de organisatoren was.

'Omdat ik je een mooie vrouw vind.'

Goh. Dat kon natuurlijk ook. Ik was helemaal van mijn à propos en wist niet wat ik terug moest zeggen. Volgens mij knikte ik nog voordat ik met klotsende oksels en knikkende knieën de winkel uit liep.

Ik was wonderbaarlijk vroeg met de bus terug in het dorp. Een uur te vroeg zelfs. De weg van het dorp naar de abdij begon al minder op een heuvel te lijken. Nog even en hij degradeerde in mijn boekje tot een licht oplopende straat. Nog even, en ik had helemaal geen erg meer in de schommelingen van het landschap. (Eh… *Yeah right.*)

Toch een beetje moe kwam ik terug op onze kamer. Daar trof ik Michelle aan, zoals altijd in de weer met haar platenspeler. Ze draaide alweer de elpee van Kate Bush. Haar ogen waren betraand, maar ze had een ongelooflijk grote lach op haar gezicht. Ze hield haar hoofdkussen stevig tegen haar bovenlichaam gedrukt en wiegde heen en weer met haar ogen dicht. Dat ik er was, merkte ze niet.

Ik zou kunnen doen alsof ik niet begreep wat er met haar aan de hand was, maar dat is onzin – ik wist het precies. Pas toen het nummer afgelopen was en alleen het gekraak van de naald op het vinyl tussen twee tracks in klonk, bemerkte Michelle dat ik er was. Ze opende haar ogen en keek me verschrikt aan, vragend: wat heb je allemaal gezien?

Mijn blik verraadde niets, dus begon Michelle zelf aan haar biecht: 'Ik heb vandaag weer met Yvo gerend.' Nu zag ik dat haar lokken nat waren van het douchen. 'Het was geweldig,' ging ze verder. 'We zijn een heel eind het bos in geweest. Hij kent alle mooie plekjes.'

Even was ik boos, verontwaardigd omdat ze zonder mij ook gingen hardlopen. Het sloeg nergens op, maar ik had gehoopt dat het iets van ons drieën zou worden. Nu was het iets van hun tweeën en van mij apart alleen. Met de mogelijkheid van een combinatie als het zo uitkwam.

Maar het ging niet om mijn teleurstelling. Die verdrong ik, geïrriteerd dat zulke dingen in me opkwamen terwijl het erom ging dat Michelle verliefd was, echt verliefd. Zo verliefd als de eerste keer dat je het meemaakt, zo verliefd dat je nergens anders aan kunt denken, zo verliefd dat je één wilt worden met alles wat je aanraakt en het liefst van alles wilt versmelten met het object van je affectie…

Object van je affectie? Klonk vreemd. Beetje eng. Sommige dingen zijn onvertaalbaar.

Michelle staarde dromerig naar de druiven in de verte. 'Hij heeft het kind in zijn ogen.'

'Weet je dat heel zeker?'

'Ik heb het zelf gezien. Als we weer met z'n drieën gaan lopen,' zei ze, en met de vanzelfsprekendheid hiervan was ik erg blij, 'moet je eens diep in zijn ogen kijken. Zo veel levenslust op zo'n klein oppervlak. Ik was op slag verliefd. Maar dat had je denk ik al door.'

'Dat was wel te merken, ja.'

'Raar hè? Ik denk dat het door deze omgeving komt. Want zeg nou zelf: hoe kun je verliefd worden op iemand in een kantoortuin? Als alles zo grijs en grauw is, worden de mensen dat ook. Hier zie ik iedereen in een ander licht.'

'Mij ook?'

'Hmm… Dat weet ik niet. Jou kende ik natuurlijk vooral van thuis, dus ik associeerde je altijd al met vrije tijd, leuke dingen, lekker eten. Je bent hier hooguit nog iets mooier geworden.'

'Nog mooier?' viste ik. 'Dus je vindt me mooi?'

'O, jazeker. Ik kan geen langdurige relatie aangaan met mensen die ik lelijk vind. Stel je voor, zeg! Jarenlang samenwonen met iemand wiens aanwezigheid pijn doet aan mijn ogen. Ik zou doodongelukkig worden in mijn eigen huis.'

Ze bracht het compliment op een bizarre manier, en toch werd ik er blij van. 'Wat nou als je zelf lelijk was? Of lelijk wordt?'

'Onmogelijk. Ik vind mezelf altijd mooi omdat ik weet wie er vanbinnen zit. Net zoals ik jou mooi vind, ondanks dat je iets te dik bent.'

'Iets te dik!'

'Nou… Een paar kilootjes mogen er wel af, ja. En dat weet je best. Daar word jij niet mooier van, maar wel gezonder. Ook dat is iets waard.'

Ik schoot in de lach om haar voorzichtige formulering van het feit dat ik behoorlijk wat kilo's te veel meezeulde. 'Ik bedoelde juist dat je het woordje 'iets' wel weg mocht laten. Ik ben te dik, punt. Niet iets te dik of een paar kilootjes te zwaar, gewoon dik.'

'Je overdrijft.'

'Je hebt geen idee hoeveel ik weeg.'

'Boeiend! Gaat om hoe het eruitziet. Yvo vindt jou ook mooi, hoor.'

'Zei hij dat?'

Ze schudde haar hoofd. 'Maar hij vindt het wel, dat weet ik. Hij zei zoiets als: 'Jammer dat Stella er niet is.' Omdat hij je leuk gezelschap vindt, dat was het. Maar je hebt wel wat extra training nodig. Die hij je ook wil geven.'

'Ik doe het denk ik liever zelf. Dan voel ik me niet zo opgejaagd.' Ik pakte de tas van de hardloopwinkel erbij en haalde mijn nieuwe schoenen eruit. 'Hierop ga ik de marathon uitlopen,' verklaarde ik plechtig.

'Je loopt wel hard van stapel! Zulke dingen moet je rustig opbouwen. Voordat je zover bent, heb je al drie paar schoenen versleten.'

'Het gaat om het idee.'

'Prima. Heb je voor het idee ook een hardloopoutfit gekocht, of blijf je in die lelijke grijze hobbezak van een joggingbroek rondrennen?'

'Dat kan ik jou niet aandoen. Ik weet dat de aanwezigheid van die broek pijn doet aan je ogen. Nee, ik heb een ademend knalroze shirtje en een hip zwart hardlooprokje. Het nieuwe hardlopen is modebewust.'

Michelle bekeek het shirt en inspecteerde mijn korte rokje. 'Weet je zeker dat dit geen tennisrok is?'

'Komt uit de hardloopwinkel. Kijk maar naar die short: hetzelfde als die van jou, maar dan met een rokje eroverheen. Zo voorkom ik dat de aanwezigheid van mijn dikke kont jou doodongelukkig maakt.'

'Heel goed. Kan het namelijk niet langer aanzien,' zei ze, en daar had ik het naar gemaakt.

'Het valt trouwens best mee, denk ik, want ik had vandaag sjans met een hardloper.'

Haar ogen werden groot. 'Wat? En dat zeg je nu pas?'

'Zoveel stelde het ook weer niet voor. Hij was verkoper in de winkel waar ik mijn uitrusting kocht en toen ik had afgerekend, vroeg hij of ik naar een feest kom.' Ik frommelde het foldertje uit mijn zak. 'Hier, dit is het. Aankomende zaterdag in een club in Antwerpen. Ga je mee?'

'Ga jij dan?'

'Ik denk het wel. We hebben al een tijdje niet gedanst, ik heb er weer zin in.'

'Mwoah. Ik voel er eigenlijk niet zoveel voor. Maar jij mag natuurlijk gaan, als je wilt. Ik vind dat je het moet doen. Je hebt al zo lang geen man gehad, het zou goed voor je zijn. Net als voor mij,' zei ze er zwijmelend achteraan.

Ja. Alsof er in mijn eentje wat aan was. Ik zou er nog wel even over nadenken, want die verkoper was best een leuke man, en het kon ook geen kwaad om wat mensen te leren kennen in het België buiten de commune. Maar ik vond ook dat mijn beste en enige vriendin in dit land me daarin wel iets meer mocht steunen. Wat was het nou voor moeite om mee te gaan naar een feestje?

De etensbel ging. Michelle veerde op en waste bij de wasbak in onze kamer haar ogen schoon van de mascaratranen. Die waren wel om Yvo, maar hoefde hij niet te zien. 'Kom mee met je dikke kont,' zei ze toen ze klaar was. 'We gaan eten.'

*

Vijf minuten na het ontbijt al stond ik in mijn splinternieuwe hardloopkleding voor het hek van de abdij dezelfde rekoefeningen te doen als de eerste keer. Tenminste, voor zover ik me ze herinnerde. Ik voerde ze een paar keer uit en jogde de heuvel af naar het dorpje. Elke keer als ik daar was, verbaasde het me weer hoe weinig huizen er stonden en hoe schattig de paar huisjes en winkeltjes waren die het dorp wel rijk was. Het verdiende de titel 'pittoresk' dubbel en dwars.

Onder aan de heuvel voerde ik mijn tempo iets op. Het ging lekker, echt heel lekker, ik kwam al bijna in een ritme… Tot ik een druk voelde ontstaan. Bij iedere stap, die doorgolfde in mijn hele lijf, want hardlopen is een totale workout, werd de aandrang heviger.

Terug de heuvel op rennen was in deze nijpende situatie sowieso onmogelijk. Bij een van de huizen aanbellen om te vragen of ik naar de wc mocht, tja… Liever niet. Ze zagen me aankomen! 'Hallo mevrouw, ik moet zó nodig. Mag ik uw toilet gebruiken?' Nee dus. Ik bracht mijn tempo wat terug en bewoog toch nog zo snel mogelijk door naar het bos. Ouderwets in de bosjes de broek laten zakken was in dit geval de beste optie.

Ik redde het en dook in de eerste dichtbegroeide afslag die ik kon vinden. Vanaf daar liep ik een stukje door voor de zekerheid. Je wist nooit welke hond in de bosjes liep, of wat een vogelaar met zijn verrekijker vanaf het bospad allemaal kon zien. Op een open plekje, omringd door struiken, bracht ik het ooit zo hippe rokje naar mijn enkels. Nu was het vooral belachelijk. Ik kreeg een flashback van een soortgelijke situatie tijdens mijn eerste Avondvierdaagse. En het was na al die jaren nog net zo ongemakkelijk als toen.

Dat had best iemand me mogen vertellen, dacht ik boos terwijl ik gehurkt zat. Gewoon tussen neus en lippen door, zo van: o ja, zorg wel dat je helemaal leeg bent voordat je gaat lopen, anders moet je geheid onderweg en dat is geen pretje. Had ik heus niet raar gevonden. Best oké zelfs. Praten over toiletgerelateerde zaken was misschien moeilijk, maar op je hurken in de bosjes was een flinke stap hoger op de schaal van penibel. Van een man, Yvo bijvoorbeeld, had ik beter verwacht dan zoiets te verzwijgen.

Wonder boven wonder lukte het me zonder knoeien. Opgelucht veegde ik af met een paar natgeregende blaadjes, net zo lang tot er niets meer op achterbleef. Met mijn rokje weer omhooggetrokken en gladgestreken was het bijna alsof er niets gebeurd was. Niemand zou het aan me zien en ik was het drukkende gevoel kwijt. Er was kortom geen enkele reden om mijn training te staken. Als ik nu opgaf, werd het nooit wat met mij. Ik baande me een weg door het struikgewas, vastbesloten om een van de kortere bosroutes uit te lopen.

'Hallo, Stella.' Yvo stond midden op het pad. Hij had zijn hardloopuitrusting ook aan en was zo te zien opgewarmd: op zijn voorhoofd zaten al een paar zweetpareltjes. 'Ik hoorde het van Michelle. Wilde nog zeggen dat vlak na het eten lopen geen goed idee is, maar zo te zien heb je dat al uitgevonden.'

Mijn wangen werden knalrood. En ik wist dat blosjes mij voor geen meter stonden, wat ervoor zorgde dat ik nog weer harder ging blozen.

'Het geeft niet,' vond hij. 'Sommige dingen moet je zelf ontdekken.'

'Ja, dat zal wel.'

'Waarom train je in je eentje?'

Dankbaar voor de onderwerpwissel legde ik uit dat ik mijn niveau wilde opkrikken voor ik weer met hem en Michelle mee ging. 'Ik wil niet de reden zijn van oponthoud. Vorige keer moesten jullie je voor mij inhouden.'

'Dat maakt mij niets uit. Ik vind het leuk als je erbij bent. Dan is Michelle ook meer op haar gemak,' vertelde hij. 'De laatste keer, zonder jou, was ze zo stil. Ik kon er met heel veel moeite iets uit trekken, maar zo spraakzaam als de eerste keer werd ze niet.'

Hij moest eens weten waardoor het kwam. Ze klapte dicht omdat ze hem fascinerend vond. Omdat ze continu in zijn ogen probeerde te kijken zonder dat het al te opvallend werd, wat moeilijk zou zijn als ze zich moest concentreren op een gesprek. En omdat vervolgens haar fantasie met haar op de loop ging, zodat ze geen behoefte meer had aan geklets.

'Goh,' zei ik echter. 'Zo ken ik Michelle niet.'

'Wat is ze volgens jou voor iemand?' vroeg hij. 'Zullen we trouwens gaan lopen? Van stilstaan is nog nooit iemand hardloper geworden.' Yvo praatte vakkundig over zijn vraag heen, dat moest ik hem nageven. Toch had ik hem opgeslagen om door te geven aan mijn kamergenoot. Hij wilde weten wat voor iemand ze was. Hij had interesse. Het begin was er.

'Een kleine ronde,' zei ik, 'want over een uur moet de bibliotheek open. Ik heb nogal wat tijd verdaan met die hele… kwestie.'

Yvo lachte. 'Goed. Ik weet het ideale trainingsrondje voor een beginner. En we doen het op jouw tempo.' Hij zette een rustige pas in. 'Wat heb je trouwens een grappig rokje aan. Dat zie je maar weinig, hardloopsters in een rokje. Vind het leuk bij je passen.'

'Meen je dat? Michelle dacht dat het een tennisrokje was.'

'Nee, ik meen het, ik heb ze vaker gezien, in de hardloopwinkel. Dit is de eerste keer dat ik iemand zie die er een aan heeft.

Ik vind het een stuk leuker dan hoe ze er in het rek uitzien.'

'Dank je wel. Ik zal het aan Michelle doorgeven.'

'Hoe bedoel je?'

Het feit dat hij dit vroeg, betekende dat hij prima wist wat ik bedoelde. Om mezelf en vooral mijn kamergenoot niet te verraden, haalde ik hetzelfde trucje uit als Michelle bij mij had gedaan toen ik haar verliefdheid doorzag: een stuk hard voor Yvo uit lopen. Dat kostte mij alleen beduidend meer moeite dan haar.

*

De flyer voor het feest brandde in mijn broekzak. We waren een film aan het kijken die me niet bijzonder boeide en het was half-tien 's avonds. Over tien minuten kwam de bus. Als ik wilde, kon ik binnen anderhalf uur in Antwerpen zijn, precies op tijd voor een avondje feesten. Ik ging het gewoon doen. Ik was nu toch een vrije vogel? Dat betekende ook dat ik vrij was om helemaal in mijn eentje naar een feest te gaan.

'Ik ga even naar de wc,' zei ik tegen Michelle, die naast mij gebiologeerd naar het grote scherm keek. 'Zo terug.'

Ik glipte de donkere zaal uit en ging snel naar onze kamer, waar ik zonder al te veel nadenken mijn broek verwisselde voor een spijkerrokje en mijn trui voor een glittertop. Een vest eroverheen en ik was klaar om te vertrekken. Niemand had door dat ik via de brandtrap naar beneden ging en de poort uit liep. De commune mocht dan soms op een instituut lijken waar je voor elke scheet toestemming moest vragen, maar de mazen waren ook gemakkelijk te vinden.

De bus kwam helemaal leeg aan. Perfect, dan kon ik onderweg rustig bedenken wat ik in godsnaam ook alweer op een feest in Antwerpen moest, waar ik niemand kende behalve een verkoper uit een hardloopwinkel, wiens naam ik niet eens wist.

Teruggaan kwam niet in me op.

Eenmaal in Antwerpen moest ik een paar keer de weg vragen voor ik bij de club aankwam, maar die zag er tenminste niet sjofel uit. Er stond een beschaafde rij mensen voor de deur die erop wees dat ik ook niet de eerste was en in mijn uppie op de dansvloer zou staan als ik eenmaal binnenkwam.

Gespeeld zelfverzekerd – ik kon door mijn journalistieke bluf-ervaring heel goed zelfverzekerdheid veinzen – stapte ik op de 'buitenwipper' af en gaf hem een tientje, de entree plus twee vijf-tig. 'Mag je houden,' glimlachte ik allerliefst.

Hij gaf een knikje en ik mocht doorlopen. Ik was binnen! Een clubfeest in Antwerpen, een stad waar ik nog nooit uit was geweest, en ik was zomaar binnen. Een trots gevoel zwol op in mijn borstkas toen ik mijn vest bij de garderobe afleverde. Het was inderdaad al lekker druk in de club. Of ik de verkoper zou vinden, kon me al niet meer zoveel schelen. Ik was gewoon in mijn eentje uit en daar was niks mis mee. Ha, ik voelde me zo enorm stoer. In Amsterdam had ik nooit alleen durven uitgaan. Als Michelle op een zaterdagavond koorts had en Nora met haar vriendje bij haar schoonouders was, zat ik ook thuis voor de buis. Dat was blijkbaar nergens voor nodig geweest.

Aan de bar bestelde ik – alleen voor mezelf – een cocktail met een hippe naam. Ik nipte eraan terwijl ik in de club rondkeek. De eerste verdieping bestond uit drie bars en in het midden een gigantische dansvloer, en op de tweede verdieping stond het plat-form met de dj. Daar dansten ook de ingehuurde danseressen.

Even onverwacht als in de hardloopwinkel dook nu hetzelfde gezicht naast me op. Het was al een beetje bezweet van het dan-sen en dronk een biertje. Heineken, volgens het glas, en dat vond ik toch ietwat knullig nu ik eindelijk niet meer in Nederland was.

'Je bent gekomen!' riep hij na een paar slokken.

'Ja. Het leek me wel tof.'

'Super! Kom mee, dan gaan we de dansvloer op. Wat vind je van de muziek?'

Ik knikte. Hij hoefde kennelijk geen uitgebreider antwoord op zijn vraag, want hij sleurde me al aan mijn arm mee de dansvloer op. Ik was bepaald geen danser en ik had pas één drankje op, dus ook dat maakte me niet veel losser. De verkoper begon wild met zijn armen te zwaaien en met zijn heupen te draaien. Het zag er niet eens lachwekkend uit. Hij had – misschien dankzij het hard-lopen? – een lenig lijf dat heel soepel danste.

'Dans eens mee!' schreeuwde hij in mijn oor. Zijn bierwalm

kwam mijn neus binnen. Ik snoof hem diep in me op. Dit had ik gemist. Zweet, bier, harde muziek.

'Hoe heet je eigenlijk?' schreeuwde ik terug. Een van zijn krulletjes kietelde mijn voorhoofd toen ik vlak bij zijn oor kwam.

'Sebastiaan! En jij?'

'Stella.'

'Nou dan, Stella, dans met me!'

Ik deed het. Ik deed het vol overgave. Ondertussen pakte ik nog een biertje aan, een wijntje, wat er al niet naar me toe werd gebracht, door Sebastiaan en door zijn vrienden. Ik voelde me opgenomen worden in de Antwerpse clubscene en ik vond het geweldig. Naarmate de drank rijkelijker vloeide, werd ik losser en losser. Sebastiaan danste vlak tegen me aan en ik deed met hem mee. Ik kende mezelf niet terug. De Stella in Amsterdam danste alleen in een vriendinnencirkeltje, een beetje met de voetjes heen en weer en dat was het wel. Wat hier gebeurde, had daar niets mee te maken. Het was Dirty Dancing *all over again*. Ja, ik voelde wel dat Sebastiaan een erectie had die langs mijn billen en langs mijn bovenbeen schuurde, maar nee, dat kon me niets schelen. Als het al iets bij me losmaakte, dan was het spanning. Ik had hoogstpersoonlijk een razend knappe man het hoofd zo op hol gebracht, alleen door met hem te dansen, dat hij een stijve had. Dat was toch alleen maar te gek?

Opeens floepten de lichten aan. Was het feest nu al afgelopen? Kom op, we waren net lekker begonnen! Ik kon niet geloven dat het al vier uur was. Vier uur, toch? Dat stond er op de flyer. En ik was nog wel zo van plan geweest om rond één uur een taxi terug te nemen.

Nou ja, dat kon nu ook nog wel. Eén uur, vier uur, wat kon het schelen. Morgen was het zondag en op zondag mocht je ook in de commune lang in je nest blijven stinken. Geen probleem.

Sebastiaan hield zijn armen om mijn middel geslagen terwijl we naar de garderobe dromden. Ik haalde mijn vest op en hij een leren jas, die hij nonchalant over zijn schouder gooide. Buiten haalde hij zijn mobiele telefoon tevoorschijn. 'Waar moet je naartoe?'

'Wat ga je doen?' vroeg ik.

'Een taxi voor je bellen. Je moet wel veilig thuiskomen.'

Wat galant! Ik smolt weg in mijn gedachten. Wachtend op de taxi praatten we nog wat, maar ik herinner me niet waar het over ging, hoe vaak ik ook heb geprobeerd dat gesprek terug te halen.

De taxi stopte voor de club en ik stapte in. 'Dank je wel,' zei ik. 'Het was super.'

'Vond ik ook. Zie ik je snel terug?'

Volgens mij knikte ik, maar ik weet het niet meer zeker. Ik trok het portier dicht en instrueerde de chauffeur om naar het dorpje te rijden waar de abdij bij lag. Eigenlijk had ik meer zin om met Sebastiaan mee te gaan naar zijn huis en de fantasieën die in mijn hoofd over elkaar heen buitelden werkelijkheid te laten worden, maar we moesten het rustig aan doen, dat begreep ik best. Het dansen was al veel te ver gegaan.

Terug bij de abdij kwam de zon alweer op. Ik liep de brandtrap op en sloop zachtjes onze kamer binnen. Michelle kreunde en… werd wakker. Shit. 'Waar kom jij vandaan?' vroeg ze.

'Feestje in Antwerpen.'

'Dat van die flyer? Van die verkoper?' Ze kwam overeind, wreef de slaap uit haar ogen en keek me ongelovig aan.

'Ja, dat. Het was erg de moeite waard, hoor.' Wat een understatement!

'Ben je hem nog tegengekomen?'

'Ik heb de hele avond met hem gedanst.' Ik pauzeerde, glimlachte. 'Best wel intiem.'

'Echt?'

'Ja, echt.'

'Dat is helemaal niks voor jou.'

'Ik vind hem leuk.'

'Zo zeg. Hebben we zomaar allebei een Vlaamse vlam opgeduikeld!' Ze lachte, heel hard, zo hard dat ik bang was dat andere communeleden er wakker van zouden worden. Ik lachte eerst voorzichtig en toen ook steeds harder met haar mee, met de nog niet uitgewerkte alcohol als katalysator.

8

De zon scheen uitbundig door het glas-in-loodraam en liet daarmee onverbloemd zien hoe stoffig de bieb alweer was. Sinds ik de zorg voor de boeken op me had genomen, bekommerde de schoonmaakploeg zich ook niet meer om ze. Ik pakte de stofdoek op en beklom de ladder om bij de bovenste plank te beginnen – alweer. Bij de functie van bibliothecaresse had ik me iets anders voorgesteld, maar soit. Het hoorde erbij.

Toen ik met de een na bovenste plank bezig was, ging de zware deur krakend open. 'Momentje,' riep ik naar de bezoeker. Ik durfde niet naar beneden te kijken wie het was, ook al was het maar vierenhalve meter, want dan zou ik zien hoe gammel het trappetje was waarop ik al afstoffend balanceerde. Ik maakte de plank af en klom naar beneden.

Edgar stond al met zijn neus in een boek. Het was de eerste keer na de heropening dat hij hier was. Ik had hem al afgedaan als een niet-lezer. Viel dus mee. Na een minuut op zijn rug gestaard te hebben, draaide hij zich om. Voelde hij mijn ogen branden?

'Wat is het hier prachtig geworden.'

'Dank je. Het was behoorlijk veel werk.'

'Meen je dat? Ik dacht dat Nestor zijn zaakjes op orde had.'

'Had hij ook, op zijn manier. Ouderwets op orde. Alle boeken stonden geregistreerd in een kaartenbak. Ik heb de administratie overgezet op mijn laptop,' zei ik met een knikje naar mijn meest waardevolle bezit, dat de bibliotheek nu ook een beetje toebehoorde. 'Het was een tijdrovende klus, maar nu bespaart het me veel tijd.'

'Netjes!' Edgar keek oprecht waarderend. 'Deze commune kan wel wat digitalisering gebruiken. Dat lijkt alleen tot de meeste leden niet goed door te dringen.'

'Echt hè! Ze snappen hier ook niet het nut van een internetverbinding.'

'Ja, daar heb ik ook al eens om gevraagd. En we hebben Michelle er op haar eerste dag zoetjes naar laten informeren. Maar je weet denk ik wel wat het antwoord was.' Hij kuchte en zette een stemmetje op – dat van Bill. 'Komt niks van in, regel je bankzaken maar per post zoals normale mensen dat doen.'

'Normale mensen doen tegenwoordig alles via internet.'

'Alles behalve hun… behoefte.'

Ik grinnikte. 'Dat zou ik ook niet ideaal vinden. Maar ja, weet je wat het is: ik snap best dat ze willen voorkomen dat iedereen hier constant aan het e-mailen is en zo.' Misschien was het ouderwets, maar ik geloofde dat de sfeer in de commune veel beter was dan die zou zijn met overal computers en televisies. Hier kwamen mensen 's avonds nog bij elkaar voor een spelletje. Dat gebeurde in de rest van de samenleving alleen als de stroom uitviel.

'Uiteraard. Maar voor een accountant is internetbankieren handig, en er zijn meer toepassingen te bedenken die het de commune een stuk makkelijker zouden maken. Dat krijg je ze alleen niet aan het verstand. Zij komen niet uit de moderne wereld, zoals wij.'

'O?'

'Wist je dat niet? Het grootste deel zit hier al minstens tien jaar, sommigen langer. De oude garde heeft de touwtjes in handen. Er valt als modern ingestelde nieuweling weinig tegen in te brengen.'

Vertwijfeld liet Edgar zijn ogen langs een paar boeken glijden. Hij was de eerste bewoner die ik ontmoette die een kritische opmerking maakte over de heersende hiërarchie in de commune, en de stroefheid waarmee de leefgemeenschap geleid werd. Het was voor mij geen heikel punt, nog niet, maar het begon op te vallen. Te laat komen voor het eten werd als een doodzonde beschouwd en had je een bepaalde taak, dan diende je die te allen tijde uit te voeren. Ik had niet lang geleden een rustige dag in de bibliotheek gehad en aan Bill gevraagd of ik niet een halfuurtje eerder mocht afsluiten. Nee, dat mocht dus niet. Wie weet kwam er om vijf voor twee iemand voor een dichte deur te staan. De gedachte alleen al deed hem huiveren.

De strenge regels hadden naar mijn idee geen enkel nut, anders dan het in stand houden van een wereld die niet bestond. Van maatschappelijke betrokkenheid was geen sprake, evenmin als van idealisme. Of je moest een soort gemeenschappelijk kluizenaarsbestaan ideaal vinden. Deze mensen hadden geen reden om de barricaden op te gaan voor de verbetering van de wereld, want ze hadden hun eigen wereld opgebouwd.

Ik was geen type om te smoezen, nooit geweest, maar dit onderwerp interesseerde me buitengewoon. En Edgar had er blijkbaar een uitgesproken mening over. Aangezien hij hier langer zat dan ik, zou hij me er vermoedelijk meer over kunnen vertellen. Ik probeerde hem een ga-door-vertel-meer-blik te geven.

'Genoeg daarover,' zei hij echter. 'Het is geen halszaak. Wij zijn gewend aan de omslachtigheid van het werk en Michelle is dat inmiddels ook, en met haar erbij hebben we genoeg mankracht om alles via de posterijen en telefooncentrales te regelen. Waar het nu om gaat en wat er werkelijk toe doet, is dat ik van haar een boek bij jou moet lenen. Ze zegt dat je persoonlijk leesadvies geeft.'

'Klopt!' zei ik, blij dat er eindelijk iemand was die een beroep deed op mijn expertise, hoe gering die ook was. 'Ben je een lezer?'

'Nauwelijks. Ik lees hier en daar iets. Geen dikke pillen of hoogdravende literatuur, dat hoeft voor mij niet. Een lekker leesbaar boek gaat er zo nu en dan wel in. Je hebt hier in de commune verder weinig keuze qua vermaak, niet?'

'Des te beter. Want ik heb hier een paar pareltjes voor je klaarstaan die je voor geen televisieshow wilt missen. Eens zien…' Ik klapte mijn laptop open en haalde het register erbij. 'Wat dacht je van *Effectief managementgedrag*? Of deze: *Landen en volkeren van Oost-Azië*? Het zijn maar een paar tips, hoor, ik heb nog veel meer. Ah! Dit is er echt een voor jou: *Een neger in het dorp*.'

Edgar schudde zijn hoofd vol ongeloof. 'Hebben we dat?'

'Ik weet het niet,' zei ik met een zo serieus mogelijke uitdrukking in mijn stem en op mijn gezicht. 'Het zou zomaar kunnen, maar volgens mij zijn de meeste inwoners blank. Het is niet zo'n multicultureel dorp. Vooralsnog ben ik geen neger tegengekomen.'

Hij schoot net op tijd in de lach, zodat ik met hem mee kon doen, niet andersom. Ik vond het zo sneu om als eerste om mijn eigen grappen te lachen.

Edgar vond me tenminste grappig. Wanneer hij lachte, écht lachte, niet zo plastic als hij tegen Claire had gedaan, en zijn grove kaaklijn ontspande, had hij een geruststellend prettige uitstraling. Ik zag opnieuw wat ik op mijn eerste dag in het smoelenboek dacht te zien: een aardig en intelligent type. Hij had niet het perfecte lijf of de mooiste handen of het beste kapsel – objectief gezien niet. Maar wie is ooit objectief geweest? Zoiets bestaat niet eens. Vandaar dat Michelle hem afdeed als een vreemde vogel terwijl hij mij best aardig leek, en helemaal niet zo gek in zijn hoofd als zij deed voorkomen.

Als hij zijn mond opendeed om te praten, werd het nog beter. Zijn Vlaams was perfect. Daar waren gradaties in, had ik al ontdekt. De ene Vlaming klonk zoals ieder mens wel zou willen klinken, terwijl de ander zulk onverstaanbaar, boers Vlaams uitbracht dat hij nog beter Frans tegen me kon spreken, want ik moest bij deze soort een flinke trukendoos opentrekken om te doen alsof ik het gesprek kon volgen.

'Ik twijfel of die boeken wel wat voor me zijn,' zei hij na een overpeinzing. 'Niet dat ik jouw advies helemaal teniet wil doen, maar ik geloof dat je me iets beter moet leren kennen. In de tussentijd lees ik dit wel.' Hij legde een van de door mij aangeschafte romans op mijn bureau, *De helaasheid der dingen*, een boek van een Vlaamse schrijver, de alom geprezen Dimitri Verhulst, dat ik zelf ook nog wilde lezen. Ik zocht zijn gegevens op in de database van communebewoners. Meteen floepten allemaal leuke feitjes op mijn scherm. Zo kwam ik erachter dat hij geboren was in Leuven en dat hij een Steenbok was. Maar verder wist ik niets over sterrenbeelden, dus ik wist ook niet wat dat verder allemaal inhield. Ik wist alleen iets marginaals over mijn eigen sterrenbeeld: Leeuw. En wat ik ervan wist sloot niet echt aan bij mijn zelfkennis.

Ik zette de uitlening in mijn systeem en gaf hem een bonnetje met de retourdatum, waarbij ik beloofde dat ik hem erover zou doorzagen wanneer hij het terugbracht. Wie weet zou ik wat gezelschap in de commune krijgen. Nu Michelle met Yvo was, zat ik vaak maar wat alleen op mijn kamer of met Pandora in de bieb. Een extra vriend kon ik wel gebruiken.

Direct na de sluitingstijd van de bibliotheek ging ik een stuk lopen. Ik hield bij hoeveel ik liep; dit was mijn tiende training, en het ging me steeds makkelijker af. Ik kende de natuur rondom de abdij haast op mijn duimpje. Navigeren in een bos was nooit mijn sterkste punt geweest, maar nu hield ik zowaar bospaden uit elkaar en herkende ik sommige bomen aan hun karakteristieke knoesten. Er was geen betere manier om de omgeving te leren kennen dan erdoorheen te lopen.

Het verbaasde mij zelf nog het meest dat ik er zo fanatiek mee bezig was. Michelle was razend enthousiast en Yvo vond het logisch. Maar zij waren al sporters. Ik was altijd de slome, onsportieve, dikke Stella geweest – hoewel, dat laatste was ik pas sinds enkele jaren. En als het aan mij lag, zou ik het binnenkort niet meer zijn. Net zo min als sloom en onsportief.

Mijn schoenen waren reeds ingelopen en mijn buik was leeg. Ik leerde bij iedere training nieuwe dingen over de sport, maar dat eerste leermoment zou ik nooit vergeten.

Ik zoog de frisse boslucht diep in mijn longen en rende lekker door. Mijn uithoudingsvermogen groeide en daarmee werd ook mijn techniek beter. Hoe vaker ik het deed, hoe soepeler ik ging lopen. Vooral in het begin was de vooruitgang goed merkbaar.

Die sportieve groei was de belangrijkste reden waarom ik het hardlopen volhield. De sport was repetitief en bijna meditatief (wat voor sommige lopers ook een heel prettige bijkomstigheid was), maar de loper zelf veranderde, naarmate hij vaker liep, van een logge ezel in een wedstrijdpaard dat over de bospaden sjeesde. Zoals Yvo.

Met hem en Michelle liep ik niet meer. Ze hadden me na de eerste paar keren ook niet meer gevraagd. Onze niveaus lagen te ver uit elkaar om een lekker stukje samen te rennen. Dat was voor ons alle drie geen succes – ik voelde me schuldig omdat ik een blok aan hun been was, zij voelden zich bezwaard omdat ze mij hadden meegevraagd en dus niet te ver voor me uit wilden lopen. Bovendien vond ik hardlopen een solitaire sport. Praten lukte me door het vele hijgen toch niet.

Ik sloeg de hoek om naar een mij onbekend bospad. Nieuwe wegen verkennen was mijn nieuwe tweede natuur. Vrijwel meteen struikelde ik over iets. Was dat nou een dood beest? Ik hield niet zo van kadavers. Toch kon ik het niet nalaten achterom te kijken of ik gelijk had.

Het bewoog.

Beest: ja; dood: nee.

Snel liep ik terug naar het dier, dat een jonge uil bleek te zijn – gezien de vindplaats waarschijnlijk een bosuil. Zijn vleugeltje hing slap langs zijn lijfje, maar hij bloedde niet. Ik pakte hem voorzichtig tussen mijn duimen en wijsvingers onder beide vleugels. De linkervleugel klapperde als een bezetene. Daar was niks mis mee. Maar met één vleugel kun je niet vliegen. De uil had het zelf ook door en gaf het geklapwiek na een paar felle slagen op.

Ik hield de jonge vogel stevig vast op een plek waar het hem geen pijn leek te doen. Hij reageerde er alsnog afwijzend op, probeerde in mijn vingers te pikken. Ik vergaf hem zijn reactie. Hij realiseerde zich niet dat ik het beste met hem voor had. 'Als je daar was blijven liggen, was je sowieso overleden,' vertelde ik hem. Helaas reageerde hij nu hij hiervan op de hoogte was niet vriendelijker dan vóór mijn uitleg.

Omdat er in mijn hardlooprokje alleen een piepklein vakje zat voor een sleutelbos, had ik geen telefoon bij me. (Binnen de commune stond men sowieso afwijzend tegenover mobiele telefonie. Net als van internet zagen ze er het voordeel niet van in en er waren leden die zeer overtuigend konden vertellen over de schadelijkheid van de straling. Ik mocht mijn mobieltje wel houden, maar meer dan dat mocht ik er niet mee.)

Gelukkig was ik over de helft van mijn ronde en had ik de heuvel voor het grootste gedeelte bedwongen. Met het uilenjong in mijn handen jogde ik de laatste loodjes. Snel, zodat ik zijn reddingskans vergrootte, en voorzichtig, zodat hij niet in paniek zou raken.

Voor het hek van de abdij was Pandora de straat aan het bekladden met stoepkrijt. Ze maakte een hinkelpad. Zo gauw ze mij zag, sprong ze op. 'Stella!' riep ze opgetogen. 'Wil je een potje tegen me hinkelen?'

'Ik kan nu niet,' zei ik terwijl ik de gewonde uil achter mijn rug probeerde te verbergen, wat mislukte.

'Wat is dat?'

'Een uilskuiken.'

Ze giechelde. 'Vast niet zo'n uilskuiken als papa!'

'Nee, dat denk ik niet,' zei ik, verbaasd dat een tienjarig meisje het verband kon leggen tussen een uilenjong en een scheldwoord. Ik vroeg me af of ik dat op die leeftijd ook had gekund, maar had geen flauw idee. 'Is je papa zo'n uilskuiken dan?'

Pandora haalde haar schouders op. 'Mama noemt hem altijd zo. Is dit echt het kuiken van een uil? Hij ziet er al zo groot uit.'

'Klopt, hij is ook al uit het nest gevlogen. Maar het is nog een jong. Kijk maar naar de donsjes tussen zijn veren. Hij was denk ik nog net niet sterk genoeg en daarom is hij gevallen. Bij die val is zijn vleugel gebroken.'

'Kan hij nu vliegen?'

'Nee. Eerst moet zijn vleugel helen en moet hij aansterken. Hopelijk kan hij dan weer het bos in.'

Ze keek geïnteresseerd naar de hangende vleugel, pakte hem zachtjes beet en voelde aan de punten waar de veren in de huid staken. Zonder dat de uil zich verroerde, kon ze de vleugelpennen uit elkaar trekken en de vleugel inspecteren.

'Wat doe je dat goed,' complimenteerde ik haar. 'Zie je een breuk?'

'Nee. Ik weet het niet. Zullen we hem naar mama brengen?'

Ze stopte haar krijt terug in het emmertje, dat ze liet staan, en nam het uilskuiken van mij over. Mijn onbeholpen grip op het beestje straalde er blijkbaar vanaf. Zo liepen we naar het kantoortje van waaruit Claire de gastenverblijven coördineerde. Ik draaide de deur open en liet Pandora met de vogel als eerste naar binnen gaan. Claire was er niet.

Voorzichtig legde Pandora de uil terug in mijn handen, waarna ze wegrende om haar moeder te zoeken. Met haar prioriteitenstelling was het dik in orde.

Even later kwamen moeder en dochter samen de hal in. Claire keek bezorgd naar het vogeltje, maar had net als Pandora en ik geen benul hoe we het konden helpen. 'Misschien weet Hans raad,' opperde ze. Hans was de kippenhouder van de commune en kippen waren de enige vogels die rondscharrelden op het land bij de abdij. Scharrelen, want ze konden nog geen meter vliegen. Toch was Hans de beste kans die we hadden om het uilskuiken te redden.

Op weg naar de kippenschuur speelde de commune uil-kleef-aan: de stoet die ons volgde werd almaar groter, tot een groep van zestien nieuwsgierige en bezorgde bewoners bij Hans aankwam. Pandora, die vooropliep, overhandigde het gewonde kuiken aan de kippenboer. Die legde het beestje in een bed van stro neer en constateerde, zoals wij allemaal eigenlijk al wisten, dat het een gebroken vleugel had. 'Ik heb wat rekverband nodig,' zei hij. Het leek mij nogal vreemd om een vogel een rekverband te geven, maar een van de belangstellenden spoedde zich meteen terug naar de abdij. Hans sprak de rest van ons sussend toe: 'Als we zijn vleugeltje vastzetten, heelt de breuk vanzelf. Ik hoop dat het een nette breuk is.'

Pandora leek niet naar zijn verhaal te luisteren. Ze aaide de uil over zijn vleugel en over zijn kop en fluisterde iets in zijn oor, dat ze moeiteloos wist te vinden tussen alle veren. Ze is wél een sociaal meisje, dacht ik, zie je wel! Alle leesuren in de bibliotheek waren niet omdat ze geen behoefte had aan gezelschap. Misschien waren ze juist omdat ze mijn stille, luisterende gezelschap fijn vond.

Zodra het verband er was, riep Claire haar dochter bij zich. Ik vroeg me af of zij doorhad hoeveel Pandora te lijden had onder het leven in de commune. Ik vroeg me ook af waaronder ze dan eigenlijk leed. Maar dat ze niet op haar plek was, was helder. Jammer genoeg was het opnieuw de tijd noch de plaats om Claire hiernaar te vragen.

Ik liet het onderwerp rusten en keek toe hoe Hans het vleugeltje van het uilskuiken verbond.

Drie dagen later moesten we het dier begraven. Het had gevochten en verloren. Voedingstekort, dacht Hans; het kleintje wilde niets van hem aannemen. En dat terwijl zijn vleugel wel beter werd.

Pandora was ontroostbaar. Zij mocht de vogel als laatste eerbetoon naar zijn graf dragen, en dat maakte het een beetje goed.

*

Hoe vrij en open en geweldig de natuur rond de abdij ook was, ik was elke week blij als ik weer naar de stad mocht om mijn column te schrijven. Al is mogen misschien het verkeerde woord. Ik vroeg niemand ernaar en vertelde niemand erover, ik ging gewoon naar Antwerpen. Alle steden die dichterbij lagen, deden me niks. Alleen in Antwerpen stroomden de woorden eruit. Daarbij kende ik de bus- en treintijden uit mijn hoofd, wat heel handig was. Ik pinde elke week een klein bedrag voor de kaartjes en voor de koffie in mijn café.

In dat bewuste grand café kende de bediening mij inmiddels bij gezicht, bij naam en bij vaste bestelling: eerst een dubbele espresso om op gang te komen, daarna een grote cappuccino en een muffin om tijdens het schrijven af en toe mierzoete slokjes en hapjes van te nemen en, als mijn column klaar was, een ijskoffie voor het nagenieten. Extreem ongezond, maar niets was lekkerder dan dit koffieritueel. Aangevuld met drie keer in de week hardlopen en in de commune een strikt eetschema, kon ik het hebben.

Zo langzamerhand was ik ook benieuwd of deze gezonde leefstijl al een positieve invloed had op mijn gewicht. Ik durfde het aan niemand toe te geven, maar in mijn tijd bij *Mariquita* was ik minstens tien kilo aangekomen. Tot ik op een bepaald moment – toen ik de grens van tachtig kilo passeerde – de weegschaal bij het vuilnis zette. Daarmee gaf ik mezelf toestemming om het nog verder uit de hand te laten lopen. Sindsdien wist ik niet meer hoeveel ik woog, hoewel het in mijn hoofd nog steeds rond de tachtig kilo schommelde. Als mensen me ernaar vroegen, beweerde ik trots dat het ging om de centimeters, niet om de kilo's. Die wijsheid had ik uit een tijdschrift en het klopte ook. Maar de centimeters logen er bij mij evenmin om, en dus was ik even later ook gestopt met meten. Wat een kansloos figuur was ik ook. En wat een kansloos figuur had ik daardoor gekregen. Ik besloot dat ik een weegschaal zou kopen.

Maar eerst moest er een column komen.

Op mijn vaste plek in het café opende ik de laptop die de afgelopen maand mijn steun en toeverlaat was geworden. Mijn hele leven stond erin; van mijn werk in de bibliotheek tot de columns voor *Mariquita* en de in Word gekopieerde en opgeslagen e-mails die ik in bed las om mezelf ervan te overtuigen dat er ook een leven bestond buiten de commune. Het afgesloten wereldje was een dusdanig rare plek om te leven, dat ik me soms serieus afvroeg of alles buiten de muren wel echt was. Tijdens het hardlopen zag ik zo nu en dan een vreemdeling, in het dorp of in het bos, maar dat contact stelde niks voor. Een beleefd hoofdknikje en het was alweer voorbij. Ze konden net zo goed robots zijn, op de weg geplaatst om mij een gevoel van verbondenheid te geven.

De vrijheid van de commune was tegelijkertijd de beklemming ervan. Want hoewel het leven daar een vrije keuze was voor een leven zonder verplichtingen aan een maatschappij – behalve in mijn geval een wekelijkse column – kwamen de muren van de abdij soms op me af. Altijd dezelfde mensen, altijd dezelfde dingen, altijd alles hetzelfde.

De bruisende stad weerspiegelt wie ik ben, filosofeerde ik met uitzicht op de Grote Markt. Ik bevond me hier te midden van duizenden gelijkgestemde mensen. Allemaal op zoek naar spanning én veiligheid, naar relaties én zelfstandigheid, naar vastigheid én vrijheid. De stad was een vat vol tegenstellingen, net als ik. Mensen zoals ik maakten de stad. Andere mensen maakten het vredige dorp, het platteland, de commune. Edgar had gelijk: ik had daar niets in te brengen. En gelukkig maar, want ik zou er met mijn twijfelkontengedrag een zootje van maken.

Erover schrijven daarentegen kon ik, misschien juist door mijn kritische houding, wel. Dat hoefde ik niet eens over mezelf te zeggen; Hilde stuurde me tot nog toe elke week een mailtje terug met lovende woorden over mijn column. Ook deze week stond er weer een lief berichtje in mijn mailbox. 'Stella, je bent een topper. Iedereen op de redactie smult van je verhalen. Geweldig als een columniste zo eerlijk durft te schrijven.' Zo ging ze nog even door en ze voegde er zonnige groetjes aan toe, wat betekende dat ze uitermate vrolijk was. En dat terwijl ik helemaal niet eerlijk was. Integendeel: ik zei niets over hoe het echt was in de commune, over hoe opgesloten ik me daar voelde, al die dingen kwamen niet aan bod. Het enige kleine beetje interessantheid dat in een week voorkwam verwerkte ik in een column en zo leek het alsof ik een geweldig leventje leidde. Maar goed, het scoorde en daar ging het om.

Deze week was extra spannend. Mijn eerste column was gedrukt en verspreid. Mijn belevenissen lagen in elke boekhandel, elke kiosk, op talloze deurmatten, open en bloot voor iedereen beschikbaar. Het was net als de eerste keer dat een artikel van mij in het tijdschrift stond, maar heftiger. Want deze keer ging het ook óver mij.

De site van *Mariquita* had een actief forum, waar door onze webredacteur een topic was geopend over mijn columnserie. Lezeressen reageerden daar variërend van verbaasd tot geschokt dat zoiets kon bestaan, maar ook nieuwsgierig naar mijn leven in de commune en heel positief over het leuke stukje. Ik haalde opgelucht adem. Ze vonden het leuk. Ze vonden mij leuk! Ik hoorde officieel bij het columnistenteam van *Mariquita* en de lezers waren tevreden.

Van deze op zich kleine overwinning kreeg ik zo veel energie, dat ik er in een kwartier een column uit ramde. De stipt op tijd aangeleverde cappuccino en muffin liet ik onaangeroerd staan. Vandaag had ik geen tijd voor gewichtige overdenkingen, slokjes nemend en uit het raam starend, vandaag was ik zo high van geluk dat ik niets anders nodig had.

Pas na afloop pakte ik de iets afgekoelde koffie erbij en dronk die in een paar slokken op. Toen ik de beker weer op het tafeltje liet ploffen en opkeek, doemde een bekende voor me op. En het was niet een van de bedieningsmedewerkers van het grand café.

'Volgens mij heb ik jou eerder gezien,' zei Sebastiaan. 'Mag ik aanschuiven?' Hij maakte al aanstalten, dus maakte ik een gebaar van 'toe maar' en klapte mijn laptop, waarvan het scherm tussen ons in stond, dicht.

'Wil je ook iets te drinken?' vroeg ik.

'Een kop thee gaat er altijd in.'

Ik knikte en wenkte mijn ober. Op de een of andere manier vond ik het raar als een man, vooral een man van zijn soort, thee bestelde. Dat een man het thuis dronk vond ik tot daaraan toe, maar in het openbaar hoorde hij iets sterkers te nemen. Deze visie was een erfenis van mijn vader, die nooit thee dronk en er geregeld naar refereerde als uilenzeik of homowater. Met een hangend handje erbij om zijn bewering kracht bij te zetten. Het had lang geduurd voor ik zelf thee ging drinken – ik geloof dat ik toen al een jaar uit huis was. Bang dat ik zelf ook voor homo zou worden uitgemaakt, wellicht.

Omdat het zo gezond tjokvol zat met antioxidanten, koos de verkoper-hardloper een zakje groene thee. Samen met het hete water werd mijn ijskoffie op tafel gezet, die zo ongezond tjokvol suiker zat. Hij wierp een misprijzende blik op mijn bestelling, maar besloot er blijkbaar niets van te zeggen.

'Aangenaam opnieuw kennis te maken, Sebastiaan,' zei ik.

'Awel, je bent geen Vlaamse! Nú herinner ik het me glashelder. De loopster uit Nederland.'

'Klopt. Ik kom uit Amsterdam.' Waarom moest ik hem dit vertellen terwijl er constant beelden op mijn netvlies verschenen van hoe ik tegen hem aan danste, hoe hij drankjes voor me bleef aanvoeren, hoe we samen compleet uit ons dak gingen zonder dat we elkaar echt kenden? Nu we allebei nuchter waren, was er ineens een rare spanning die op de avond van het feest niet bestaan had. Sindsdien – alweer drie weken geleden – had ik ook niet veel meer aan hem gedacht. Een uitspatting was het geweest, meer niet. En nu zat hij tegenover me.

'Waarom kocht je dan hier je hardloopuitrusting?'

'Ik woon hier nu,' legde ik uit. 'Sinds ongeveer anderhalve maand.'

'In Antwerpen? Nee toch? Want je moest toen een heel eind met de taxi, dat herinner ik me nog wel.'

'Klopt. Ik woon in een oude abdij, nu een commune.' Sebastiaan trok een wenkbrauw op. 'Het is omdat ik journalist ben. Ik schrijf er columns over. Vandaar ook dat ik hier zo vaak ben.'

'Aha, vandaar. Wat apart! Ik heb nog nooit iemand uit een commune ontmoet. Daar krijg ik meteen een Jambersachtige voorstelling van in mijn hoofd, moet je weten. Ken je Jambers?' Hij ging verzitten, schraapte zijn keel en imiteerde de meest geïmiteerde man van de Benelux na André Hazes: 'Stella was haar leven als journaliste beu. Ze pakte haar spullen en vertrok naar een commune in een voormalige Belgische abdij. Daar vult ze reeds haar dagen met rust, reinheid en regelmaat.' Zijn imitatie van Jambers was bijna net zo goed als het origineel. Er waren Nederlanders die het probeerden, maar ze waren niet eens bij benadering zo goed als de Vlaming.

'Dat valt helaas tegen. Als ik zo rustig en regelmatig was, zat ik hier niet.'

Hij lachte. 'Ik ben blij dat te horen. Mensen die zo in balans zijn, maken me een beetje bang, zeker als ze zo jong zijn als jij. Dan hoor je niet evenwichtig in het leven te staan. Je komt in de hardloopwereld weleens van die zweverige types tegen. Ik krijg daar danig de kriebels van. Maar jij ziet er heerlijk besluiteloos uit. Heel goed.'

'Goh. Dank je.' Dat was nu net wat ik wilde horen. Ik voelde me al zo verward. Het enige wat er nog aan ontbrak, was iemand die me vertelde dat het ook aan me te zien was.

'Hoe gaat het met hardlopen?'

'Stukken beter. De schoenen zijn perfect. Ik kan nu twintig minuten non-stop lopen en heb geen pijntjes.'

'Zo zo! Ik ben onder de indruk. Jij gaat niet met stappen vooruit, maar met sprongen.' Hij blies in zijn kop thee en nipte van het hete, groene water.

'Op termijn wil ik lopend van de commune naar het treinstation,' vertelde ik. 'Ideaal. Dan ben ik ook niet meer afhankelijk van de bus die maar een keer per uur rijdt.'

'Hoe ver is dat?'

'Volgens afstandmeten.nl komt het uit op ongeveer vijftien kilometer. Is dat haalbaar?'

'Absoluut! Een mooi streven, zij het niet zo praktisch aangezien er in de trein geen douches zijn. Maar qua afstand, ja, prima, heel goed. Ik train nu voor de marathon van Brussel. De marathon is ruim tweeënveertig kilometer, zoals je waarschijnlijk wel weet. Die heb ik al een paar keer eerder gelopen. En ik denk maar zo: als ik het kan, kun jij het ook. We zijn allebei mensen.'

Ja, maar hij was een man, en met zijn figuur was de marathon veel makkelijker haalbaar dan met dat van mij. Hij had een fragiele bouw, met als toppunt zijn gespierde kuiten boven pezige enkels die ik met één hand zou kunnen omvatten. Toch knikte ik vrolijk met hem mee. Over een jaar zou ik de marathon lopen, jazeker.

Dat was van Amsterdam tot Utrecht zonder tussenpozen. Halleluja, wat ver.

'Als je het leuk vindt, kunnen we samen meedoen aan de marathon van Brussel,' stelde Sebastiaan voor. 'Die is over iets meer dan een maand. Er is ook een *ladies run* bij van vier kilometer. Dat lijkt me iets voor jou. Daar doen zeker en vast meer vrouwen aan mee die in een rokje lopen!'

'Vier kilometer... Hoe ver is dat ongeveer?'

'Voor een loper van jouw niveau vijfentwintig minuten lopen. Dat heb je dus al bijna gehaald tijdens je trainingen. Bij een wedstrijd wordt je tijd geregistreerd en krijg je de echte sfeer van het hardlopen mee. Daar doe ik het voor. Jij ook?'

'Goed dan,' zei ik, want ik kon geen reden bedenken om hem teleur te stellen. Ik was nu tenslotte hardloper en kreeg de kans om mezelf te bewijzen in een wedstrijd. Vier kilometer was een redelijke afstand. 'Waar kan ik me inschrijven?'

Sebastiaan schoof zijn stoel naast de mijne. Zijn aanwezigheid zo dicht naast me gaf me kippenvel. Ik hoopte maar dat hij het niet opmerkte, klapte de laptop open en surfte op zijn aanwijzingen naar de site van de marathon. Alle startbewijzen voor de langste afstand waren al vergeven, maar er was nog genoeg ruimte om mee te doen aan de *ladies run*. Ik vulde mijn gegevens in, met Sebastiaans adres voor het toesturen van de envelop met alle benodigdheden, zoals de tijdregistratiechip en mijn startnummer. Nadat ik alle gegevens nog eens had gecheckt, drukte ik op verzenden.

'Zo besluiteloos ben je niet,' complimenteerde hij.

'Ligt eraan waar het over gaat. Dit is een makkelijke keuze: hardlopen en Brussel.' En jij. 'Daar zeg ik sowieso ja tegen.'

'Wij hebben meer met elkaar gemeen dan ik dacht. Maar ik moet nu echt gaan, mijn pauze is eigenlijk allang voorbij. Kom nog eens langs in de winkel. Dan laat ik je wat langere tights zien. De herfst komt eraan en dan heb je die hard nodig.'

'Doe ik zeker. Weet je wat, ik loop gelijk met je mee. Heeft je baas ook geen reden om boos op je te worden. Een werknemer die in zijn pauze extra klanten ronselt, heeft hart voor de zaak.'

'Ik ben zelf mede-eigenaar,' lachte hij, 'dus inderdaad, ik heb een groot hart voor de zaak. Maar ik heb ook hart voor een beginnende hardloper die een winteroutfit nodig heeft. En omdat jij me een goed humeur geeft, krijg je die voor de inkoopprijs.'

'Zomaar?'

'O nee! Je moet wel blijven lachen. Laten zien dat hardlopen je blij maakt.'

Als ik onverwacht een fijne korting kreeg op hardloopkleding, ja, dan was dat absoluut iets om blij van te worden. Daarvan wilden mijn mondhoeken wel krullen. Ik legde een briefje van twintig euro op het cafétafeltje, pakte mijn laptop in en jogde (echt waar, hij wandelde zelfs in looppas) achter Sebastiaan aan naar zijn winkel.

De stad zat vol verrassingen. Daarom hield ik er zo van.

En er wachtte me nog een verrassing toen ik in de winkel aankwam. Sebastiaans compagnon had het druk achter de kassa en de tights moesten uit het magazijn komen, want ze waren net binnen. Sebastiaan gebaarde me mee naar achteren. Het magazijn was een piepklein hokje, ongeveer zo breed als het gemiddelde toilet en maar ietsje langer, waar aan drie kanten hoge kasten stonden vol met schoenendozen en dozen vol hardloopkleding. 'We zijn pas net begonnen, dus we kunnen niet zoveel voorraad inkopen,' legde hij uit. 'Kijk, dit zijn de tights. Trek er maar een aan.'

'Hier? Nu?'

'Natuurlijk. Ik draai me wel even om.'

Terwijl Sebastiaan netjes met zijn rug naar me toe gedraaid stond, hees ik mezelf in de superstrakke tight. Ik kreeg het ding maar net over mijn bovenbenen en hij knelde rond mijn middel. 'Ik denk dat ik een iets grotere nodig heb,' pufte ik.

Hij draaide zich om. 'Hmm. Ja, ik denk het ook.'

'Sorry.'

'Waarvoor?'

Eh... Dat ik zo dik ben? Dat sloeg nergens op. Ik hoefde me niet te verontschuldigen omdat hij nu zag hoe ik er echt uitzag, maar ik baalde er wel van. Dit was heel wat anders dan de aantrekkelijke Stella in haar sexy spijkerrokje op de dansvloer. 'Nergens voor. Ik wil graag een grotere proberen.'

Hij gaf me een tweede tight en die paste al een stuk beter. 'Mag je zo meenemen,' zei Sebastiaan. 'Als dank.'

'Waarvoor dan?'

'Hiervoor.' Voor ik goed en wel doorhad wat er gebeurde, duwde hij me tegen een rij schoenendozen en zoende me.

'Ja, eh... goed,' bracht ik perplex uit. 'Ik moet maar weer eens gaan. Tot gauw.'

'Daar houd ik je aan!'

Op weg terug naar de bushalte, enigszins bijgekomen van de totaal onverwachte en zeer gedenkwaardige zoen, bedacht ik pas dat het presentexemplaar van de *Mariquita* met mijn column erin ook aangekomen kon zijn. Bij de moeder van Claire. Het was maar goed dat ik haar adres naar Hilde had gestuurd en niet dat van de commune, want alle post daar werd inderdaad gecontroleerd, zoals ik al verwacht had. Bill maakte hier ook geen geheim van: hij haalde de brievenbus leeg en zorgde er hoogstpersoonlijk voor dat poststukken bij de ontvanger terechtkwamen. Ze openmaken deed hij nog net niet, maar het had me niets verbaasd als hij dat wel deed wanneer hij iets vermoedde. En met een paar weken op rij een grote envelop uit Amsterdam – waarop standaard het logo van het blad stond – werd dat vermoeden vermoedelijk alsmaar donkerder bruin.

Claires moeder stond in de etalage toen ik de straat overstak. Ze liet de stofstalen pardoes uit haar handen vallen en zwaaide uitbundig naar me. Alsof ze me verwachtte. Misschien was dat ook wel zo. Als er inderdaad een envelop voor mij bij haar lag, iets waarvoor ik haar niet had gewaarschuwd, was die conclusie snel getrokken.

'Hallo!' zei ze. 'Wat leuk om jou hier terug te zien. Je post' – haar ogen zochten naar bevestiging dat het inderdaad mijn post was – 'ligt achter. Ik kom er zo aan.'

Ze beantwoordde al mijn vragen voor ik ze kon stellen. Ik voelde aan de stoffen terwijl ik op haar wachtte. Meteen naar achteren rennen om mijn presentexemplaar te pakken, leek me niet zo netjes. Ik had heus wel een béétje geduld in mijn donder. Of nou ja… Op de redactie was ik altijd de eerste geweest die de doos van de drukker openmaakte en naar de pagina's bladerde waar mijn artikelen stonden. Vervolgens pakte ik dan een stapeltje en legde een exemplaar op ieders bureau, in alle toilethokjes en op de salontafel in de redactionele koffieruimte. Zo sociaal was ik dan ook wel weer.

'Zo,' zei Claires moeder, en ze veegde wat druppeltjes zweet van haar voorhoofd. 'Daar ben je dan. Stella Vonk. Ik wist meteen dat jij het was toen die envelop op de mat viel.'

'Hoe dan?'

'Amsterdam en jij waren de enige puntjes die ik kon verbinden. Geeft niks trouwens, hoor, dat je hier post ontvangt. Beter dan dat het eruit gefilterd wordt voor jij het ooit in handen krijgt. Dat deden ze in het begin met alle post die ik Claire stuurde. Ging linea recta naar de papierversnipperaar.' Ze vertelde het met een wrange glimlach en keek erbij naar de envelop, niet naar mij. 'Alsjeblieft. Ik heb hem dicht gelaten, maar ben wel heel nieuwsgierig. Mag ik het weten?'

'Natuurlijk,' zei ik. Op dit punt kon ik haar er niet meer buiten laten. 'Ik was in Nederland journalist voor het blad *Mariquita*. Mijn contract liep af en ik kon geen vaste aanstelling krijgen, dus moest ik vertrekken. Ze boden me aan om columnist te worden vanuit de commune. Dat aanbod heb ik aangenomen en nu staat mijn eerste column erin.' Ik draaide het verhaal over mijn vertrek met groot gemak af, bijna alsof het me niets meer deed dat ik eruit gebonjourd was. Terwijl ik er toch behoorlijk door van slag was geweest. Nu voelde ik geen steken meer in mijn maag bij de gedachte aan de redactie die ik noodgedwongen achter had gelaten. Mijn communecolumns maakten het zeer veel minder pijnlijk. Ik had er bijna een soort vrede mee.

'Dus je zit undercover?'

'Niet echt... Ik woon daar gewoon.'

'Maar ze weten niet dat je deze columns schrijft.'

'Nee.'

'Dus dan zit je undercover!' exclameerde ze. 'Als een journalist zich voordoet als iemand anders om een verhaal te schrijven, zit hij undercover. Jij infiltreert in de commune om je columns te schrijven.'

Shit, ze had gelijk. Ik was een spion.

'Kijk niet zo geschrokken. Ik kan mijn mond houden. Maar je moet oppassen dat Claire en haar bondgenoten er geen lucht van krijgen. Ze zijn nogal gesteld op hun privacy. Alles wat in de commune gebeurt, blijft in de commune, is hun credo.'

'Natuurlijk.' Ik scheurde de envelop open en haalde er drie exemplaren van *Mariquita* uit. De covergirl van de week lachte me in drievoud toe. Naast haar rechteroorlel stond het, felroze op blauw: 'Stella in de commune, nieuwe column!' Ik bladerde naar pagina zesenvijftig. Een pasfotootje van mij sierde de column, waarvan de tekst letter voor letter zo was geplaatst als ik hem toegestuurd had. Toch las ik de tekst van boven naar beneden en weer terug door. In een ander exemplaar las de moeder van Claire met me mee.

'Leuk!' vond ze. 'Heel persoonlijk, nietwaar? Je geeft heel wat van jezelf bloot.'

'Dat hoort bij de stijl van het blad,' verklaarde ik. 'Ik kan ook een column schrijven over hoe het er objectief gezien aan toe gaat in de commune, maar dat is niet leuk om te lezen, tenzij je zelf overweegt om er te gaan wonen. De meeste lezeressen hebben die behoefte denk ik niet. Mijn eigen beleving ervan maakt het voor hen interessant.'

'Vind ik ook. Je hebt het erg goed gedaan.'

'Dank je wel, eh...'

'Fien.'

'Ah, dus dat klopt wel! Claire noemde je ook Fien toen we het over jou hadden. Ik wist alleen niet of het ook je echte naam was.'

'Ze vroeg dus naar me?'

'Ja, met een slappe smoes. Ze vertelde dat de commune hier alle stofinkopen doet. Dat je een zakenpartner bent. Ik zei dat het op het oog goed met je gaat en dat ik verder niets aan je gevraagd heb. Als ze meer wil weten, moet ze maar contact met je zoeken, vind ik.'

Fien haalde haar schouders op. 'Dat doet ze toch niet. Ik roep al jaren dat zij en Pandora welkom zijn, maar ze komt niet. Ze stuurt alleen anderen eropaf om te kijken of de erfenis binnenkort vrijkomt.'

'Denk je dat ze dáár op uit is?'

'Ik zou niet weten wat anders. Ze wil niet met me praten, ze wil niet dat ik naar de abdij kom, ze wil geen verjaardagskaarten van me. Ik heb haar al acht jaar niet gezien. En mijn kleindochter...' Een traan ontsnapte uit haar ooghoek en liep in hoog tempo over haar wang. Ze veegde hem weg met een gordijnstaaltje. 'Pandora is al tien jaar, maar ik herinner me alleen hoe ze er als baby uitzag.'

Logisch. Als Claire en Pandora al zo lang in de commune woonden, kende Pandora niets van de buitenwereld, behalve het kerkje in het dorp, maar dat viel nauwelijks onder de noemer buitenwereld, en de enkele keer dat ze met haar moeder naar de stad ging, kwam ze waarschijnlijk ook niet ver. 'Houdt ze haar dochter opgesloten?'

'Ja. Je kent neem ik aan niets van hun geschiedenis?'

Ik schudde mijn hoofd. 'Claire heeft het nooit over zichzelf.

Ze is te druk met de gasten.'

'Typisch Claire. Afleiding zoeken om haar eigen sores te vergeten. Maar ze borrelen en pruttelen onder de oppervlakte. Neem dat maar van mij aan. Ze heeft meer dan genoeg om zich zorgen over te maken.'

'Ik geloof je direct.' De vragen die ik wilde stellen – Waarom ging Claire naar de commune? Waarover hebben jullie ruzie? Wat heeft Pandora ermee te maken? – slikte ik in. Het meisje dook op in mijn gedachten. *Maar niet zo'n uilskuiken als papa.* Was hij de reden?

Fien pulkte aan een korstje op haar arm. 'Ik…' begon ze, en ze keek weer weg.

'Wat is er?'

'Iets wat ik niet van jou kan vragen. Laat maar.'

'Je mag alles van me vragen,' zei ik. 'Alleen garandeer ik niet dat het antwoord je aanstaat.'

'Ik wil Pandora zo graag eens zien. Een foto is al genoeg. Jij ziet haar iedere dag, toch? Kun je eens een foto van haar maken? Zeg maar dat het voor jouw dagboek is of zo… Verzin er iets op. Ik wil weten hoe mijn kleindochter eruitziet. Hoe het met haar gaat.'

'Het gaat heel goed met haar,' drukte ik haar op het hart, al was ik daar helemaal niet zeker van. Ik had zo te doen met deze eenzame oma, afgesneden van haar dochter en haar kleindochter. Ja, ik was gevoelig voor dit soort emodingen. Keek ook naar Dr. Phil en jankfilms met waargebeurde verhalen. Het waren ook altijd mijn favoriete interviews geweest voor *Mariquita*. Alles waar een doos tissues aan te pas kwam, vond ik heerlijk. Eigenlijk was ik gewoon een jankerd die zelf niets meemaakte om over te janken en het daarom maar bij anderen opzocht. Wat dat betreft waren dit familiedrama en ik een *match made in heaven*.

'En wat die foto betreft: ik doe mijn best voor je.'

9

Dat ik me had ingeschreven voor een hardloopwedstrijd, beteekende dat ik ging strijden tegen andere hardloopsters. Natuurlijk ging het om mijn persoonlijke prestatie en natuurlijk was de competitie al veel langer bezig dan ik en natuurlijk hadden de andere ladyrunners daardoor een hoger niveau dan ik, maar ik wilde niet in de staart van de wedstrijd eindigen. Laatste worden kende ik onderhand wel; daar was niks aan. Ik wilde minstens in de middenmoot.

Ik liet me overhalen om met Yvo en Michelle mee te gaan. Michelle had het al een paar keer gevraagd, maar ik had de boot afgehouden, steeds met hetzelfde argument: ik wilde haar iedere minuut met hem voor zichzelf gunnen. Dat wilde ik nog steeds, maar ik wilde me ook met hem en met Michelle meten. Als me dat lukte, kon ik ook winnen van mijn tegenstanders in Brussel.

We liepen op mijn voorwaarden. Precies vier kilometer, zodat ik wist hoe ver dat was, en met mij voorop, ook als ze eigenlijk sneller konden. Achteraf pas mochten ze vertellen of ze het traag vonden of niet.

'Ik vind het zo stoer van je dat je meedoet aan een hardloopwedstrijd,' zei Michelle met haar been in haar nek. (Ik kon me niet voorstellen dat het voor een hardloper nodig was om zó ver te rekken, maar goed.) 'Je neemt de sport serieuzer dan ik had verwacht.'

'Ach,' mompelde ik met mijn arm in de lucht, 'dat valt best mee. Ik vind het gewoon leuk, zo'n wedstrijdje. Dan kom ik er officieel achter hoe snel ik ben. Of hoe langzaam.'

'Natuurlijk ben je niet langzaam!' zei Michelle.

'Hoe kom je er eigenlijk bij dat die wedstrijd er is?' vroeg Yvo, dwars door Michelles aanmoedigingen heen. Hij vroeg niet hoe ik erbij kwam om mee te doen, hij vroeg zich af hoe ik überhaupt wist dat de wedstrijd er was. Verdraaid doortastend.

Ik kon nu wel doen alsof ik alleen Michelle gehoord had en vrolijk op haar compliment reageren, maar ik had Yvo wel gehoord. Hij praatte keihard door haar heen. Het viel niet te negeren. 'Een foldertje,' verzon ik snel.

'O? En hoe kwam je dan aan dat foldertje?'

Jemig, vermoedde hij iets of zo? 'Toen ik die hardloopspullen kocht, zaten er een paar folders in het tasje. Een daarvan ging over de marathon in Brussel, en over de andere wedstrijden die op dezelfde dag georganiseerd worden, zoals de *ladies run*.' Dit was bijna waar. Ik had inderdaad een verzameling foldertjes gekregen bij mijn eerste aankopen in de hardloopwinkel. Dat daar niks bij zat over de marathon, deed er niet toe. Die informatie had ik immers van dezelfde bron: Sebastiaan.

Yvo ontdooide. 'Tof. Ik ben zelf niet zo van de wedstrijden, maar veel hardlopers houden ervan.'

'Waarom jij dan niet?' vroeg Michelle.

'Competitie is niet aan mij besteed. Ik loop voor mezelf. De gezelligheid waarvoor veel lopers aan wedstrijden meedoen, betekent ook dat het gigantisch druk is. Je komt de eerste vijfhonderd meter amper vooruit en in het finishgebied is het helemaal een ramp. Ik vind het veel lekkerder om hier in de buurt mijn kilometers te maken.'

'Elke hardloper is anders,' zei ik. 'Zullen we nu beginnen?'

'Zie je, echt fanatiek!' Michelle zette heuvelafwaarts de jogpas in en spoorde mij aan om mee te komen, wat ik zonder morren deed. 'Ik herken je bijna niet meer terug. Volgens mij ben je ook flink wat afgevallen.'

'Ik heb geen idee. Wilde laatst een weegschaal kopen, maar ben het glad vergeten.'

126

'Interesseert het je dan niet?'

'Dat wel. Maar ik weet ook niet hoeveel ik hiervoor woog. Dus als ik me nu weeg, weet ik nog niks.'

'Het gaat ook niet om je gewicht,' merkte Yvo op.

'Weet ik. Taillecentimeters zijn het nieuwe BMI. Vergeet niet dat ik tijdschriftjournalist was, die zijn goed op de hoogte van dit soort zaken. En BMI... Dat is zóóó achterhaald,' lachte ik.

'BMI, taillecentimeters, gewicht – al dat soort gegevens zegt mij niets,' zei Yvo. 'Waar het om gaat is dat je lekker in je vel zit, en dat mag dan best een beetje lubberen. Je hoeft niet strakgespannen te zijn van de spierbundels. Ik heb het idee dat jij sinds je hardloopt veel lekkerder in je vel zit.'

Ik glimlachte en knikte afwezig. Hij moest eens weten. Het hardlopen had me absoluut geholpen om lekkerder in mijn vel terecht te komen, maar dat wilde niet zeggen dat ik mijn omvang accepteerde zoals die nu was. Ik lubberde – zoals hij dat zo prettig omschreef – nog steeds behoorlijk, en daar wilde ik vanaf. Dus bleef ik kilometers vreten in plaats van zoetigheid en vettigheid. Ik kon me goed houden aan de redelijke porties bij de vaste communemaaltijden en van de tussendoortjes bleef ik af.

Maar écht lekker voelde ik me niet. Hoeveel kilometers ik ook maakte, hoeveel kilo's ik ook afviel. Het probleem zat heel ergens anders in. Ergens waar ik de vinger niet op kon leggen. Want ik had het toch goed voor elkaar? Ik had een soort van relatie in Antwerpen met een geweldige man die ik geregeld in de hardloopwinkel of in het grand café ontmoette, ik woonde in een prachtige commune, ik had mijn vrienden. Er was eigenlijk geen enkele reden om ontevreden te zijn. En toch was ik het, enigszins.

Yvo wees de weg door mij van achteren aanwijzingen te geven en stuurde deze keer niet het dorp in, en ook niet naar het bos. Bij het kruispunt onder aan de heuvel sloegen we direct rechtsaf en gingen achterlangs terug naar de abdij. Ik liep naast hem en hield er een soepel tempo in dat volgens mij ook voor Michelle en Yvo goed te doen was. Ze hadden gelijk: met de wedstrijd in het vooruitzicht nam ik het hardlopen serieus. Zo fanatiek had ik nog nooit gesport.

Voordat we echt op gang waren, doemde de abdij alweer op. Tussen de landerijen door liepen we naar de achteringang. Daar rekten en strekten we onze spieren opnieuw. Behalve conditie ontwikkelde ik een lenigheid die ik nooit voor mogelijk had gehouden.

'Was dit vier kilometer?' vroeg ik voor de zekerheid.

'Pak 'm beet.' Yvo maakte een schattingsgebaar met zijn rechterhand; zijn linker lag onder zijn knie, die ondersteuning nodig had omdat zijn been zo ver uitgestrekt stond dat hij zowat in een spagaat lag. 'Vier kilometer stelt niet veel voor.'

'Ongelooflijk. En hoelang hebben we erover gedaan?'

'Zevenentwintig minuten.'

'Dat is best snel, toch?' Sebastiaan had vijfentwintig minuten genoemd als haalbare tijd voor een loper van mijn niveau. Als ik met de heuvel erbij al zo dicht bij die tijd kwam, moest het in Brussel zeker lukken, vooral gezien de trainingen die nog op de planning stonden voor de grote dag.

'Helemaal niet slecht,' vond Yvo. 'Hoelang ben je nu bezig? Twee maanden?'

'Een maand, drie weken en vier dagen,' zei ik. Ik schaamde me er niet voor dat ik het precies wist. Hardlopen mocht ik belangrijk vinden. Voor sommige hobby's moet je een zekere schaamte in acht nemen, want niet iedereen snapt de lol van modelspoorbanen, maar een overmatige focus op hardlopen is oké. Daar hebben mensen begrip voor omdat het gezond en bewonderenswaardig is.

Over drie weken zou ik mijn eerste wedstrijd lopen. Ik voelde me er nog niet helemaal klaar voor, maar wist dat ik het zou worden als ik zo doorging. Bovendien was het geen schande om er een halfuur over te doen. Er zouden genoeg vrouwen zijn die langzamer waren.

Toch wilde ik er alles uit halen. Ik had te veel tijd en energie over om het niet te doen. Dat was mijn drijfveer: het kón. In Nederland moest ik al zo veel rennen en vliegen voor mijn werk, dat ik niet toekwam aan sport, laat staan aan fantaseren over een wedstrijd die over drie weken plaatsvond. Nu had ik geen excuses meer.

Ik had gewoon te weinig omhanden. Dat ik me zo liet meeslepen, was het enige logische gevolg daarvan. Ik kon er niets aan doen.

'Hebben jullie zin in een wijntje?' vroeg Yvo.

'Ja!' zei ik, want ik kon geen nee zeggen tegen wijn op een zwoele zomeravond – officieel was het een begin van de herfstavond, maar daar voelde ik nog niets van. De abdijwijn weigeren zou een zonde zijn tegen de menselijke natuur.

Michelle schudde desondanks haar hoofd. 'Vandaag niet.'

'Toe nou!' probeerden Yvo en ik tegelijk. Ik wilde ook nog vragen of ze soms zwanger was omdat ik haar niet kende als iemand die een goed glas wijn afsloeg, maar ik kon me niet voorstellen dat ze zwanger was en van wie ze dat dan zou moeten zijn. Met Yvo had ze het naar mijn beste weten niet gedaan. Die twee draaiden al zo lang om elkaar heen dat het irritant begon te worden. Tijdens het hardlopen hadden ze voortdurend naar elkaar gelonkt, dat had ik zelfs gevoeld terwijl ze achter me liepen. De vonken spatten ervan af en toch deden ze er verder niks mee. Voor zover ik wist.

En ineens had ik het. 'Ik ga douchen,' kondigde ik aan. 'Genieten jullie van een extra glaasje voor mij?'

'Nee, ik ga ook douchen,' protesteerde Michelle, maar ze maakte geen aanstalten om met me mee te gaan.

Een knipoog van Yvo was voldoende om haar over te halen toch op het terras te blijven. Hij lachte dankbaar naar me toen ik de aftocht blies. Dat wijntje kwam een andere keer wel. Nu was het tijd voor die twee om te stoppen met het oeverloze gedraai en geflirt. Tijd dat ze samen de spanning ontlaadden.

Op weg naar mijn kamer kwam ik Claire tegen. Ze had een doos chocolaatjes bij zich voor op de gastenkussens. Voor een abdij was ons gastenverblijf aardig luxueus. Maar in hun vertrekken stond nog steeds de rust voorop, zoals je van een religieuze plek mocht verwachten.

Claire was altijd in de weer om dingetjes te regelen voor gasten. Of het nu een bezoek aan de wijnmakerij was of een extra schaapscheersessie terwijl die beesten pas nog geschoren waren;

zij kreeg het voor elkaar. Het was makkelijk om dingen te regelen als het voor de gasten was. Zij betaalden voor hun verblijf, in tegenstelling tot de bewoners, die teerden op wat de gasten binnenbrachten. Zo weinig als ik te wensen had, zo veel hadden zij in te brengen.

'Hoe is het met je?' vroeg ze terwijl ze de chocolaatjes op een tafeltje zette.

'Super,' overdreef ik. Claire meende haar vraag oprecht en wilde graag een positief antwoord. Anders zou ze doorvissen naar het pijnpunt en alles op alles zetten om het op te lossen, ook al kon ze dat niet. 'Ik kom net terug van een rondje hardlopen. Dankzij de commune ben ik een soort van sportief geworden.'

'Je ontdekt hier een heel andere kant van jezelf.'

'O ja?'

'Ja! Had jij ooit gedacht dat je een hardlopende bibliothecaresse zou worden?'

'Hmm… Nee, dat had ik inderdaad niet. Welke kant van jezelf heb jij dan ontdekt?'

'Ik ben een heel ander mens dan toen ik hier kwam,' zei ze. 'Maar dat is ook alweer bijna tien jaar geleden. Ik kan me niet heugen hoe mijn leven eruitzag voordat ik in de commune woonde.'

'Natuurlijk wel!' wierp ik tegen. Ze had óf een gaatje in haar geheugen óf wilde het niet kwijt. Ik wist dat het laatste waar was, maar zij wist niet dat ik dat wist en dat wilde ik zo houden.

'Nee. Echt niet. Als je nagaat dat Pandora bij de verhuizing nog maar een jaar was, begrijp je hoe lang het geleden is. Die herinneringen zakken na verloop van tijd weg. Totdat je erachter komt dat je niet meer weet hoe je ooit zo hebt kunnen leven als je toen deed. Ik weet wel wie ik was, maar ik weet niet meer waarom ik zo was. Dat is het verschil.'

'En Pandora?'

'Die weet niet beter.'

Lekker makkelijk! Ze zette een kind in totale afzondering en deed alsof het normaal was, wenselijk zelfs. Nogal wiedes dat Pandora niet beter wist. Maar of ze er ook gelukkig van werd, daar stond Claire niet bij stil. Ze liet er tenminste niets van merken. 'Het is een intelligent meisje,' zei ik.

'Klopt,' zei ze droogjes. 'Ze neemt de lesstof snel in zich op. Het helpt natuurlijk dat ze privéles krijgt.' In Claires houding en blik kwam een zelfingenomen uitdrukking. Alsof zij precies deed wat goed was voor haar dochter. 'Ze komt toch ook vaak bij jou in de bibliotheek?'

'Vertelt ze dat?' vroeg ik.

'Soms. Ik weet meer van haar dan ze me vertelt.'

'Ze houdt erg van lezen. De fantasiewerelden spreken haar aan.'

'Pandora heeft een grote fantasie. 's Avonds schrijft ze ook zelf verhaaltjes.'

'Waarover?'

'Ik mag ze niet lezen,' glimlachte Claire. 'Het is zoiets als een dagboek.'

Ze had tenminste wel respect voor de privacy van haar tienjarige dochter. Op die leeftijd is een dagboek het meest waardevolle persoonlijke bezit van een meisje, waarin ze haar wensen en dromen opschrijft en hartjes tekent naast de naam van de jongen op wie ze verliefd is. Maar Pandora had geen jongens om verliefd op te worden. Ze kende niemand van haar leeftijd.

'Ik ga binnenkort naar de stad,' zei ik. 'Kinderboeken kopen. Mag Pandora mee?'

'Jij bent toch bibliothecaresse? Kun je het niet zelf?'

'Vast wel. Ik dacht alleen dat het leuk zou zijn om haar mee te nemen. Ze is de enige die alle kinderboeken leest, dus het lijkt me goed als zij ze uit mag zoeken. Ziet ze ook eens iets van de wereld.'

Die laatste opmerking schoot in Claires verkeerde keelgat. Stomme, stomme idioot die ik ook was! Had ik haar net exact waar ik haar wilde hebben, met een mengeling van schuldgevoel en dochterliefde, verpestte ik het met een snauw richting de commune. Nu kon ik het wel vergeten. Ik kon mezelf wel voor mijn kop slaan.

'Dit ís haar wereld,' zei Claire snibbig. 'Maar... je hebt gelijk. Wat de boeken betreft. Ze zou het fijn vinden om inspraak te hebben. Ik overleg het nog even' – met wie liet ze in het midden – 'en dan hoor je het vanzelf. Wanneer wilde je gaan?'

'Zaterdag zou makkelijk zijn. Dan heeft Pandora geen les.'

'Goed. Heb je een budget nodig?'

O ja, dat ook nog. Ik knikte kort.

'Je weet waar je het kunt aanvragen. Wel, ik moet verder. Er komen morgen nieuwe gasten die een chocolaatje op hun kussen willen.' Ze spoedde zich zonder omkijken de gang door, op weg naar haar o zo belangrijke gastenverblijven. Die gingen boven alles.

*

Budget krijgen was mislukt.

De reden? Ik kon niet zomaar bepalen dat er nieuwe boeken nodig waren en daarvoor de creditcard van de commune misbruiken. Eerder had dat wel gekund, dus ik vond het behoorlijk teleurstellend, maar ik ging toch.

Tegen mijn verwachting in had Claire namelijk toestemming gegeven om Pandora mee te nemen, en die kans liet ik niet schieten. Ook mochten we de jeep pakken, waar ik nu samen met het meisje in zat. Claire had ons lang uitgezwaaid – het was denk ik de eerste keer in haar leven dat ze verder dan vijf kilometer van haar dochter verwijderd was. 'Je bent een toffe moeder,' had ik haar op het hart gedrukt, ook al druiste dat tegen mijn overtuiging in. Het was deels waar: vandaag was ze een supertoffe moeder. Ze liet Pandora vrij.

Pandora was ondertussen op van de zenuwen. Ze had een lijstje gemaakt met schrijvers van wie ze meer wilde lezen. Ik zag in de gauwigheid Roald Dahl, Guus Kuijer en Anne Provoost erop staan. 'Zijn we er al bijna? Hoe ziet de boekhandel eruit?' vroeg ze toen we nog maar net in het dorpje onder aan de heuvel waren.

'We moeten nog een flink stuk rijden. En de boekwinkel die is groot. Heel groot. Muren en tafels vol met boeken. En er is een hoek waar de kinderboeken bij elkaar staan.'

'Hoeveel?'

'Te veel om te kopen,' zei ik, want ik moest alles uit eigen zak betalen. Ik nam me voor om alleen een paar kinderboeken te kopen voor Pandora en verder niks. De rest kwam wel weer als ik de creditcard van de commune mocht gebruiken. Bovendien was Pandora veruit de meest fanatieke lezer. In de eerste weken wilde iedereen boeken lenen, maar nu was de glans van het nieuwe eraf en leende de gemiddelde lezer ongeveer een boek per week. In dat tempo duurde het lang voor de voorraad op was, áls het al zou gebeuren. Voor mij was de bibliotheek bijhouden op deze manier een heerlijk ontspannen klusje.

Pal voor de boekwinkel parkeerde ik de jeep na acht keer steken – begeleid door geïrriteerd getoeter van een andere bestuurder – netjes in het vak. Pandora sprong er al uit voordat ik goed en wel geparkeerd had en ik kon haar niet tegenhouden. Ik wilde haar enthousiasme ook niet beteugelen.

Vrolijk door haar uitgelaten stemming liep ik achter haar aan de boekwinkel binnen. Ze herkende de kinderboekenhoek meteen. Er hingen slingers en de boekenplanken waren felgeel in plaats van zwart zoals in de rest van de winkel. Ze pakte willekeurig een aantal boeken uit de kast en plofte ermee op een van de kleurige poefen. Na het lezen van de achterflappen sorteerde ze de boeken in twee stapels.

Een halfuur later had ze alle volgens haar interessante, leuke boeken geselecteerd en lagen er stapels aan beide kanten van haar poef. 'Deze wil ik hebben en deze niet,' deelde ze mee. De stapel die ze wel wilde hebben was de hoogste van de twee. Het waren minstens twintig boeken.

'Oké,' zei ik, zoekend naar woorden waarmee ik duidelijk kon maken dat het te veel was. 'Je mag voor maximaal honderd euro uitzoeken. Voor in de boeken zit een papiertje waarop staat hoeveel ze kosten. Lukt dat, denk je?'

'Lastig…' peinsde ze. 'Ik wil ze eigenlijk allemaal.'

'Honderd euro,' hield ik vol.

Ze snapte het. Het was ook duidelijk zat.

Met het puntje van haar tong uit haar mond bekeek ze de prijskaartjes en hield op haar vingers het totaalbedrag bij. Ik dronk intussen een kopje thee van de aardige boekverkoper die al doorhad dat wij een leuke financiële bijdrage aan zijn winkel zouden leveren.

'Zo,' verklaarde Pandora trots. 'Dit is het. Achtennegentig euro vijfenzeventig.' Ik telde de stapel, het waren vijftien boeken. Ik kon me niet voorstellen dat het klopte, maar tilde de boeken samen met Pandora naar de kassa en gaf de verkoper de instructie te scannen tot honderd euro. Hij scande ze allemaal en kwam uit op een totaalbedrag van achtennegentig euro vijfenzeventig. Ik was hoogst verbaasd, maar Pandora vond het niet vreemd. Ze was tenslotte een genie.

Om haar genialiteit te vieren en omdat ik meteen mijn column wilde schrijven, nam ik Pandora mee naar mijn vaste schrijfstek. We lieten de boeken in de kofferruimte van de jeep achter en liepen hand in hand naar het centrum. Ze haalde me over om samen een stukje te huppelen en ik realiseerde me dat het er misschien uitzag alsof ik dacht dat ik een net zo klein kind was als zij, maar het kon me niet schelen. Hier kende ik toch niemand.

'Wat is het druk,' zei Pandora op de Grote Markt. 'Weet je nog van toen we jullie ophaalden bij het station? Daar waren ook al zoveel mensen. Ik wist niet waar ik moest kijken!' Ze keek verwoed om zich heen en wist ook nu niet wat haar aandacht het meest waard was. 'Jij komt toch uit Amsterdam?'

'Inderdaad. Weet je waar dat ligt?'

Ze lachte me zowat uit. 'Natuurlijk! Ik krijg topografieles. Ik heb heel Europa al gehad.'

Hoe logisch het ook leek, het verbaasde me enigszins dat ze topografieles kreeg. In de commune had het geen functie om te weten waar Amsterdam lag, of Berlijn, of Parijs, of zelfs Brussel. Misschien hielden ze er toch rekening mee dat Pandora de gemeenschap ooit zou verlaten.

'Vind je de stad leuk?' vroeg ik.

'Ik denk het wel. Het ruikt lekker.'

'Dat is patat. Maar de patat in de stad is niet zo lekker als in de commune, hoor.' Ik kon veel aanmerken op de commune, maar de kookploeg zou ik nooit neerhalen. Die maakte de lekkerste patat die ik ooit had geproefd.

'Frieten! O... Daar heb ik zin in. Nu heb ik honger.'

'Ja, ik ook. Maar we gaan niet eten.' Ik sleepte Pandora tegen haar zin mee het grand café in, waar geen patatlucht hing. Boven zag ik meteen dat mijn tafeltje bij het raam bezet was. Het was op de zaterdag drukker dan het op dinsdagen doorgaans was. We kozen een zitje bij de muur en ik haalde mijn laptop uit mijn tas. 'Ga je de boeken invoeren?' vroeg Pandora. Ik had haar het bibliotheeksysteem uitgelegd omdat ze nog nooit een computer had gezien. Ze toonde zich buitengewoon geïnteresseerd in de technologie die ik gebruikte voor de leenadministratie.

'Nee, dat doe ik in de bieb. Ik ga schrijven.'

Haar ogen werden groot. Ze deed haar mond een stukje open, maar er kwamen geen woorden uit.

'Jij schrijft ook, toch?' vroeg ik.

'Ja!'

Ik pakte een notitieblokje en een pen uit mijn tas en legde die voor haar neer. 'Doe met me mee. Schrijf bijvoorbeeld een verhaaltje over vandaag, of iets heel anders, maakt niet uit wat. Dan kun je het later aan me voorlezen.'

Even toegewijd als ze eerder de boeken had uitgezocht, stortte ze zich nu op het schrijven. Een zaterdagbediende die ik niet kende bracht ons een cappuccino en een Fristi, maar we keken beiden niet op van ons werk toen hij ze op de tafel zette. Af en toe keek ik wel zijdelings naar Pandora's papier om te zien hoe haar verhaal vorderde.

Toen ik mijn column af had, opende ik mijn mailbox om hem direct naar Hilde te sturen. Dan hoefde ik later in de week niet meer met het openbaar vervoer naar Antwerpen, wat me op dit moment prima uitkwam. Die tijd kon ik beter gebruiken voor mijn hardlooptraining.

Ik had een nieuwe mail van mijn moeder. 'Hoi lieverd,' schreef ze, 'hoe is het daar? We lezen je columns in *Mariquita* en moeten erg lachen om je belevenissen. Leuk dat we zo toch een beetje bij jou zijn, ook al ben je zo ver weg. Als je meer wilt vertellen, mag je me altijd bellen of e-mailen. Hier is niet veel nieuws. Papa heeft een nieuwe grasmaaier gekocht. Werkt als een trein. Dat was het wel weer. Groetjes, mama.'

Daar had ik echt geen seconde bij stilgestaan. Als iedereen mijn columns kon lezen, deed mijn familie het natuurlijk ook. Snel opende ik de oude columns op mijn schijf en checkte of ze wel moeder-proof waren. Niet dat het nu nog iets uitmaakte – ze stonden al gedrukt, of zo goed als. Maar waarom had ik daar niet eerder aan gedacht? Goddank waren ze, op de column over het poepen in het bos na, vrij onschadelijk voor haar beeld van mij als lieftallige dochter. Tot dusver had ik ook weinig meegemaakt waarover ik mijn ouders niet zou vertellen. Het leven in een commune hing voor het grootste deel aan elkaar van repetitieve saaiheid, afgewisseld met een paar interessante momenten. Die vergrootte ik uit voor een leuke column. Zo leek het net alsof ik continu van alles meemaakte. En die indruk had mijn moeder zo te lezen ook gekregen.

Het was een geruststellende gedachte dat het overkwam alsof ik een interessant leven had.

Ik verstuurde mijn nieuwste column, die over wijn ging en toch voldoende moeder-proof was, naar Hilde. Daarna sloot ik mijn laptop af en klapte die met een theatrale zwaai dicht.

'Gaan we alweer?' vroeg Pandora met een pruillip. 'Ik ben nog niet klaar.'

'Je mag dat blokje wel houden tot je het af hebt. Nu wil ik nog ergens anders naartoe. Jij bent heel goed in geheimen bewaren, toch?'

Ze knikte verwoed. Toen ik haar had gevraagd om aan niemand te vertellen dat ze eerder in de bibliotheek mocht dan de rest, had ze haar mond stijf dicht gehouden. Voor een kind van tien jaar was dat een knappe prestatie. Ik vertrouwde erop dat ze ook dit voor zich hield, al lag het een stuk gevoeliger dan het vorige geheim.

'We gaan naar iemand toe die jou van vroeger kent.' Ik nam haar bij de hand voordat ze vragen kon stellen over deze mysterieuze persoon. Door de straten van Antwerpen huppelde ze naast me richting de stoffenwinkel van haar oma, die ze voor het eerst in haar leven zou ontmoeten, zonder te weten wie ze nou ontmoette. Ik was nerveus, Pandora niet. Zij was blij en onder de indruk van alle nieuwe dingen die ze vandaag deed.

'Hallo Fien,' begroette ik Claires moeder, Pandora's oma. Ze was bezig met een klant.

'Ik kom zo bij je,' zei ze. Haar stem sloeg over. Ze wist wie ik bij me had. Het kon niemand anders zijn, niet echt. Ze wist het.

Ik nam Pandora mee naar de keuken achter in de winkel en schonk een glas sap voor haar in. Ze stelde nog steeds geen vragen. Mijn handen trilden van de spanning, zij dronk gewoon een sapje.

Vijf zenuwslopende minuten later droop de klant zonder aankoop af. Pff, daar stak Fien dan zoveel energie in. Stoffen van de rol halen, staaltjes uit de kast pakken, alles voor niets. Fien leek er niet mee te zitten. Voor haar deed het er niet toe nu haar kleindochter in de winkel was. Logisch.

'Pandora,' zuchtte ze.

'Ja, mevrouw?'

'Och kind, hou op met die malligheid. Ik ben je oma!'

'Oma?' Pandora vroeg het alsof ze niet eens wist wat een oma wás.

'De moeder van je moeder,' fluisterde ik.

'Is zij dat?'

'Dat ben ik,' knikte Fien. 'Hoezo? Wat heeft je mama over mij gezegd?'

'Ik weet het niet...' begon Pandora. 'Niks. Ik heb weleens gevraagd of ik een oma had en toen zei ze niks.'

Er gleed een dikke traan over Fiens wang. Pandora haalde een bloemetjeszakdoek uit haar roze meisjeshandtasje, gaf die aan haar oma en aaide zachtjes over diens rug. 'Stil maar, oma. Ik ben er nu.'

'Waarom ontkent Claire dat ik besta?' snikte ze.

'Waar wij wonen mag je niet met veel andere mensen omgaan,' antwoordde Pandora.

'Dat is onzin. Ze ontvangt altijd gasten.'

'Ja, maar die komen bij ons. Andere mensen mag je niet zien,' zei ze zakelijk.

'Is dat echt waar?' vroeg ik. Ik had heus wel door dat de commune het niet nodig vond, maar ik had geen idee dat het verboden was. Dat stond ook niet in de regels. Of ik had heel selectief gelezen. Ik wist dat ik daar soms een handje van had, maar zoiets zou ik gezien hebben, zonder twijfel.

Pandora haalde haar schouders op. 'Mama zegt van wel.'

Aha. Vandaar. Ik durfde niet tegen haar te zeggen dat Claire regels verzon. Een kind tegen haar moeder opzetten zou hoe dan ook averechts werken, ook al was die moeder het spoor totaal bijster. Dat was pedagogisch onverantwoord, dat wist ik zelfs.

De winkelbel ging en in de deuropening verscheen het olijke gezicht van een jongetje. Hij begroette Fien kort en stapte met een uitgestoken hand kordaat op Pandora af. 'Hoi. Ik ben Ramon.'

'En ik Pandora.'

'Heb je zin om te voetballen? We gaan naar het veldje, hier vlakbij.'

'Mag het?' vroeg ze aan mij.

'Tuurlijk. Als je over een uur of zo maar terug bent, want dan moeten we terug naar de commune.'

Ze rende met Ramon mee de winkel uit. Fien schonk twee koppen koffie in en trok een pak appelkoeken open. Ik nam er beleefd een aan omdat ik niet hield van weigeren. Dat werd weer hardlopen de volgende ochtend – en dat was alleen maar positief.

'Wat is ze groot geworden,' zei Fien.

'En zo wijs.'

'Ze snapt te veel naar mijn zin. Pandora is niet gek, maar haar moeder draait haar een rad voor ogen.'

'Was Claire altijd al zo?'

'Helemaal niet. Ze was een wonderkind. Claire had veel vriendinnen, woonde op kamers en studeerde aardwetenschappen. Ze was erg begaan met de wereld om haar heen en wilde iets van betekenis doen. Het ging pas mis toen ze een man ontmoette.'

'De klassieke fout,' zei ik met een flauwe glimlach.

Fien kon er niet om lachen. 'Dat viel nog mee. Hij was een uitwisselingsstudent uit Amerika en ze maakten plannen om samen rond de wereld te reizen. Toen werd Claire zwanger en besloten ze in België te blijven. Dat ging goed, totdat Pandora zeven maanden oud was. Haar vader wilde zijn dochter en Claire meenemen naar Amerika. Claire voelde daar niets voor, maar hij had heimwee. Dus ging hij in zijn eentje terug. Mijn dochter was onvermurwbaar. Ze moest en zou in België blijven.'

Fien nam een slokje van haar koffie en ik deed op de automatische piloot hetzelfde.

'Alleenstaande moeder zijn was veel te zwaar voor haar, met haar studie erbij. Ze wilde het allebei perfect doen en dat lukte niet. Ik bood aan haar te helpen met de zorg voor Pandora. Ze ging door het lint. Hoe ik het in mijn hoofd haalde aan haar capaciteiten te twijfelen! Alle opgekropte woede kwam op mij neer, alleen omdat ik haar wilde helpen. Een maand later zat ze in die commune. Veilig opgesloten in een abdij met mensen die haar achtergrond niet kenden.'

'Allemachtig, zeg. Hoe kwam ze daarbij?'

'Ik heb geen idee. Ze heeft er nooit met mij over gepraat. Over niks.'

De klingelende winkelbel kondigde een nieuwe klant aan. Fien veegde haar tranen af met de bloemetjeszakdoek van haar kleindochter en plantte een behulpzame glimlach op haar lippen.

Ik pakte mijn spullen, waaronder een nieuwe envelop van *Mariquita*, liep naar de uitgang, waar ik Fien uitzwaaide en haar beloofde dat ik terug zou komen, en ging buiten op zoek naar het speelveld waar Pandora met de andere kinderen was. Het was mooi geweest voor vandaag.

10

Ik lag op bed te genieten van de nog warme septemberzon toen de kamerdeur met een grote zwiep openging. 'Moet je zien wat ik heb!' riep Michelle uit. Ik kwam overeind, want ik kon het ondersteboven niet zien. Ze hield een plaat omhoog van Het Goede Doel met op de voorkant een afbeelding van België.

Nu ben ik geen bijzonder grote fan van Nederlandstalige muziek, maar Het Goede Doel had best een paar goede nummers en associeerde ik niet met de palinghits van TROS-kaliber. Michelle legde de elpee op de platenspeler en zette de naald nauwkeurig in een van de groeven.

Na wat gekraak vulden de herkenbare begintonen van het nummer *België* de kamer. Ik luisterde met Michelle naar het couplet, stapte uit mijn bed en schoof de volumeknop helemaal open. 'Is er leven op Pluto?' schalde ik mee, zo vals en hard ik kon. 'Kun je dansen op de maan? Is er een plaats tussen de sterren waar ik heen kan gaan?'

Nog een couplet en een muzikaal intermezzo volgden, waarna ik luidkeels verderging: 'Ik heb getwijfeld over België... Omdat iedereen daar lacht.'

'Dat is een dikke vette leugen!' schreeuwde Michelle boven de muziek uit.

'Ik heb getwijfeld over België... Want dat taaltje is zo zacht.'

'Ja,' moest ze toegeven, 'daar hebben ze gelijk in.'

'Stond zelfs in dubio, maar ik nam geen enkel risico. Ik heb getwijfeld over België…'

We sloegen allebei met onze handen op de bedrand voor de climax. 'België… België… België!'

'Heerlijk,' vond Michelle. 'Toepasselijk ook, hè, enorme twijfelkont! Nu ben je vast blij dat je naar mij hebt geluisterd, of niet dan?'

'Ik weet het niet, hoor. Soms vind ik het hier maar een vreemde bedoening.'

'Ach ja. Iedereen heeft zo zijn eigenaardigheden, dat maakt het leven leuk. Lekker gek, een beetje anders dan anders. Ik had mezelf nooit ingeschat als excentriekeling, maar ik vind het hier geweldig.'

'Dat lukt natuurlijk ook wel met zo'n stuk als Yvo erbij.'

'Ik weet het!' lachte ze. 'Ik ben echt een mazzelpik. Weet je wat hij laatst vertelde? In Amsterdam werkte hij ook op de Zuidas. Vlak bij mijn kantoor. Waarschijnlijk zijn we elkaar tientallen keren tegengekomen daar in de buurt. Hij liet me een foto zien waarop hij, strak in het pak, een deal sluit met een paar hoge piefen. Maar na een paar jaar in dat wereldje had hij het wel gehad. Zo erg zelfs dat hij besloot nooit meer iets in die nepwereld te doen, zoals hij het zelf noemt. Op het land doet hij tenminste iets wezenlijks. Draagt hij iets bij. Vindt hij.'

'Ik geef hem geen ongelijk. Zijn wijn smaakt voortreffelijk.'

'Hijzelf ook.'

Ik sloeg mijn hand voor mijn mond. 'Michelle! En dat vertel je me nu pas?'

'Yep.'

'Oei, dit gaat drastisch de goede kant op!'

'Yep!' Ze lachte en zette de naald opnieuw aan het begin van *België*. Ik wist zeker dat als zij al twijfels had gehad over België, die nu volledig van de baan waren. Dit was geen toeval meer. Twee gesjeesde zakenlui die rechtstreeks uit Amsterdam-Zuid naar België kwamen, dat was voorbestemd.

'Denk je dat hij al klaar is met werken?' vroeg ze.

'Hoe moet ik dat nou weten? Jij hebt wat met hem.'

'Soort van.'

'Oké, soort van. Maar we kunnen best even gaan checken, als je wilt.'

'Ja? Ga je mee?' Michelle zette de platenspeler abrupt midden in het nummer uit en stopte de elpee terug in zijn vale hoes. De kringloopwinkel voorzag haar van een constante stroom nieuwe oude platen. Waar ze die vandaan haalden, interesseerde haar niet, zolang ze haar maar op de hoogte brachten als er weer een nieuwe doos was.

Via de brandtrap aan het einde van onze gang, de kortste route, gingen we naar de landerijen. Yvo maakte in de herfst en winter kortere dagen dan 's zomers en was al begonnen met het afbouwen van zijn werkuren. We vonden hem in de schuur, waar hij zijn spullen opborg.

'Bijna klaar!' riep hij toen hij ons zag. Hij trok zijn overall uit, waaronder hij alleen een hemd en een boxershort droeg. Ik kende Michelle niet als een wellustig type, maar ze kleedde hem met haar ogen nog verder uit dan hijzelf al deed. Ze begluurde hem ongegeneerd. Het was stuitend.

Ik snapte niet waarom ze mij erbij wilde hebben. Als ze zo graag met Yvo in bed wilde belanden, lukte dat vermoedelijk eerder als ze met zijn tweeën waren, tenzij ze stiekeme plannen hadden om mij erbij te betrekken. Ik overwoog deze mogelijkheid en kwam tot de conclusie dat ik ze moest teleurstellen als ze zoiets beraamden. Een trio met twee mannen zou ik serieus overwegen, maar een andere vrouw erbij was een stap te ver. Naakt zijn (of zelfs halfnaakt, zoals op het strand) in de buurt van vrouwen vond ik vreselijk. Ik had altijd het gevoel dat ze me uitgebreid opnamen. Mijn sinaasappelhuid, het haar op de plekken waar geen haar hoorde te zitten, mijn ongebruinde dan wel te gebruinde huid, mijn lovehandles en zadeltassen. Alles om hun eigen zelfbeeld ietsje op te vijzelen. Ik wist dit, want ik maakte me er zelf ook schuldig aan. Daarom alleen al wilde ik Michelle niet naakt zien. En om een heleboel andere redenen, met als grootste dat ze mijn kamergenoot was en ik haar zo niet wilde kennen.

Uiteraard wilde zij mij ook niet naakt zien. De hele gedachte sloeg nergens op en ik had geen idee waar ik hem vandaan had gehaald. Of zou Yvo… Nee! Hij wilde Michelle, alleen Michelle. Ik moest nodig ophouden met mijn verwrongen fantasieën, want ze voerden veel te ver. Thuis – in Amsterdam nota bene – had ik geregeld maanden droog gestaan en nergens last van gehad.

Ik had nu zo weinig te doen, dat ik warempel een libido kreeg. Misschien moest ik maar eens een bezoekje brengen aan een seksshop in Antwerpen. Werd ik zo'n Vivavrouw met een vibrator in haar nachtkastje. Of nee, óp haar nachtkastje. Lekker choquerend. En misschien vond Sebastiaan dat ook wel leuk…

Ophouden nu! zei ik in gedachten tegen mezelf. Ik wist niet eens of Sebastiaan me wel leuk vond. Na die ene zoen waren we niet verder gegaan, ook al had ik hem nog wel een keer gezien. Ik moest geen dingen in mijn hoofd halen die misschien niet konden uitkomen.

'Waar ben jij in godsnaam met je gedachten?' vroeg Yvo.

'Gewoon. Hier,' antwoordde ik semi-gevat.

'Oké. Je bent terug. Helder genoeg?'

'Honderd procent.'

'Daar geloof ik niets van,' mompelde Michelle.

'O!' riep ik verontwaardigd uit. 'Wat ben jij toch een… een… stommeling!'

'Zie je hoe helder je bent?' Ze gaf mij een por in mijn zij en Yvo een knipoog. 'Je kunt niet eens een scheldwoord bedenken dat uitdrukt wat ik ben.'

'Maar ik kan wel slaan,' zei ik, en ik gaf haar een redelijk zacht, meisjesachtig klapje op haar bovenarm. Hierop reageerde Michelle razendsnel – toch wat alerter dan ik – met een knietje. Dit knietje wakkerde een vreemde, vechtlustige energie in me op, die ik kwijt kon in a) een stuk hardlopen of b) een gevecht. Het laatste zou ik gemakkelijker van haar winnen dan het eerste, op voorwaarde dat Yvo zich afzijdig hield.

'*Catfight*!' riep een van de andere landarbeiders die achter in de schuur stonden. 'Zet iemand een modderbad klaar?'

'Niet nodig,' zei een ander, 'het regent. De hele wereld is een modderbad!'

Michelles ogen vertelden me dat ze de mannen hun zin wilde geven. Een *catfight* in de modder. Ik wilde het ook. Het was te

143

lang geleden dat ik echt vies was geweest. Vieze schoenen van de bospaden waren niet echt vies, vieze oksels van het zweet waren niet echt vies. Niet in vergelijking met de totale smerigheid van een stevig moddergevecht.

'Kom op dan,' zei ze, nog steeds met die uitdagende blik in haar ogen.

Ik trok mijn lip op om mijn hoektand te ontbloten. 'Ik lust je rauw.'

'Niks aan hoor, rauw mensenvlees. Flauwtjes.' Ze ging me voor naar buiten, waar ik haar een duwtje gaf zodat ze op haar kont in een modderpoel belandde. De klodders vlogen langs haar heupen omhoog, eentje kwam op haar wang terecht. Ze maakte er een oorlogsstreep van en stak haar vinger in de modder om ook op de andere wang zo'n streep te trekken. Ik voegde er voor de volledigheid een veeg op haar neus aan toe.

Precies in dit kwetsbare ogenblik greep Michelle me bij mijn schouders en rolde me omver, waardoor ze boven op me uitkwam. Het gejoel van de mannen langs de zijlijn moedigde ons beurtelings aan.

'Stop modder in haar onderbroek!'

'Hup, Stella, verf haar haren donkerbruin!'

'Maak gehakt van haar, Michelle!'

Na wat een halfuur leek maar in werkelijkheid ongeveer vijf minuten waren, waarin we over elkaar heen rollebolden en ongericht met modder gooiden, was ik het beu. Mijn energie was ontladen. 'Genade!'

Michelle trok zich onmiddellijk gehoorzaam terug en bekeek me van een afstand. 'Moddermonster!'

'Jij dan! Je zit er helemaal onder. Het zit zelfs in je haar.' Dat was me dus toch gelukt, zoals de mannen hadden verzocht. 'Mijn hemel, dat wordt een crime om uit te wassen.'

'Hoe sneller we douchen, hoe makkelijker het gaat. Kom op, we gaan.'

Ik knikte, probeerde steunend op mijn onderarmen overeind te komen en gleed weer uit. Yvo gaf ons allebei een hand en hielp ons tegelijk omhoog. 'Dat was echt supergeil,' fluisterde hij iets te hard in Michelles oor terwijl ik er vlak naast stond.

Ik maakte me uit de voeten, richting de douches. Wat er verder ging gebeuren, hoorde ik liever achteraf. Zonder dc details.

*

'Ben jij weleens verliefd geweest?' vroeg Pandora, net nadat ze haar verhaal over onze trip naar Antwerpen had voorgelezen. Het was qua schrijfstijl heel goed, zeker voor een tienjarige, maar inhoudelijk viel het me tegen. Ze was juist gestopt met schrijven op het punt waar het interessant dreigde te worden. Bij haar oma.

Het onderwerp was misschien te verwarrend en gevoelig om meteen over te schrijven. De ontdekking dat je een oma hebt, die je moeder al negen jaar voor je verborgen houdt, was een schok die niemand zomaar te boven zou zijn. Vooral als je die ontdekking geheim moest houden. Pandora kon het er met niemand over hebben, alleen met mij – en wie was ik nou? Ik wist niets, alleen dat haar oma bestond. Haar moeder was de vrouw met de antwoorden. En met een hangslot op haar mond.

'Natuurlijk,' reageerde ik laat.

'Op wie?'

'Te veel jongens om op te noemen. Als je zo oud bent als ik, heb je er al heel wat gehad.' En nu was het Sebastiaan. Maar dat was te ingewikkeld om met Pandora te bespreken.

'Jij bent helemaal niet oud.'

Dat was ik met haar eens. Maar ik was oud genoeg om te weten dat een verliefdheid meestal niets bijzonders is. Dat het meestal slijt. Dat het meestal voorbijgaat. Behalve deze keer... Hoopte ik.

'Waarom vraag je het eigenlijk? Ben je soms verliefd?'

'Daar probeer ik achter te komen. In boeken zijn jongens en meisjes vaak verliefd op elkaar, zie je. Maar ze leggen nooit uit hoe ze dan wéten dat ze verliefd zijn. Het is gewoon zo. En dan gaan ze ineens kussen.'

Ik was helemaal vertederd. Voor het eerst verliefd, wat schattig! Ik kreeg er plaatsvervangend rode wangen van. 'Laten we een test doen,' stelde ik voor, ook al wist ik genoeg. Zulke testjes had ik zo vaak gelezen in tijdschriften voor tieners, dat ik er makkelijk een kon verzinnen. 'Ik stel jou vragen over de jongen op wie je misschien verliefd bent en jij beantwoordt die met ja of nee. Eerste vraag: denk je vaak aan hem?'

'Ja. Maar ik denk ook vaak aan jou, en aan mijn oma, en op jullie ben ik niet verliefd.'

'We zijn nog niet klaar! Voel je het warm worden, vanbinnen, als je aan hem denkt?'

'Ik geloof van wel...' Ze sloot haar ogen om het te testen. 'Ja! Ja, dat is waar!'

'Goed zo. Derde vraag: wil je zo vaak mogelijk bij hem zijn?'

'Ja!'

'Wil je hem dan ook aanraken als je bij hem bent?'

'Misschien,' zei ze na een aarzeling.

'Eerlijk zijn, Pandora. Deze test heeft geen zin als je zit te liegen.'

Ze bloosde. 'Ja. Ik wil met hem knuffelen. En kusjes geven, misschien.'

'Dat lijkt er al meer op. Oké, dit was de test. Ik tel nu jouw antwoorden bij elkaar op en mijn enig mogelijke conclusie is... dat jij verliefd bent!'

'Echt?'

'Absoluut. Vertel op, wie is de gelukkige?'

'Dat zeg ik niet.'

'Kom nou, we zijn toch vriendinnen? Jij kunt geheimen bewaren, dan kan ik het ook.'

'Erewoord,' eiste ze.

'Erewoord,' gaf ik.

'Het is Ramon.'

Het vriendje dat haar bij Fien was komen ophalen om op het veldje te spelen. Ik wist me hem nog haarscherp voor de geest te halen. Een leuk, vrolijk jongetje van ongeveer haar leeftijd. Perfect. Ik wist wel dat Pandora contact met andere kinderen nodig had. En ja hoor, het was meteen raak. Ze had Ramon een keer gezien en was al verliefd op hem. 'Hij is hartstikke leuk,' complimenteerde ik.

'En stoer,' vond Pandora. 'Maar wel aardig.'

'De ideale combinatie. Stoer en aardig.'

'En lief.'

'Uiteraard. Het allerbelangrijkste. Als een jongen niet lief is, is hij je verliefdheid niet waard.'

'Denk je dat mijn vader lief was voor mama?'

'Ik weet het niet. Ze zijn gescheiden, maar dat kan ook een andere reden hebben.'

'Zoals wat dan?'

Ik zuchtte moedeloos. Het was niet aan mij om Pandora hierover te vertellen. Wat ik van haar oma had gehoord, was te weinig om alle vervolgvragen te beantwoorden. Door het haar te vertellen zou ik bovendien Claire het vuile werk uit handen nemen, en dat gunde ik haar niet.

'Je weet het niet,' begreep Pandora uit mijn zuchten en fronsen.

'Nee. Zulke dingen kun je beter aan je moeder vragen.'

'Pff. Heb ik al zóóó vaak gedaan.'

'Wat zegt ze dan?'

'Dat het me niks aangaat. Maar ik vind juist van wel!'

'Gewoon blijven drammen,' raadde ik haar aan. De drammethode was een beproefd middel.

Hier lachte Pandora om. Ze pakte haar notitieboekje erbij en een pen uit mijn bakje met bibliotheekpennen, die vaak op mysterieuze wijze verdwenen. 'Help je me een liefdesbrief schrijven voor Ramon?'

'Tuurlijk. Maar eh… Waar moet je die dan naartoe sturen? Weet je zijn adres?'

'Ik geef hem als we weer bij oma zijn,' zei ze, alsof het heel vanzelfsprekend was, en dom dat ik daar niet aan gedacht had.

'O ja,' zei ik. 'Natuurlijk. En wanneer denk jij dat we weer naar je oma gaan?'

'Morgen?'

'Ik geloof er niks van. Jij mag helemaal niet weg morgen.'

'Echt wel. Ik ben morgen vrij.'

Niemand is hier ooit vrij, dacht ik. Pandora wel in de laatste plaats.

Ik beloofde haar desondanks dat als ze haar moeder zover kon krijgen, ik haar mee zou nemen naar Antwerpen. Het zou haar toch niet lukken, dus ik rekende op een vrije zaterdag waarop ik wat achterstallig werk in de bibliotheek kon doen.

Maar Pandora's wegen bleken ondoorgrondelijk. Ze wist haar moeder ervan te overtuigen dat ze nieuwe schoenen nodig had en dat ik die met haar moest uitzoeken. Helaas vergat ze het bijbehorende verzoek om de jeep mee te nemen en waren we door het beperkte reisbudget ook nog eens aangewezen op de bus in plaats van de trein. Ik vond het vreselijk, Pandora vond het leuk. Het was haar eerste keer in een lijnbus. Tien minuten te vroeg stond ze al bij de halte te trappelen. Af en toe ging ze op het bankje staan en leunde voorover om door de bocht te kunnen zien.

'Wij willen naar Antwerpen,' zei ze tegen de buschauffeur, en ze legde de bankbiljetten voor de busreis neer. Het wisselgeld ving ze op in het kuiltje dat ze van haar handen maakte.

'Mag je houden,' zei ik toen ze het me terug wilde geven. 'Voor ijsjes. Een voor jou en een voor Ramon.'

'De liefde van de man gaat door de maag, heb ik gelezen.'

'Inderdaad. Dus maak er maar een Magnum van of zoiets. Chocola is altijd lekker.'

'Gaan we helemaal achterin zitten?'

Voordat ik kon antwoorden, zat ze al op de achterste bank, bij het raam. Ik ging in het midden zitten met mijn benen in het gangpad en zette mijn tas tussen ons in. 'Je hoeft geen afstand te houden,' zei Pandora beledigd, 'ik heb geen enge ziekte.'

'Maar ik wel.'

'Echt?'

'Nee joh.' Ik schoof de tas een stoel op. 'Ik ben kerngezond. Tenminste, dat denk ik.'

'Ik denk het ook. Je bent dik in orde.'

'Met de nadruk op dik, zeker.'

Pandora sloeg zichzelf voor haar hoofd. 'Zo bedoelde ik het niet!' Maar ze ontkende het ook niet en de rest van de rit praatten we er niet meer over. In plaats daarvan hadden we het over het uitzicht vanuit het busraam en hoe ver het nog rijden was tot Antwerpen. Ook Pandora vond het naarmate de reis vorderde wel érg lang duren.

'We moeten eerst naar de schoenenwinkel,' zei ik toen we er waren. 'Anders klopt je smoes niet.'

'Ah toe... Moet het echt? Ik wil naar oma en Ramon.'

'Je hebt het zelf bedacht. Het zou heel vreemd zijn als je straks terugkomt zonder nieuwe schoenen.'

'Wil jij het doen?'

'Wat, jouw schoenen kopen?'

'Ja. Ik ga naar oma en jij zoekt wat leuks uit. Kan me niet schelen wat.'

Het aanbod was verleidelijk. Schoenen kopen was een van mijn liefste bezigheden. Of dat voor mezelf was of voor iemand anders, maakte niet eens echt uit. Bovendien kon ik dan rustig mijn column schrijven. Zo had Pandora ook wat tijd alleen met Ramon en met haar oma, met wie ze ongetwijfeld een hoop te bespreken had. 'Goed dan. Wat is je maat?'

'Vijfendertig. En een half.'

'Prima.' Ik dropte haar bij de stoffenwinkel, zei Fien snel gedag en liep meteen door de stad in. Vlak bij de hardloopzaak van Sebastiaan was een peperdure kinderschoenenwinkel met de meest schattige prinsessenballerina's en stoere cowboylaarzen. Ik had er al eens in de etalage gekeken omdat de schoenen er van een afstand zo aanlokkelijk uitzagen. Nu had ik een reden om naar binnen te gaan. Zonder kind weliswaar, maar met een maataanduiding en een duidelijke missie.

Daar stonden ze al. De liefste schoentjes die ik ooit was tegengekomen: zuurstokroze enkellaarsjes met een perfect ronde neus en een kanten strikje, over de wreef afgezet met uitbundig glinsterende pailletten. Ik pakte het enige paar van het rek en keek onder de zool. Maat drieëndertig. Te klein voor Pandora, dus schoot ik de verkoopster aan. 'Heb je deze ook in een grote maat vijfendertig? Of een kleine zesendertig, dat mag ook.'

'Ik zal achter kijken.'

Nagelbijtend wachtte ik op het verlossende woord terwijl ik andere schoenen bekeek. Ze haalden het niet bij de laarsjes. Die moesten er zijn. En inderdaad, de verkoopster kwam met een paar van de ultieme laarsjes in een klein vallende maat zesendertig.

'Heb je ze toevallig ook in maat veertig?' vroeg ik. Het zou een stom gezicht zijn als ik dezelfde schoenen droeg als Pandora, maar ik kon het niet nalaten er op zijn minst naar te vragen. Ik wilde ze ook. Dan zou ik ze wel bewaren voor de keren dat ik buiten de commune kwam. Of ik kocht voor Pandora een iets minder bijzonder paar. Haar kon het toch niets schelen.

'Sorry,' zei ze. 'Dit is een kinderschoenenwinkel.' En dit zijn kinderschoenen waarin een volwassen vrouw zich niet zou mogen vertonen, impliceerde haar toon. 'Wil je ze alsnog hebben?'

'Ja, natuurlijk,' zei ik, en ik voegde er voor de zekerheid aan toe: 'Ze zijn niet voor mij.'

'Dat wordt dan tweehonderd euro. Pinnen?'

Ik legde de creditcard op de toonbank, opgelucht dat ik die wel mocht gebruiken voor de aanschaf van een paar schoenen. Deze aankoop kon mijn eigen portemonnee niet aan. Ik wist wel dat deze winkel in het duurdere segment zat, maar zo duur had ik ook weer niet verwacht. Met een beetje geluk liep Pandora er een halfjaar op voor ze eruit groeide. Of zouden ze daarvoor al verslijten omdat ze er onvoorzichtig mee deed? Nou goed, ik had mijn keuze gemaakt en de commune betaalde ervoor. Verder hoefde ik me er niet druk om te maken.

Nu ik toch in de buurt was, ging ik meteen even langs bij Sebastiaan. Misschien had hij mijn startnummer voor de *ladies run* in Brussel al binnen. En misschien konden we nog een keer naar het magazijn. Als ik mazzel had, was zijn compagnon er ook. Zo gauw ik een voet over de drempel zette, stond hij voor mijn neus. 'Stella! Wat leuk je weer te zien!'

'Insgelijks.'

'Heb je iets nodig?'

'Nee, ik was toevallig in de buurt.'

'Leuk!' Zijn ogen dwaalden naar het tasje met de kinderschoenen. 'Ben jij moeder?'

'Wat? Nee! Die zijn voor een meisje in de commune. Ze had geen zin om mee te gaan, dus moest ik zelf iets uitzoeken. Ik heb de meest schattige schoentjes ooit voor haar gekocht.'

'Daar kun je je lelijk in vergissen. Mijn broer heeft twee dochtertjes en die vinden alleen de meest afzichtelijke schoenen mooi.

150

Laat maar eens even zien; ik weet wel wat die meisjes mooi vinden.'

Ik haalde de schoenen uit hun doos. 'Mooi toch?'

'Nou, ik geloof inderdaad dat jij er kijk op hebt,' zei Sebastiaan. 'Dit is precies wat die meiden zouden uitkiezen. Een felle kleur, glimmertjes, strikjes... Afschuwelijk!'

'Tja. Ik weet wat meisjes leuk vinden.'

'Je bent er tenslotte zelf een. Hoe gaat het trouwens met hardlopen? Heb je de tight al geprobeerd?'

'Ik moest wel. Het werd te koud voor een rokje.' Liever had ik het hele jaar door in mijn kekke hardlooprokje door de bossen gejogd, maar daarvoor was het in de inmiddels aangebroken herfst te koud, te nat en te winderig. 'De tight houdt mijn benen in elk geval warm.'

'Topkwaliteit,' zei Sebastiaan gewichtig. 'Daarin loop je de marathon van Moskou en je hebt het geen seconde koud.'

'Heb je ervaring?' vroeg ik, want het had me niets verbaasd.

'Bij wijze van spreken, wijsneus. Ik heb trouwens je startnummer en je chip.' Op een drafje haalde hij een envelop vanachter de toonbank. 'En ik heb een cadeautje voor je.' Hij gaf me een tasje, waaruit ik een T-shirt tevoorschijn haalde met daarop heel groot: *Speedy Stella*. 'Ik heb er zelf een met *Speedy Sebastiaan*. Leuk, hè? Je moet alleen niet in de war raken als allemaal mensen je naam roepen, want negen van de tien keer kennen ze je niet.'

'In mijn geval kennen ze me waarschijnlijk tien van de tien keer niet. Dat scheelt.'

'Neem je geen fans mee?'

'Ik heb geen fans.'

'Dan ben ik je eerste. Maar ik kan je niet aanmoedigen, want tegelijkertijd loop ik de tweeënveertig kilometer en er is helaas maar één Sebastiaan.'

'Een groot gemis voor de mensheid.'

'Heel spijtig inderdaad, maar er is niets aan te doen. Heb je trouwens al wat geregeld voor vervoer naar Brussel? Je mag met mij mee rijden, als je wilt.'

'Graag!'

'Als je hier 's ochtends rond een uur of zeven bent, pik ik je op en gaan we met z'n tweeën naar Brussel. We maken er een leuke dag van. Hardlopen is tenslotte een feestje.'

'Ik ga pas feestvieren als ik finish onder de drieëntwintig minuten,' flapte ik eruit en verbaasde mezelf evenveel als Sebastiaan. Sinds wanneer was ik zo'n enorme streber? Was onder de vijfentwintig nog niet genoeg voor een eerste keer?

Ik lachte de opmerking weg, maar nu stond mijn doel al vast. Met nog slechts een week trainen te gaan – want de laatste week voor een wedstrijd moet je rustig aan doen, wist ik – twijfelde ik echter ernstig aan de haalbaarheid hiervan.

'Stoer,' vond hij. 'Ik wist wel dat jij een fanatiekeling zou worden. Dat zag ik meteen al in je ogen.' Hij veegde een voor mijn rechteroog hangende lok weg. 'Kom, ik wil je nog iets laten zien.'

Sebastiaan draaide zich resoluut om en leidde me naar het magazijn. 'We hebben een nieuwe collectie hardlooprokjes binnen. Deze zijn met lange tights eronder. Het is hetzelfde principe als het normale rokje, maar dan voor de winter. Wat vind je ervan?'

Ik pakte een van de rokjes uit hun verpakking. Het zag er echt goed uit, een lange tight met een rokje erboven. Hierin zou ik wel kunnen rondrennen. Net als in de zomer, als een echt vrouwelijke loper. 'Ze zijn leuk!' zei ik.

'Wil je 'm hebben?'

'Graag! Stukken toffer dan die saaie tight.'

'Je krijgt 'm van me.'

'Ben jij nou een zakenman?' vroeg ik plagerig. Ik weet niet waar ik het vandaan haalde, maar ik stond het mezelf opnieuw toe met hem te flirten. En nu eens niet in het café of voor in de winkel, maar op een plek waar alleen wij samen waren, waar van alles kon gebeuren.

'Een zakenman met een hart voor mooie, hardlopende vrouwen,' zei hij, en hij kuste me opnieuw. Zijn handen verdwenen onder mijn shirtje en ik wist niet waar ik de mijne moest laten, dus legde ik ze maar op zijn kont, die geweldig gespierd aanvoelde. Ik wilde net mijn hand in zijn broek laten verdwijnen toen de deur van het magazijn openging.

'Ah, ik zie dat ik stoor,' zei Sebastiaans compagnon grijnzend. Sebastiaan kuchte. Het moment was voorbij. Ik baalde, ik baalde stevig, ik baalde zoals ik nog nooit had gebaald, tenminste niet zover ik me kon herinneren. 'Goed,' zei hij. 'Ik moet maar weer eens aan het werk.'

'Ja. Is goed.' We liepen samen zo nonchalant mogelijk terug naar voren, ik mompelde een afscheid, repte me naar het grand café, perste er zonder mijn uitgebreide koffieritueel in een halfuur mijn slechtste column ooit uit omdat ik me totaal niet kon concentreren, verstuurde die naar Hilde zonder naar de rest van mijn mailbox te kijken (hiervoor moest ik een groot beroep doen op mijn zelfbeheersing) en rende naar de stoffenwinkel om Pandora op te halen. In mijn eentje kon ik het me veroorloven te laat terug te zijn in de commune, maar met haar erbij moest ik koste wat kost op tijd zijn. Het was al heel wat dat Claire genoeg vertrouwen in mij had om haar dochter mee de hort op te nemen; dat vertrouwen mocht ik niet beschamen door het avondeten te missen.

Zoals ik had kunnen verwachten, was Pandora niet in de winkel, maar met haar nieuwe vrienden op het speelveldje te vinden. Fien wist waar het was: twee keer rechts en dan aan mijn linkerhand. Ik wandelde (rennen lukte op dit punt al niet meer, want rennen, écht rennen, was in mijn geval een wereld van verschil met hardlopen, wat meer op het ouderwetse trimmen leek) naar het veldje en riep op goed geluk: 'Pandora!'

Ze hoorde het en maakte zich los uit de groep door elkaar zwermende kinderen die naar het scheen achter een bal aan zaten.

'Moeten we weg?'

'Ja. Het is al vier uur en zoals je gemerkt hebt is de busverbinding niet zo jofel.'

'Ik denk dat ik hier nog maar een nachtje blijf,' kondigde Pandora aan op een toon alsof ik er niets tegen in kon brengen.

Maar dat kon ik wel: 'Nee.'

'Alsjeblieft! Ik vind het hier veel leuker dan daar.'

'Niks mee te maken,' zei ik, en ik constateerde hierop lichtelijk geschokt dat ik over haar moederde. Dit hele gedoe moest snel over zijn. 'We moeten nu eenmaal op tijd zijn voor het eten. Daar heb ik ook niks over te zeggen.'

Pandora gaf zich gewonnen. Ze wist dat ze hier niet tegen mij opbokste, maar tegen de commune – een kolos waaraan je je beter kon overgeven. Ramon had door wat er aan de hand was en kwam op haar af. Ik draaide mijn rug naar ze toe voor een minuutje privacy. Na het minuutje droop de jongen teleurgesteld af. Zestig seconden is te weinig als je verliefd bent. Dat snapte ik, maar ik kon ze niet meer tijd geven.

Ik haastte me met Pandora aan mijn hand richting de bushalte. Vlak voordat de bus aankwam, stonden we beiden hijgend bij de halte. Ik overhandigde de chauffeur het geld en liet me op de eerste de beste stoel zakken.

Pas na de eerste overstap had ik de puf om Pandora naar haar grote liefde te vragen. Zij had meer energie dan ik en ratelde aan een stuk door over zijn haar, zijn lach, zijn uitmuntende voetbalspel…

'Heb je hem de brief gegeven?'

'Eh…'

'Nee dus.'

'Ik durfde niet.'

'Het was toch een mooie brief?'

'Jawel. Maar veel te meisjesachtig.'

'Goed.' Ineens herinnerde ik me het tasje dat ik al de hele tijd met me mee sleepte. Meisjesachtig op en top, die schoenen. Ik maakte de doos voor haar open en liet haar zien op welke schoenen ze de komende tijd zou rondlopen.

'Oké,' zei ze.

Oké? Alleen oké? Geen gejuich, geen oerkreten, geen halleluja wat zijn ze mooi?

Gedesillusioneerd stopte ik de doos terug in het tasje en zette dat op de busvloer tussen mijn benen. Ik troostte mezelf met de gedachte dat hoewel ze er zelf weinig van onder de indruk was, Pandora er in elk geval geweldig uit zou zien met haar nieuwe laarsjes.

*

'Ga je mee hardlopen?' vroeg Michelle een week en een dag voor mijn wedstrijddebuut. We hadden elkaar een tijdlang alleen 's avonds laat gezien, voor het slapen, waardoor we slechts korte gesprekjes hadden gehad die altijd eindigden met 'welterusten'.

Ik had het matig druk met de bibliotheek, zij had het razend druk met Yvo. Tijd om hem te bespreken hadden we nog niet gevonden. Het moest dus heel nodig gebeuren, voordat zelfs Yvo's collega's meer wisten over hun relatie dan ik – een onrechtmatigheid die wellicht al geschied was.

Dat kon ik niet over mijn kant laten gaan, dus ging ik mee. Officieel mocht ik nog een dag voluit hardlopen voordat mijn rustweek inging, een week van korte, kalme loopjes en veel stretchen om me voor te bereiden op de wedstrijd.

Ik trok mijn hardlooptight-met-rokje aan, strikte mijn veters in een dubbele knoop en dronk een kwart liter water. Klaar voor de start.

Michelle kende een route die ze met Yvo had gelopen en die door de heuvels ging in plaats van het bos, wat vanzelfsprekend inhield dat het parcours een behoorlijke gradatie zwaarder was dan ik gewend was. Klimmen en weer dalen vergde het uiterste van vrijwel al mijn beenspieren. Toch ging het me goed genoeg af om gelijk op te lopen met mijn kamergenoot, wiens niveau steeds dichter bij het mijne kwam – en dat kwam niet doordat zij zo achteruitging. Na ruim twee maanden stevig lopen begon mijn training vruchten af te werpen.

'Dit wilde ik je laten zien,' zei Michelle boven op een van de heuvels. We stonden voor een zo te zien leegstaande hut. Aan de andere zijde van deze heuvel groeiden de druiven van de commune en van bovenaf was de abdij zichtbaar; hier hadden we uitzicht op een uitgestrekt landschap met in de verte de rivier.

'Wow,' bracht ik uit. 'Wat een uitzicht!'

'Een pareltje, hè? En deze hut,' ze maakte de deur open, die meteen meegaf, 'kun je naar believen gebruiken. Ooit woonde hier een schaapherder die zijn kudde liet grazen in de velden, maar hij is allang vertrokken.'

Ik liep achter haar aan naar binnen. De hut was simpel ingericht: een schommelstoel bij de haard, een versleten kleedje op de houten vloer, een tafel met twee eetstoelen, een gasfornuisje en een anderhalfpersoonsbedstee. Alles stond in één ruimte.

'Ben je hier met Yvo geweest?'

'Vorige week.' Ze keek naar de bedstee. 'Niet zo comfortabel, maar wel knus.'

'Bedoel je dat je...'

Ze glimlachte. 'Dat bedoel ik. En voor als je het je afvraagt: ik heb niks te klagen, want Yvo liet mij bovenop zitten. Dus hij ving alle klappen van het dunne matrasje op. Een echte heer.'

'En verder? Was het wat... Was hij goed?'

'Voor een eerste keer viel het me niet tegen. Hij is geen seksgod, maar zijn looks maken een heleboel goed. Als je boven op zo'n goddelijk lijf zit en zijn gezicht ziet met die woest aantrekkelijke scherpe kaaklijn die op en neer gaat op het ritme van onze lichamen... Nou, dan gaat de rest haast vanzelf.'

'Oké, oké... Ik snap het!'

'Jaloers?'

'Jaloers niet, maar ik denk dat iedere vrouw in de commune weleens met Yvo wil.'

'Jij dus ook.'

'Ja hoor. Voor een keertje. Met Sebastiaan heb ik officieel nog niks, dus ik denk dat het geen kwaad kan als ik een keertje met Yvo tussen de lakens zou duiken. Toch?'

'Ik moet je helaas teleurstellen. Hij is geen gedeeld bezit zoals de rest van de spullen in de commune. Hij is van mij.'

'Eigenheimer,' zei ik lachend. 'Maar ik gun het je van harte. Het is lang genoeg geleden dat je er een voor jou alleen had.'

En voor mij ook. Ik moest echt werk gaan maken van Sebastiaan, anders ging hij straks nog aan mijn neus voorbij. Dat kon ik niet laten gebeuren.

11

De sfeer in de stad was top. Alsof het een nationale feestdag was, zo veel mensen waren er op de been en zo'n goed humeur hadden ze. Het enige opmerkelijke verschil met een feestdag was dat de meesten zich gehuld hadden in een hardlooptenue, en niet in de nationale driekleur of een ander mij onbekend symbool van België.

Ik was al een paar uur in de stad toen mijn wedstrijd begon. Om op tijd in Antwerpen te zijn, waarvandaan ik met Sebastiaan meereed naar Brussel, moest ik al opstaan voor de kippen van stok gingen. Zonder te douchen – dat had toch geen zin als ik me daarna in het zweet ging lopen – had ik mijn tights met rokje, hardloopshirt met lange mouwen, schoenen en een vestje voor de warmte aangetrokken. Ik had van Sebastiaan een riem gekregen die met een clip op mijn buik sloot en waarin ik mijn belangrijkste bezittingen kwijt kon: mobiele telefoon, papiertje met Sebastiaans nummer, miniportemonnee met wat geld voor de bus en noodgevallen en sleutels, ook al had ik die eigenlijk niet nodig om terug in de abdij te komen. Er was altijd wel een open deur te vinden. Dat was het voordeel van een omgeving waar vrijwel niemand kwam. Het was er rustiger dan op Terschelling in de winter. En als er al iemand met sinistere intenties kwam, zou hij bedrogen uitkomen. In de commune viel bijna niks te halen.

De rit naar station Antwerpen was rustiger dan ooit geweest en ik had een extra dutje gedaan, met mijn benen gestrekt over de gehele achterste bank. De buschauffeur had er niets van gezegd. Sebastiaan haalde me met de auto op van het station. Het was totale onzin dat ik eerst naar Antwerpen reisde en vervolgens mee naar Brussel, wat vanaf de commune ongeveer even ver weg was, maar hij vond het leuk als ik meereed en ik ook en dat was voor mij reden genoeg.

'Heb je er goesting in?' had hij in de auto gevraagd.

'Jawel. Maar wel zenuwachtig.'

'Nergens voor nodig. Je hebt goed getraind, ik weet zeker dat het je lukt. En als het niet gaat binnen de tijd die jij wilt, moet je gewoon rustig aan doen. Het belangrijkste is dat je 'm uitloopt.' Hij was gestopt voor een stoplicht en had mij een kus op mijn voorhoofd gegeven. Op die plek gloeide het nu nog na.

Allereerst zwaaide ik Sebastiaan uit. Zijn marathon begon om negen uur stipt en hij stond al om kwart over acht in zijn startvak. Hij richtte zich op de pacer – een hardloper die een groep zo precies mogelijk naar een gewenste eindtijd leidt – die zou finishen in drie uur en een kwartier. Ik vond het nogal hoog gegrepen. Een vlugge rekensom leerde me dat zijn gemiddelde snelheid ruim boven mijn streven lag. En ik ging vier kilometer lopen, hij tweeënveertig. Dat betekende dat hij tweeënveertig kilometer lang harder kon rennen dan ik op welke afstand dan ook. De moed zonk me diep in de schoenen.

'Ik heb er wel iets langer voor getraind dan jij,' suste hij toen ik hem dit vertelde. 'Misschien lukt het naarmate de wedstrijd vordert een groepje omhoog te schuiven naar de drie uur rond. Vooralsnog ga ik daar niet van uit, maar het zou wel mooi zijn.'

'Alleen het uitlopen is al een ontzettende prestatie,' vond ik. Hoe langer ik erover nadacht, hoe onwerkelijker de afstand voor me werd. En de daaraan gekoppelde tijd vond ik al helemaal ongelooflijk. Van Amsterdam naar Utrecht in drie uur en een kwartier, met als enige hulpmiddel een paar meeverende hardloopschoenen. Soms deed de trein er nog langer over. Het was bovenmenselijk.

Sebastiaan leek weinig aangedaan door wat hem te wachten

stond. Hij zag er zelfs ontspannen uit. Zijn vak stroomde vol met lopers die allemaal hetzelfde doel hadden als hij. De verwantschap tussen al deze lopers was sterk voelbaar. Ze hadden stuk voor stuk jaren gewerkt om deze uitzonderlijke prestatie van hun lichaam te kunnen vragen, en nu moest het gebeuren. Dat schiep een bijzondere band tussen een groep mensen die elkaar niet eens kende. Hardlopers hadden daar sowieso een handje van. Elkaar groeten als je een ander tegenkwam tijdens het lopen was min of meer verplicht en als je bij hetzelfde bankje stond te strekken, knoopte je eigenlijk altijd een praatje aan. Ik kende deze hardloopcultuur pas net en verbaasde me daarom over de massale verbroedering.

Exact hetzelfde gold in het startvak van de *ladies run*, waar ik direct naartoe snelde nadat Sebastiaan van start was gegaan voor zijn uitputtingsslag. Het was verbroedering van een andere soort, dat wel. Ten eerste was het vanwege de uitsluiting van mannen eerder een verzustering en ten tweede waren het lang niet allemaal zo getrainde lopers als in het marathonstartvak.

De adrenaline in het startvak deed me goed, net als het feit dat ik omringd was door vrouwen die net als ik geregeld een rondje door hun buurt renden. Er waren dikke en dunne bij, grote en kleine, blanke en zwarte – dat maakte helemaal niks uit. We liepen allemaal op onze eigen manier en vandaag waren we gelijken. Bijna.

In vergelijking met de marathon van Sebastiaan was vier kilometer niets, maar ik was niet vergeten dat ik in Amsterdam al buiten adem was geweest na veertig meter achter een tram aan rennen. In vergelijking met die Stella was ik een heel eind gekomen.

Naast mij jogde een zo te zien superfit meisje op haar plaats. Ze had een hoge paardenstaart die vrolijk op en neer zwiepte, en die naar voren viel toen ze met gestrekte benen haar handen op het asfalt legde.

'Dit is vast niet jouw eerste wedstrijd,' zei ik.

'*Je parle juste une petite peu de Néerlandais,*' verontschuldigde ze zich. Het stomme is dat ik totaal niet had stilgestaan bij de mogelijkheid Walloniërs tegen te komen. Tot dusver had ik alleen con-

159

tact gehad met Vlamingen, waardoor mijn perceptie van België was dat het hele land bevolkt was met deze Nederlandssprekende bevolking. Ik wist natuurlijk best dat dit niet het geval was, ik heb een redelijke opleiding genoten, maar het was geen seconde in me opgekomen.

'*Pas de problème. C'est pas ton première match, oui?*' vroeg ik met het Frans dat van de middelbare school was blijven hangen. Ik had het lang laten liggen, maar kwam tot mijn opluchting aardig uit mijn woorden. Mijn gesprekspartner begreep me en antwoordde dat het niet haar eerste, maar wel pas haar derde wedstrijd was. Ze was een onervaren loopster, net als ik.

'Goh... Je ziet er hartstikke ervaren uit,' zei ik.

'Dank je wel. Maar dat ben ik echt niet, dus verwacht niet te veel van me. Is het jouw eerste keer in een wedstrijd?'

'Ja. Ik loop pas sinds deze zomer.'

'Dan ben je er inderdaad snel bij. Ik liep al bijna een halfjaar toen ik voor het eerst durfde.'

'Het leek me gewoon leuk om eens te proberen,' verdedigde ik mezelf. 'Ik verwacht er niks van.'

'Jij bent geen Belgische, hè? Kom je helemaal speciaal hiernaartoe voor deze loop?'

'Ik kom uit Nederland,' legde ik haar in tergend krom Frans uit, 'maar woon nu in België. Iemand die ik in Antwerpen heb leren kennen, loopt de marathon. Hij vroeg of ik het leuk vond om een wedstrijd te proberen.'

'Cool. Dit soort loopjes is erg goed voor je motivatie.'

'Dat geloof ik ook. Ik krijg meteen energie van al die hardlopers bij elkaar.'

'Ik verbaasde me er de eerste keer over hoeveel hardlopers er zijn. Bij mij in het dorp ken ik er maar vijf. Deze hordes had ik nooit verwacht.'

Ik keek om me heen en kon haar alleen gelijk geven: voor me en achter me wemelde het van de hardloopsters die stonden te popelen om de wedstrijd te rennen. Ik kreeg het warm bij de aanblik. Ik was niet alleen; ik was in het gezelschap van duizenden gelijkgestemden.

Nog warmer kreeg ik het van de vier kilometer lange zegetocht die begon na het startschot (plus tien minuten voor het op gang komen van de stoet vrouwen vóór de startlijn). Ik zat in een lekker ritme – haalde hier en daar wat loopsters in, zag er weer een paar aan mij voorbijgaan – en werd van alle kanten aangemoedigd.

De eerste toeschouwer die mijn naam riep, keek ik recht in het gezicht. Ik kende hem natuurlijk niet; hij had mijn naam op mijn shirt gezien en vond het gewoon leuk om me toe te juichen. Na een paar keer mijn naam te horen, raakte ik eraan gewend en nam de aanmoedigingskreten aan zonder moeite te doen om te zien wie ze schreeuwde. Ik kende hier toch niemand. Sebastiaan was aan het zwoegen in de marathon en verder was er niemand die naar mij zou willen kijken, wat eigenlijk best prettig was. Ik was me al zo bewust van hoe ik eruitzag, als een van de weinigen met een rokje aan, en waarschijnlijk ook een van de weinigen met zo'n enorm rooie kop.

Het tweekilometerbord kwam voor ik er erg in had en zo was ik alweer op de helft. Bij de drinkpost een paar meter verder pakte ik een bekertje water aan en manoeuvreerde de inhoud zo goed en kwaad als het ging in mijn mond, waardoor ik uiteindelijk ongeveer twee slokken binnenkreeg. Gelukkig had ik vooraf goed gedronken.

Als ik al over de helft was, kon ik ook best wat harder gaan, leek me. Ik versnelde mijn pas iets en haalde direct een aantal loopsters in. Sommigen hielden het niet vol en begonnen te wandelen, terwijl ik juist sneller kon. Ik had geen horloge om en er stonden ook geen klokken langs de weg, dus ik had geen flauw benul van mijn tijd, maar het voelde goed.

Het driekilometerpunt bereikte ik met gemak. Vanaf daar was de finish alweer dichtbij. Ik hield hetzelfde tempo erin en rende daarmee toch nog heel wat vrouwen voorbij, onder wie het meisje dat ik voor de start had gesproken.

'Hé,' hijgde ik. 'Hoe gaat het?'

'Super! Nog een klein stukje.'

Ik hield in om met haar op te lopen. Samen finishen met iemand die weliswaar onervaren was, maar toch iets meer kilometers in de benen had dan ik, vond ik mooi genoeg.

Exact tegelijk kwamen we over de finishmatten. De klok stond op vierendertig minuut nogwat. Dat betekende dat ik waarschijnlijk onder de vijfentwintig minuten had gelopen, misschien zelfs de magische drieëntwintig had gehaald, maar ik kon het pas zeker weten als mijn netto tijd door de organisatie was uitgerekend. Tot die tijd besloot ik me er niet druk om te maken.

Meteen achter de finish stonden opnieuw verzorgingsposten klaar met stukken doorgesneden sinaasappel en flesjes water. Precies waar ik behoefte aan had. Ik stopte een paar sinaasappelparten achter elkaar in mijn mond en zoog al het sap eruit.

Het Franssprekende meisje was ik alweer uit het oog verloren in de menigte, dus ging ik maar op zoek naar de uitgang en naar een plek langs de zijlijn, vanwaar ik de finish goed kon zien. Het zou nog wel even duren voor Sebastiaan daar aankwam. Hij was om negen uur begonnen en verwachtte zo rond halfeen te finishen, wat betekende dat ik nog twee uur de tijd had om er te komen. Maar met het oog op de enorme drukte in het finishgebied was dat niet eens riant te noemen.

Met het oog op die enorme drukte was de persoon die ik onderweg naar Sebastiaan tegenkwam dan ook een klein wonder. Ik botste constant tegen mensen aan en zette het woordje 'sorry' op repeat, totdat ik tegen een bekend lijf liep. Edgar.

'Wat doe jij hier?' vroeg ik. Hij was niet in hardloopkleding, dus dat kon alvast geen verklaring zijn.

'Jou aanmoedigen. Heb je me niet gezien?'

'Nee. Stond je langs de lijn dan?'

'Jazeker. Vlak naast het bord van de drie kilometer. Ik dacht dat je me daar wel zou zien. Of ten minste dat je me zou horen, want ik heb loeihard je naam geschreeuwd.'

Ik wees op mijn T-shirt. 'Iedereen riep me. En ik was rond de drie kilometer te veel in trans om naar het publiek te kijken.'

'Je ging wel als een speer,' zei hij. 'En die verbetenheid op je gezicht! Prachtig.'

'Ik zat er lekker in.'

'Het was heel mooi om te zien. Ik zou er bijna zelf van gaan hardlopen.'

'Oké,' mompelde ik. Ik wist niet meer wat ik tegen Edgar

moest zeggen, want ik snapte zijn aanwezigheid niet. We waren nota bene in Brussel. Ik had alleen Michelle en Yvo verteld dat ik aan deze *ladies run* meedeed en had 's ochtends vroeg honderd procent zeker alleen in de bus gezeten, waarna de volgende pas een uur later was gekomen.

'Ik ben je gevolgd met de jeep,' zei hij, alsof hij mijn gedachten las. 'Het spijt me dat ik zo achterbaks was, maar ik durfde je niet rechtstreeks te vragen wat je uitspookte.'

'En? Ben je nu geschokt?'

'Helemaal niet! Ik vind het stoer dat je aan een hardloopwedstrijd meedoet. Zo zie je eens wat meer van de wereld dan alleen de bossen en de heuvels rondom de commune.'

'Die zijn anders hartstikke mooi,' verdedigde ik het landschap. De commune was een geval apart, maar de omgeving was prachtig. Ik kreeg geen genoeg van het altijd verrassende bos, de weggetjes, de smalle slootjes waar ik overheen kon springen en de hoogtewisselingen in de heuvels.

'Jawel, maar Brussel is dat ook. Ik bedoel dat jouw wereldbeeld niet zo beperkt is.' Hij bloosde. 'Ik houd je al een tijdje in de gaten. Niet als een stalker of zoiets! O nee, nee. Maar je maakte me nieuwsgierig. Ik zag je in je gewone kleding en met je schoudertas weggaan. Dan kwam je een paar uur later met een grote lach op je gezicht terug, en je hield ons allemaal in het ongewisse.'

'En jij hoopte natuurlijk dat je er vandaag achter zou komen wat ik deed.'

'Ja. Maar ik vermoed dat dit niet je gewoonlijke bezigheden zijn.'

'Je hebt een verkeerde dag uitgekozen. Hoe wist je trouwens dat ik hierheen ging?'

'Dat was toeval. Ik heb vannacht slecht geslapen en rond vijf uur was ik het woelen zat, dus ging ik douchen. Daarna zag ik jou over de gang sluipen. Ik pakte snel de sleutels van de jeep en ging je achterna.'

'Heb je die niet gereserveerd?' vroeg ik geschokt.

'Nee, dus ze zullen straks wel heel boos op me zijn allemaal.' Edgar kon er alleen maar om grijnzen. 'Erg hè?'

'Je bent niet echt een heilig boontje,' stelde ik vast.

'Helaas.'

'Maar wat doet iemand zoals jij dan in de commune?' Terwijl ik dit vroeg, begon ik weer te lopen. Ik wilde wel op tijd zijn bij de finish van Sebastiaan. Edgar pakte me bij mijn schouder om me in de menigte niet te verliezen.

'Relaxen. Als je weet om te gaan met de regeltjes, is het perfect. Rustig.' Het feit dat hij naar me schreeuwde om zich verstaanbaar te maken, maakte het niet geloofwaardiger, ook al had hij gelijk.

'Te rustig,' vulde ik aan. 'Soms mis ik de drukte en de mensen en moet ik even weg.'

'Met je schoudertas.'

'Jep. Ik ga meestal naar Antwerpen. Heerlijke stad. Daar kan ik mijn batterij opladen.'

'De commune zuigt je soms leeg, hè. Al die mensen die iets van je willen...'

'Het is bijna net als een normale baan,' lachte ik.

'Inderdaad. En daarvoor was ik nu juist op de vlucht!'

Ik grinnikte. 'Ah, nu komt de aap uit de mouw.'

Edgar schudde zijn hoofd en zei er verder niets over. Ik kon blijven gissen naar zijn motieven, net als hij naar die van mij. Niemand vermoedde dat ik naar de commune was gekomen om over ze te schrijven. En dat moest ook zo blijven, want ik kreeg een steeds sterker gevoel dat het me niet in dank zou worden afgenomen. Ik wist niet of ik Edgar genoeg kon vertrouwen om hem erover te vertellen en besloot het daarom niet te doen. Het kostte me geen moeite om mijn mond erover te houden. Michelle wist ervan, dus ik had iemand met wie ik erover kon praten. Dat was voldoende.

We kwamen aan bij het finishgebied van de marathon. Het publiek stond rijendik tegen de dranghekken geduwd om een glimp op te vangen van de finishende Kenianen en Ethiopiërs in de voorhoede. Het was even over elven en dat betekende dat ze de marathon in ruim twee uur hadden gelopen. Onder luid gejoel werden ze binnengehaald door de enthousiaste menigte en de speaker die alles aan elkaar praatte.

Heel fijn, want zo kregen we er toch nog iets van mee, ook al konden we er niks van zien. 'Tenminste, totdat Edgar mij vlak boven mijn knieën beetpakte, omhoog tilde en op zijn schouders zette. Ik wilde tegenstribbelen: ik was toch veel te dik en zwaar om op iemands schouders te zitten. Maar Edgar hoorde mijn gesputter niet eens en toen zat ik al boven op hem, een ruime meter boven de menigte. Het leverde me een fantastisch uitzicht op.

Logischerwijs hield Edgar dit niet nog eens anderhalf uur vol. Hij liet me voorzichtig weer zakken en al kletsend over de significante snelheidsverschillen tussen Europeanen en Afrikanen doodden we de tijd met het grootste gemak. Edgar had een grappige manier van praten. Door het Vlaams, natuurlijk, maar ook door de vele handgebaren en gezichtsbewegingen die hij gebruikte om zijn standpunten kracht bij te zetten. Hij sleepte me helemaal mee in zijn anekdote over een van oorsprong Ethiopische collega die geloofde dat ze net zo snel was als haar landgenoten, maar zich ondertussen iedere lunchpauze te goed deed aan broodjes frikandel en geregeld naar de bakker om de hoek ging om een doos gebakjes voor het hele kantoor te halen. Een onderneming waar ze ook nog eens een halfuur over deed, dus snel was ze allicht niet.

'Wat voor werk deed je dan?' vroeg ik.

'Accountancy. Ik werkte voor een redelijk groot kantoor in Leuven.'

'Saai?'

'Nee hoor. Ik vind werken met cijfertjes plezant, maar de werktijden kwamen me de neus uit. Elke ochtend om negen uur op kantoor zitten was niks voor mij. Een tijdlang heeft mijn baas het nog geprobeerd met allerlei halve oplossingen: telewerken, later beginnen en later weer naar huis, maar het werkte niet voor mij.'

'En toen kwam je erachter dat ze bij de commune een boekhouder zochten.'

'Ook niet. Mijn buurvrouw verhuisde naar de commune. Ik hielp haar met de verhuizing en toen werd ik verliefd.'

'Op haar?'

'Nee, nee! Op de commune. De rust en ruimte... Dat was helemaal nieuw voor mij. Ik ben een echt stadsmens, maar ik raakte ervan overtuigd dat ik mijn plek had gevonden. En inderdaad – toen kwam ik erachter dat ze een boekhouder zochten.'

'Oké, klinkt logisch. Wie was die buurvrouw?'

'Zij is inmiddels alweer weg. Heel gedoe hoor, trouwens, dat vertrekken. Ze moest een hele zut geheimhoudingsclausules ondertekenen en zo. De commune neemt zichzelf in dat opzicht iets te serieus. Maar ze wilde per se weg omdat ze haar droombaan kon krijgen. Besluiteloos typetje, die buurvrouw van me.'

Ik luisterde aandachtig. Ik had niet direct plannen om de commune te verlaten want het luie leventje was een prima fase, maar ik wist vanbinnen dat ik er niet voor altijd zou blijven. Hetzelfde gold volgens mij voor Edgar. Hoe hij over de leefgemeenschap praatte, impliceerde dat hij zich aan te veel kleine dingetjes stoorde. Toch zaten we er allebei nog en dat kon wat mij betreft lang doorgaan. Tot ik wist wat ik anders wilde, kon ik net zo goed blijven. En ik wist echt niet wat ik wilde.

Wel wist ik dat het kwart over twaalf was en dat Sebastiaan elk moment kon binnenlopen. Ik wilde hem zien en toejuichen. 'Wil je me weer omhoog duwen?' vroeg ik Edgar. Hij zette me zonder morren op zijn schouders en ik tuurde in de verte of ik Sebastiaan al zag.

Na tien minuten boven op Edgar zag ik inderdaad Sebastiaan in zijn knalgele shirtje aankomen. Hij zag er vermoeid uit en zijn hele lichaam gutste van het zweet, maar hij zette het ene been voortvarend voor het andere. 'Sebastiaan! Nog maar tweehonderd meter!' schreeuwde ik, en ik zwaaide met mijn armen.

Hij zag me niet. Ik hem wel: hij verbeet de pijn en zette een eindsprint in. De klok sprong net naar de 03:26 toen hij over de finishmatten kwam. 'Yes!' riep ik naar beneden. Edgar liet me van zijn schouders af klimmen.

'Licht als een veertje,' grapte hij toen ik weer naast hem stond.

'Sarcast.'

'Maar je hebt in ieder geval je vriend zien binnenkomen.'

'Ongelooflijk hè. Tweeënveertig kilometer achter de rug en dan nog een sprint. Dan ben je een bikkel.'

'En als je bijna een kwartier iemand op je schouders hebt?'

'Ja, dan ook,' lachte ik. 'Kom, we gaan Sebastiaan opzoeken. We gaan pasta eten in wat volgens hem het beste hardlopers-restaurant van Brussel is.'

'Waarom pasta?'

'Koolhydraten. Belangrijk voor het krachtherstel en vooral gewoon lekker. Ga je mee?' Ik had het gevoel dat ik dit wel moest vragen; Edgar was niet voor niets naar Brussel gekomen. Ik kon hem nu niet wegsturen met een flauw smoesje. Dan zou hij zeker doorkrijgen hoe ver mijn leven buiten de commune ging. En dat ik wat voelde voor Sebastiaan.

'Maar ik ben geen hardloper!'

'Dat is waar,' zei ik dankbaar. 'Maar vind je het dan niet erg dat je hiervoor helemaal naar Brussel bent gekomen?'

'Nee hoor. Dat was toch mijn eigen keuze.'

Tegen dat argument kon ik gelukkig niets inbrengen. Of nou ja, het had wel gekund, maar ik wilde het ook niet écht. Deze dag was van mij en Sebastiaan en hoewel ik Edgar een toffe peer vond, paste hij niet in het plaatje dat ik er van tevoren van had geschetst. Die plaatjes waren belangrijk voor mij. Ik schetste er van elke situatie een, tot in het kleinste detail, zodat ik er altijd op terug kon vallen als ik niet wist wat te doen of te zeggen. Daarvoor was het wel van belang dat het plaatje zo veel mogelijk overeenkwam met de werkelijkheid.

'Dan zie ik je op de commune wel weer,' zei ik.

'Eet smakelijk.'

Hij klonk toch teleurgesteld. Had ik hem aan zijn jas moeten trekken? Het kon al niet meer, hij was te ver verdwenen in de menigte. Ik toetste het telefoonnummer van Sebastiaan in op mijn mobieltje en vertelde hem waar ik precies stond. Hij kende Brussel beter dan ik, binnen een kwartier was hij bij me.

'Hoe ging het?' vroeg hij.

'Supergoed. Ik denk dat ik onder de vijfentwintig minuten gefinisht ben.'

'Te gek!'

'Bij jou ging het ook lekker, dacht ik zo.'

'Ik zat in een perfect ritme. Kom mee.' Sebastiaan nam me bij mijn hand en loodste me de menigte uit. Een paar straten verder was het relatief rustig en we doken in onze hardloopkleding een restaurantje in. Hij bestelde voor ons allebei een spaghetti bolognese en een grote kan water. Echt veel honger had ik niet eens, wat goed uitkwam. Ik wilde niet dat het leek alsof ik vrat als een bouwvakker en daarom zo dik was geworden, ook al was dit niet ver bezijden de waarheid.

Onze borden werden gebracht en tijdens het eten keek Sebastiaan me constant waarderend aan. Zelfs toen ik rode vlekken op mijn wangen had van de saus die de slierten lanceerden, bleef hij lachen en flirten.

Het was zeer, zeer vleiend. Met zijn Vlaamse accent, zijn getrainde hardloperslijf, zijn zelfverzekerde uitstraling en zijn blonde krullen, die nu nog nat waren van het zweet, pakte hij me van top tot teen in.

'Zal ik je terugbrengen naar de commune?' vroeg Sebastiaan toen hij de rekening had betaald. 'Dat scheelt je veel reistijd.'

'Doe maar niet.' Het was misschien stom, maar ik wilde mijn twee werelden gescheiden houden. Dat Edgar vandaag van de ene naar de andere was gehopt, vond ik al onprettig, maar andersom zou het nog erger zijn. 'We kunnen wel eerst nog even naar jouw huis gaan,' stelde ik voor.

'Nee, echt niet. Het is daar een veel te grote bende.'

'Oké…' Blijkbaar wilde hij mij ook nog niet helemaal toelaten in zijn wereld. 'Dan mag je me gewoon afzetten bij het station.'

'Ik heb een veel beter idee.'

Hij zei niet wat het was, maar ik stemde in. Ik vond het goed. Liet me verrassen. Geen plaatje, geen schets, geen verwachtingen.

We stapten in de auto en reden een heel eind weg, ik had geen idee waarnaartoe, met de muziek hard aan. Ik liet mijn linkerhand op mijn linkerbeen rusten en als Sebastiaan niet hoefde te schakelen, legde hij de zijne erbovenop.

Na een ruim halfuur kwamen we aan bij een verlaten meertje. Er was een klein zandstrand bij aangelegd waarop Sebastiaan een handdoek uitspreidde. 'Kom zitten, schoonheid.'

Zijn vleiende praat gaf me meteen een week gevoel. Nu ging

het gebeuren. Ik en mijn hardloper, het was zover.

Hij tastte naar mijn borsten en mijn tepels werden meteen keihard van zijn aanraking en van de koude lucht die onder mijn shirtje kwam.

'Wat ben jij ontzettend heet, Stella,' fluisterde hij. 'Ik heb al vanop dag één zin in je.'

'Ik ook in jou.' Zei ik dat echt? Ik zei het echt. Zie je, ik had een plaatje moeten hebben, dan had ik het heel anders gedaan, veel subtieler, sensueler, vrouwelijker.

'Ik kan niet meer wachten,' zei hij.

'Ik ook niet.'

'Ik wil het doen.'

'Ik ook!' schreeuwde ik uit, want zijn vingers hadden hun weg naar mijn slipje al gevonden. Zonder me verder uit te kleden bracht hij me in wat een eeuwigheid leek maar waarschijnlijk niet meer was dan een minuut of vijf naar een schreeuwend hoogtepunt dat weergalmde tegen de bomen die het meer omringden. Vervolgens trok hij mijn schoenen en tight handig uit – hierin was hij natuurlijk ervaren. Ik had niet eens meer door waar ik was, ik wist alleen met wie ik was en wat een enorme geluksvogel ik was. Mijn hardloper en ik, eindelijk verenigd.

Ik wist dat ik na deze dag anders door de commune liep. Stralend, vrolijk, lachend – en dit alles drie keer zoveel als tevoren. Als ik de test die ik onlangs met Pandora had gedaan op mezelf zou loslaten, was er maar een uitkomst denkbaar: ik was verliefd, nog erger dan voor ik het met hem had gedaan, en met alle symptomen van dien. Hartkloppingen, giecheligheid, overmatige eetlust.

Waar sommigen door een stevige verliefdheid geen hap meer door hun keel krijgen, zorgen de kriebels bij mij juist voor extra zin in eten. Vooral veel eten van het foute soort – chocola en koekjes.

Nu was er in de commune normaal gesproken niet veel van dit slechte voedsel aanwezig, maar uitgerekend vandaag had de kookploeg het in zijn hoofd gehaald om chocoladekoekjes te bakken, de gevaarlijkste combinatie die er voor vrouwen als ik bestaat. Na het afsluiten van de bibliotheek rook ik meteen dat er iets gebakken was. Ik griste een stapel nog warme chocoladekoekjes van de bakplaat en stopte ze in een papieren zakje, dat ik meenam naar mijn kamer.

Languit liggend op bed genoot ik van de regen die tegen het raam tikte, de koekjes die ik een voor een naar binnen werkte en de stapel *Mariquita's* die ik had opgespaard om op een druilerige middag te lezen. Ik kende uit deze nummers alleen mijn eigen columns. De rest was gloednieuw voor me. Een vreemde gewaarwording, want ik had voorheen de nummers al twee weken voor verschijning van cover tot cover gekend. Opgemaakte pagina's van de komende edities hingen in de redactieruimte aan de muur en gaven de sfeer weer van de periode die er aankwam. Elk nummer had zijn eigen thema, niet alleen qua onderwerpen, maar ook qua kleuren, fotografie en typografie. Het was een wekelijks kunststukje.

En dat was het nog steeds, ook nu ik het niet meer van tevoren zag. Ik genoot van de artikelen en de inspirerende modereportages. Bij elke productie keek ik wie het had gemaakt en las het met extra interesse als het een van mijn betere redactievriendinnen was, zoals Nora, die altijd met de meest vernieuwende invalshoeken voor haar stukken kwam, en Desiree, die haar beautyreportages de feeërieke uitstraling wist mee te geven waar ik zo van hield. Ik wentelde me in het gevoel erbij te horen. Mijn column stond tenslotte in alle nummers die ik voor me had liggen; ik was nog steeds een radertje in het geheel.

'Wat hoor ik nu?' viel Michelle met de deur in de kamer en onderbrak daarmee mijn welverdiende tijdschriften-en-koekjespauze.

'Geen idee,' zei ik. 'Wat hoor jij nu?'

'Dat Edgar afgelopen zondag ook in Brussel was.' Ik schrok me het apelazarus. Michelle zag het en stelde me gerust: 'Hij heeft het alleen tegen mij gezegd, hoor, verder weet niemand het. Maar het verbaasde me eerlijk gezegd nogal. Hebben jullie soms iets met elkaar?'

Ik lachte opgelucht. 'Nee. We zijn alleen vrienden.'

Ze keek naar de koekkruimels op mijn bed. 'Je lijkt anders

nogal verliefd. Of wacht eens... Is het nog steeds die verkoper?'

Het bloed steeg naar mijn wangen.

'Stella... Waarom heb je me dat nog niet verteld?'

'Ik weet niet. Ik vond het lekker om het voor mezelf te houden?'

'Wat voor jezelf te houden!'

'Dat we het hebben gedaan.'

'Echt niet! Waar dan? Wanneer dan?'

'Bij een meertje. Na de hardloopwedstrijd.'

'Jij vuile slet! Wat romantisch!'

'Erg hè. En ik heb het gevoel dat iedereen het aan me kan zien,' zei ik.

'Heus niet. Mensen zijn niet zo opmerkzaam, hoor. Ik dacht dat inmiddels iedereen in de commune wel op de hoogte zou zijn van mijn relatie met Yvo. We maken er bepaald geen geheim van, zoals je weet. Maar we krijgen nog iedere dag verbaasde blikken als iemand erachter komt.'

'Nou, dat vind ik helemaal raar. Ik ken niemand die zo openlijk gek op een man kan zijn als jij. En met Yvo is het helemaal overduidelijk. Het scheelt weinig of het staat op jullie voorhoofden geschreven.'

'Dat bedoel ik. Dus geniet er in stilte van, het kan makkelijk. Als je maar nooit meer iets voor mij verzwijgt.'

'Beloofd,' zei ik, en ik vertelde haar meteen tot in detail over Sebastiaan, waardoor ik alles wat ik met hem had meegemaakt opnieuw kon beleven.

12

Ik had na het hardlopen, het etentje en de seks geen tijd meer gehad voor een column, en dus moest ik twee dagen later weer naar Antwerpen om mijn stukje te schrijven en naar Hilde te sturen – wat ik natuurlijk helemaal niet erg vond.

De stad was in luttele dagen tijd bezaaid geraakt met dorre blaadjes. Ik had het desondanks in mijn hoofd gehaald de rode sandaaltjes met opengewerkte tenen aan te doen die ik als afscheidscadeau uit het modehok van *Mariquita* had gekozen. Langswaaiende blaadjes kriebelden aan mijn tenen en ik schopte in de bijeengeveegde bergen om een bladerregen te veroorzaken. Als er meer viel, zou lopen in het bos een stuk lastiger worden. Maar voorlopig hoefde ik me geen zorgen te maken om wat er in het bos gebeurde. Ik was in de stad, mijn ware thuis.

Op dinsdag waren er in mijn schrijfcafé genoeg tafeltjes vrij. Ook mijn favoriete. Ik klapte mijn laptop open en droomde tijdens het opstarten weg bij het uitzicht en bij de speciale herfstkoffie die nieuw op de kaart stond. Er zat een vleugje kruidigheid in dat ik niet kon thuisbrengen omdat ik heel slecht ben in het onderscheiden van smaken, maar het smaakte heel warm en herfstachtig. Zodra ik hem op had, bestelde ik meteen nog een mok onder het mom van de benodigde schrijfenergie.

Ik kon alleen aan Sebastiaan denken, en af en toe een beetje aan mijn column en aan Edgar. De laatste was eerder die dag bij me in de bibliotheek geweest en had me persoonlijk uitgenodigd voor een kampvuur. Ik vond het onlogisch dat er zo laat in het jaar nog een kampvuur werd georganiseerd, maar vond het ook best een leuk idee. Vuur, wijn, gitaren en vrienden stonden in mijn beleving garant voor een topavond.

Voor ik het wist, had ik alweer een kom herfstkoffie leeg en stond er nog steeds geen letter op het scherm. Shit zeg. Ik bestelde een kop kaneelthee en beloofde mezelf dat ik voor die leeg was een column af zou hebben. Zo moeilijk was het niet. Ik had er al zo veel in een mum van tijd gemaakt; deze was niet anders.

Terwijl ik zo zat te mijmeren, meldde mijn messenger – die ik op 'offline weergeven' had ingesteld om te voorkomen dat mensen me zouden afleiden van mijn werk, alsof ik dat zelf nog niet genoeg deed – dat ik een nieuw e-mailbericht had van Hilde.

'Waar blijft je column? We zitten hier allemaal met smart te wachten!'

Ik grinnikte om haar ongeduldigheid. De officieel afgesproken deadline stond op woensdagochtend negen uur, maar mijn collega's waren er zo te lezen aan gewend geraakt dat ze hem minimaal een dag eerder kregen. Ik voelde me gevleid dat mijn verhalen op zoveel enthousiasme konden rekenen van meiden die er verstand van hadden. Ze wilden steeds meer, meer en méér, wat een geweldig teken was.

En het legde een geweldige druk op mijn schouders. Ik moest presteren. Bij hardlopen kon ik ertussenuit knijpen als het even niet lukte. Niet chic, maar het was wel mogelijk. Voor de column gold dat niet. Die moest er komen. Een lege plek in het blad was onacceptabel. Het lastige was dat ik nog altijd zo verdomd weinig meemaakte in de commune. Daarbuiten had ik intussen een heel leven opgebouwd, maar daar gingen mijn columns niet over.

Toen klikte het in mijn hoofd. Ik zou voor de verandering eens niet schrijven over de commune, maar over Antwerpen. Wat kon mij het ook schelen. En dan zou ik meteen mijn *crush* opbiechten aan iedereen die het wilde lezen. Het stukje vloog uit mijn vingers.

Ik reageerde op Hildes mailtje met: 'Hier is ie al, stuk ongeduld!' en in de bijlage het stukje. Trots op mijn doorzettingsvermogen bestelde ik geen gekruide herfstkoffie of kaneelthee, maar warme chocolademelk. Met een dot slagroom.

Met het bijgeleverde lepeltje haalde ik eerst zorgvuldig alle slagroom eraf. Er bleef telkens een laagje chocoladesmaak aan kleven en dit geheel liet ik smelten op mijn tong. Vervolgens dronk ik de kop vloeibare chocolade tot de bodem leeg en schraapte de laatste druppels eruit.

Tien minuten duurde het, hooguit, voor ik weer een pop-up kreeg dat er een mailtje binnen was van Hilde. Ik klikte er naarstig op en in een nieuw venster laadde mijn ineens veel te trage laptop haar reactie. 'Jaaaaaaaaaa!' schreef ze. 'Eindelijk! Nu wordt het pas écht smeuïg. O Stella, ik houd van je. Wij allemaal. Dikke kus van iedereen en... Houd ons op de hoogte!' Er stond een knipogende smiley achter omdat ik geen keuze had. Ik moest ze wel op de hoogte houden; daar betaalden ze me voor.

Ik wilde mezelf belonen voor het topresultaat dat ik ondanks alle afleiding behaald had, en ik wist waarmee: schoenen. Laarzen om precies te zijn, want aan mijn van thuis meegebrachte paar hing nog steeds een lichte zweem van hondenpoep, en de ritssluiting rechts wilde niet meer volledig dicht. Ik had ze nodig, ik had het geld en ik was in Antwerpen, dus de situatie was uitgelezen.

Laarzen kopen hoor je gestructureerd aan te pakken, vind ik. Volgens een plan. Anders lukt het niet. Eerste stap in mijn plan was een paar dikke sokken, en ik wist waar ik die kon krijgen. Sebastiaan. (Of gewoon bij een Wibra, Zeeman of soortgelijke winkel natuurlijk, maar dat was lang zo leuk niet.)

'Hé, Stella!' Hij kwam met open armen en breed glimlachend op me af toen ik de winkel binnenstapte. Ik kende geen andere winkelier die iedere keer zo enthousiast was over mijn komst. Dat kwam waarschijnlijk omdat hij veel meer was dan een winkelier en ik veel meer dan een klant, maar ik vond toch dat andere verkopers een voorbeeld aan hem konden nemen. 'Hoe is het?'

'Hartstikke goed. Ik heb mijn column net af en wil nu een nieuw paar schoenen.'

'Nu alweer? Je loopt pas een paar maanden op die Nikes.

Hardloopschoenen gaan lang mee, hoor. Op een gemiddeld paar kun je bijna vijftienhonderd kilometer afleggen en ik schat zo dat jij...'

'Geen hardloopschoenen,' onderbrak ik zijn uitleg. 'Sorry, maar ik lever je vandaag denk ik weinig op. Ik wil alleen een paar laarzen kopen en om die te passen heb ik goede sokken nodig. Zoals je ziet, heb ik die niet bij me.'

'O, maar daar heb ik wel wat op!' zei hij stralend. 'Kousen zijn wel handig, niet?'

Ik pakte het paar Falke-hardloopkousen van hem aan. De stof was stevig en dik genoeg om een paar kuiten tijdens de gehele Noordpoolmarathon (waarvan ik trouwens niet wist of die bestond) warm te houden. Ideaal, want ik kreeg altijd koude tenen in laarzen. Ik draaide het kaartje om en viel bijna flauw van de prijs. Twintig euro voor een paar kousen!

'Je hoeft ze niet te betalen,' stelde Sebastiaan me gerust.

'Natuurlijk wel. Jij krijgt ze ook niet gratis.'

'Bijna wel. Toe maar, neem ze mee.'

'Weet je het heel zeker?' Hij had ook al het etentje in Brussel betaald en wilde evenmin iets weten van een tegemoetkoming in de benzinekosten. Ook de tights met het rokje had ik gratis van hem gekregen. Eigenlijk vond ik zijn vrijgevigheid te ver gaan.

'Hollanders snappen het niet,' zei Sebastiaan lachend, 'maar wij Belgen geven graag iets weg als we het kunnen missen.'

'O ja, gooi het dáár maar op. En nu verwacht je van mij zeker dat ik zo gierig ben om de gratis kousen meteen aan te nemen. Nou meneer, vergeet het maar! Ik betaal het volle pond en je hebt het maar te slikken.'

'Als je erop staat...'

'Ik sta erop,' verklaarde ik met mijn armen over elkaar geslagen. Misschien had hij me nu exact waar hij me wilde hebben omdat ik eindelijk inzag hoeveel hij voor me had betaald en dat ik ook weleens iets terug kon doen. Als dat zo was, had hij het slim gespeeld, want ik wilde echt twintig euro uitgeven aan een paar kousen. Ik leek wel gek.

'Het zijn kousen van topkwaliteit,' vertelde Sebastiaan nog.

'Ongetwijfeld.'

'Doe je jaren mee. Als je het zo bekijkt, ben je goedkoop uit.'

'Mooi zo. Als rechtgeaarde Hollander houd ik van koopjes, vooral op de lange termijn.' Ik haalde mijn portemonnee uit mijn tas en haalde mijn pinpas vast door het apparaat. Sebastiaan sloeg de kousen aan. Ik toetste mijn pincode in en toen verscheen het bedrag ter goedkeuring. Acht euro. Glimlachend drukte ik op 'ja', nam het tasje met de bon aan, gaf Sebastiaan een vlugge kus op zijn lippen omdat zijn compagnon nergens te bekennen was om de volgende klant te helpen, en verliet de winkel.

Mét een redelijk goedkoop paar hardloopkousen van topkwaliteit, bedoeld om laarzen mee te passen.

Vanaf de bushalte naar de abdij testte ik mijn nieuwe laarzen in combinatie met de inderdaad heel comfortabele kousen uit op de iets langere afstand. De laarzen moesten het toch vooral van hun uiterlijk hebben. Mijn voeten slonken er voor het oog minstens anderhalve maat in (een beetje strak zaten ze dan ook wel) en het zwarte leer glansde dat het een lieve lust was. Maar het aller-, allermooiste was dat ze tot vlak onder mijn knieën reikten en toch om mijn kuiten pasten. Ze waren een klein wonder.

Op wolken liep ik door de gangen van de abdij, onderweg naar mijn kamer, waar ik ze in de vensterbank zou zetten om ze tijdens het lezen af en toe zuchtend te bewonderen. Dat verdienden ze. Het waren kunststukjes.

Neuriënd gooide ik de deur open. Het eerste wat ik zag, was een koffer op mijn bed. Mijn koffer op mijn bed. Ik snapte niet hoe die daar terecht was gekomen en waarom. Na onze aankomst hadden we onze koffers ver weggestopt onder de bedden, vastbesloten om ze daar voorlopig te laten. Michelle zat op haar eigen bed en staarde uit het raam.

'Waarom ligt mijn koffer daar?' vroeg ik. Misschien ten overvloede, want Michelle hoorde me binnenkomen en draaide zich al naar me toe om het uit te leggen. Ze opende haar mond, probeerde iets te zeggen, slaagde hier niet in en drukte haar lippen weer stijf op elkaar.

Ik pakte mijn vederlichte – want (nog?) lege – koffer op en schoof hem weer ver onder mijn bed. Had ze soms gemerkt dat ik twijfelde over mijn leven in de commune? Heel goed mogelijk, want ik wond er geen doekjes om dat bepaalde dingen me bepaald niet aanstonden. Maar dan was het nog niet aan haar om te beslissen dat ik mijn spullen moest pakken en vertrekken. Kom op zeg, het lef!

Michelle maakte geen aanstalten om me enige uitleg te geven. Schouderophalend trok ik mijn nieuwe laarzen uit, zette de pronkstukjes zoals bedacht in de vensterbank en pakte er het bibliotheekboek bij dat Edgar had teruggebracht, *Besluiteloos* van Benjamin Kunkel. Ik had het hem zelf aangeraden omdat hij een boek wilde lezen van en over een leeftijdgenoot, en deze leeftijdgenoot was naar de achterflap te oordelen al net zo'n twijfelkont als wij.

Ik was net een pagina op weg in een nieuw hoofdstuk toen mijn kamergenoot ging verzitten en haar lippen weer een minuscuul stukje vaneen gingen. Om haar tegemoet te komen, sloot ik het boek met een vinger tussen de pagina's en keek aandachtig naar haar.

'We moeten het ergens over hebben,' begon ze eindelijk.

'Zoiets vermoedde ik al.'

'Niet zo wijsneuzerig, Stel. Luister eerst gewoon even naar me.' Ik knikte, maar het kostte haar moeite om verder te gaan. Ze frunnikte aan een loshangende haarlok, ontsnapt uit haar warrige knot die met drie verschillende elastiekjes nog niet fatsoenlijk bij elkaar werd gehouden, en beet op haar pinknagel. De lok draaide tussen haar vingers tot een klit en dat was mooi voor haar, want dan had ze weer iets te doen: hem ontwarren. Alles om te voorkomen dat ze haar verhaal afmaakte. Het meest irritante van alles was dat ik haar ontwijkende gedrag doorzag, maar geduldig moest zijn. Een snauw zou haar alleen maar verder in haar zwijgzame schulp duwen.

Uiteindelijk – ik weet niet hoelang het duurde, maar het was in elk geval lang – stak ze werkelijk van wal. 'Yvo en ik hebben iets heel serieus met elkaar. Hij zei gisteren dat hij van me houdt.'

'Wauw, Michelle!' moedigde ik haar aan. 'Wat geweldig!'

'Dank je.' Ze glimlachte er flauwtjes bij. 'Maar hij zei ook nog iets anders…'

'Hij wil met je trouwen!' vulde ik enthousiast in. 'En ik word bruidsmeisje!'

'In hemelsnaam, loop nou eens niet zo hard van stapel en laat me gewoon uitpraten.'

'Goed. Ik houd mijn mond al.'

'Heel fijn. Yvo en ik willen graag gaan eh… Hokken. Hier. In deze kamer.'

'Wat?' Ik voelde het bloed uit mijn wangen wegtrekken, en ook mijn hersens kregen niet genoeg bloed toegevoerd om alle stukjes zo snel op hun plaats te leggen. Er stonden maar twee bedden in de kamer en het was absoluut onmogelijk om er drie van te maken, tenzij onze geliefde bank het veld ruimde, en dat kon ik onder geen beding toestaan. En mijn koffer stond toen ik binnenkwam op het bed. Open. 'Ik moet weg, hè?' begreep ik eindelijk.

'Laat me vooropstellen dat je helemaal niets moet,' zei Michelle. 'Het is alleen dat… Nou ja, je snapt zelf ook wel dat het geen driepersoonskamer is. En ik zie jou ook niet met mij en Yvo samenwonen. Gezien de… je weet wel.'

Ik wist het wel, ja. Ze wilde me niet confronteren met hun stomend hete liefde terwijl ik er een beetje treurig naast lag, te dromen over een man die helemaal in Antwerpen was en met wie ik het pas één keer had gedaan, iets waarop hij ook nog helemaal niet terug was gekomen, wat ik ineens heel raar en pijnlijk vond. Wat voelde ik me sneu. Gatver.

'Natuurlijk mag jij de kamer van Yvo overnemen. Hij heeft een eenpersoonskamer in de gang hierboven, met hetzelfde uitzicht als wij. Je gaat er nauwelijks op achteruit. En je doet er ons een groot plezier mee.'

'Ik ga er nauwelijks op achteruit?' Hierop kwam het bloed met volle vaart terug naar mijn hoofd en zorgde voor een roodhete woede. 'Van een gedeelde kamer met degene met wie ik al jaren samenwoon naar een zielig, afgedankt eenpersoonskamertje. Te gek hoor! Echt, ik zou nu zeker helemaal uit mijn dak moeten gaan.'

'Toe nou… Zo bedoelde ik het niet.'

'Hoe bedoelde je het dan wel? Jij wilt samenwonen met Yvo en daar geef je mij voor op, en daar moet ik je dankbaar voor zijn?'

'Ik verdwijn heus niet helemaal uit je leven. Weet je nog wat Claire op onze eerste dag zei? 'De deuren staan altijd open.' Die van ons ook. Je bent altijd welkom. Behalve als... je weet wel.'

'Ja, ja, ik weet het wel!' Ik kon het niet uitstaan dat ze ineens zo om de hete brij heen draaide terwijl ze een paar weken eerder in geuren en kleuren over haar eerste keer met Yvo had verteld. Ik trok de koffer weer onder mijn bed vandaan, haalde de grote kast open en gooide in blinde razernij al mijn kleren op een hoop. Binnen de kortste keren puilde de koffer uit. Ik stampte de boel aan en smeet er nog meer bij, maar het paste met geen mogelijkheid, want ik had mijn spullen in twee koffers én een tas mee hiernaartoe genomen, en in België had ik alleen maar meer gekocht. De nieuwe laarzen keken me vanaf de vensterbank verwijtend aan omdat ze nooit in de koffer zouden passen.

Ik probeerde juist de koffer dicht te krijgen om hem mee door de gang en naar mijn nieuwe kamer te verhuizen, toen Yvo binnenkwam en me bij mijn schouders pakte. 'Kalm maar, Stella. We doen dit samen.'

Mijn energie vloeide in een trage maar onomkeerbare beweging weg. Ik was er klaar mee. Yvo had gewoon op de gang staan posten om op het juiste moment binnen te komen en mijn plaats in te nemen. Gatver zeg, wat had ik de pest in. Hun plannetje stond vast en ik had geen enkele zeggenschap.

Op de automatische piloot gooide ik al míjn spullen op míjn bed, en Michelle en Yvo stopten ze in de koffers. Ze keken me allebei schuldbewust aan bij ieder per ongeluk ontstaan oogcontact. Maar terugkomen op hun besluit, ho maar. Het was helder dat ik wegging en dat ze daar blij mee waren.

Ze sjouwden samen mijn volle koffers naar boven. Ik liep er in een waas achteraan met mijn nieuwe laarzen in mijn handen, het laatste bezit dat ik zelf uit de kamer haalde. Het gelukkige stelletje wisselde geen woord met elkaar; dat fatsoen hadden ze nog wel.

Boven, op de gang voor de deur van mijn nieuwe kamer, stonden de ingepakte koffers van Yvo al klaar voor de grote wisseltruc.

Ik flipte. Ik schopte tegen een van de koffers aan, gooide de deur open en smeet mijn spullen klakkeloos de kamer in, waar het – alsof het nog niet erg genoeg was allemaal – vreselijk rook naar man. Een mannelijke zweetlucht vermengd met die typische muskusachtige geur en een mannelijke eau de toilette die zijn werk duidelijk niet goed genoeg deed. Ik gooide het raam wijd open voor de hoognodige frisse lucht en liet mezelf op het mannenbed vallen. Zijn geur zat overal in.

Ik wist dat ik alles moest wassen, als eerste het beddengoed, maar ik had er geen puf voor. Michelle benaderde me behoedzaam van achteren en aaide over mijn hoofd. 'Het... Ik...' Ze zuchtte. 'Sorry.'

'Ik moet goed nadenken of ik je excuses aanvaard,' zei ik bot. 'Je hoort nog van me.'

Mijn ex-kamergenoot stond op, voegde zich stilletjes bij haar Yvo en samen sloten ze mijn deur. Ik viel in de frisse lucht die van buiten kwam met mijn kleren aan in slaap, sloeg het avondeten over – miste zelfs de bel – en werd pas wakker van de ontbijtbel.

Naast mijn bed lag, op het bijzettafeltje dat Yvo als nachtkastje gebruikt had, een voorwerp dat daar de avond ervoor niet gelegen had. Ondanks mijn blinde woede had ik de kamer blijkbaar goed in me opgenomen.

Het was een elpee; die van Het Goede Doel. Er zat een post-it op. 'Mijn twijfels zijn voorbij,' had Michelle met die kenmerkende hanenpoten van haar geschreven. 'Jij hebt deze dus harder nodig dan ik. Je mag trouwens ook bij ons komen luisteren. De deur staat altijd open. Onthoud dat!'

Ze had het lief bedoeld, maar ik bleef steeds hangen op het woordje 'ons'. Michelle en Yvo waren een 'wij' geworden. Ik haatte het, ik haatte het van mijn tenen tot mijn kruin. Voorlopig hield ik het erbij de tekst van de platenhoes te lezen. Direct na die van *België* las ik de tekst van het nummer *Vriendschap*, dat op dezelfde plaat stond. Dat was pas toepasselijk. Eén keer trek je de conclusie, vriendschap is een illusie. Vriendschap is een droom, een pakketje schroot met een dun laagje chroom. Een laagje dat zonder pardon verdween als er een interessant manspersoon langskwam.

180

Ik wilde het nummer draaien en meeblèren, maar had geen behoefte om naar de kamer van mijn zogenaamde vriendin te gaan. De confrontatie met het ideale koppel dat mij uit mijn kamer had verjaagd, kon ik nog even niet aan.

Mijn enige afleiding was de bibliotheek. Ik haalde een volledige schoonmaakkit bij Bill – twee doekjes, zeem, spons, trekker, allesreiniger, schuurmiddel, stofdoek, stofzuiger, de hele rambam.

Ik pakte het gestructureerd aan. Eerst stofte ik de hele boel af, inclusief de boeken, wat op zich al een gigantische klus was. Daarna besprenkelde ik een lap met oppoetsspul voor de kasten en gaf ze weer een glansje. Vervolgens stofzuigde ik de houten vloer, het kleed en de stoelen, ook tussen de kussens. Met een heet sopje zeemde ik het enige raam van de bibliotheek tot het leek alsof er geen raam meer was. (Duurde drie keer.)

Tevreden bracht ik alle spullen terug naar de conciërge. Ik kon in principe meteen doorgaan met mijn nieuwe kamer, maar het probleem was dat ik mijn nieuwe kamer totaal onbelangrijk vond. Het was een ruimte om in te slapen en dat was dat. Dankzij de nacht luchten was de geur van Yvo alweer grotendeels verdwenen, behalve uit de lakens, en die zou de wasploeg binnenkort verschonen. Daarbij koesterde ik een onnozele hoop dat Michelle tot inkeer zou komen en mij zou terugnemen als kamergenoot. Tja.

Met een opgefrist gevoel liep ik terug naar mijn superschone bibliotheek. Het rook er naar Ajax-bloemetjes en dat was een favoriete geur, want de geur van schoon. Voor de dichte bibliotheekdeur ijsbeerde Yvo heen en weer.

'Wat doe jij hier?' vroeg ik bot.

'Ik wil een boek lenen.'

Zonder te antwoorden stak ik de antieke sleutel in het slot en draaide de bieb open. Een persoonlijke vete mocht geen reden zijn om iemand buiten te sluiten; hij had evenveel recht op de boeken als iedereen. Toch vond ik het vreemd. Yvo was geen lezer. Hij had in mijn tijd tenminste nog niets geleend.

Ik liet hem door de titels spitten, maar aan alles was te zien dat hij geen benul had van boeken. De manier waarop hij er willekeurig een tussenuit pakte, de achterflap semi-geïnteresseerd las en het boek met een uitzonderlijke onhandigheid weer terugduwde tussen zijn buren… Alles verraadde dat hij ergens anders voor kwam.

'Yvo. Je hoeft geen boek te lenen, hoor.'

Zijn hele gestel ontspande. 'Gelukkig.' Hij zette een paperback streekroman terug op de plank en maakte daarbij een vouw in de kaft. 'Het was mijn idee, weet je. Om met jou te ruilen. Ik vroeg Michelle of ze wilde samenwonen.'

'Weet ik.'

'Ze twijfelde nog of ze jou wel weg kon sturen.'

'Daar leek ze anders weinig moeite mee te hebben.'

'Dat is echt niet waar. Ze had het er heel moeilijk mee.' Yvo maakte met zijn voorvoet rondjes op de gladde, houten vloer. Echt blinkend schoon, dacht ik trots. 'Ik heb haar overgehaald. Wil je het alsjeblieft met haar uitpraten?'

'Er valt van mijn kant niks uit te praten. Zij zit fout. Laat haar naar mij toe komen, in plaats van jou te sturen.'

'Ze heeft me niet gestuurd!'

O. Nog fijner. Het kon haar nog minder schelen dan haar vriend – die had tenminste het lef om naar me toe te komen. Ik haalde een boek uit de kast, registreerde het op Yvo's naam en gaf het hem mee. 'Heb je toch nog wat te lezen.'

'Stella… Alsjeblieft!'

'Nee.' Hiermee was het afgedaan en Yvo zag het ook. Ik werkte hem de deur uit; het was alweer bijna twee uur. Het kon vast geen kwaad om de bibliotheek een kwartiertje eerder te sluiten. Ik wist namelijk wat ik met mijn nieuwe kamer ging doen. Eindelijk.

Bij de kringloopwinkel haalde ik een paar afgedankte maar prima blikken verf en een aantal kwasten op. Ik sjouwde het boeltje twee trappen op en bracht het naar de kamer, waar het raam nog steeds wagenwijd open stond. Na even weggeweest te zijn rook ik opnieuw de intense geur van Yvo. Frisse lucht was niet voldoende om die weg te werken; verflucht wel.

Ik trok een blik zwarte verf open en smeet een klodder op de muur. Met de dikste kwast veegde ik de verf uit zodat een donkere vlek ontstond. Een ander blik bevatte dieppaarse verf en daarmee maakte ik verwoed strepen van de vloer tot aan het plafond, waar ik staand op een gammel stoeltje net bij kon.

Al mijn frustraties kwamen eruit. Ik schreef Michelles naam met sierlijke, roze krulletters op de muur en maakte er met rood en oranje vlammen omheen. Het leek nergens op omdat mijn verfkunsten nergens op leken, maar het was goed genoeg voor mij om mijn woede te uiten.

De verfspetters kwamen op mijn kleding en op de vloerbedekking terecht en het kon me geen mallemoer schelen. Dit was mijn kunstwerk, mijn leven zoals het er nu uitzag. Het was prachtig in zijn lelijkheid.

Ik klom weer op het stoeltje voor het *pièce de résistence*: mijn evenbeeld, dat boven alle puinhoop uit rees en erop stampte. Niet dat het nu al zover was, maar ik moest ook iets van een toekomstbeeld verwerken in het schilderij, dat bood perspectief. In de ene hand hield ik het blik zalmkleurige verf en in de andere de kwast.

Al bij de eerste streek begon de stoel te wiebelen. Ik kon me nergens aan vastpakken, en voor ik echt doorhad wat er gebeurde, viel ik van de stoel en op de grond, waarbij de kwast in mijn gezicht terechtkwam en de verfbus uit het raam vloog.

Ik lag als verstijfd op de vloer mijn kunstwerk te bewonderen. Het duurde een paar minuten voor er iemand binnenkwam. Natuurlijk moest het uitgerekend Michelle zijn, de laatste persoon die ik op dit moment wilde zien. 'Wat is hier gebeurd?' riep ze geschrokken uit.

'Ik wilde de kamer mooi maken.'

'Mooi? Moet je jezelf zien! En die muur!'

'Vind je het niet kunstzinnig?'

'Heel kunstzinnig. Echt, wat een inspiratie.' Ze nam de kwast uit mijn handen en zette een streep op haar wang, op dezelfde plek als waar ik er in mijn val een had gekregen. 'Zie je hoe kunstig?'

'Doe niet zo dom. Ik bedoelde de kámer.'

'Ook prachtig.' Ze gaf me een hand om me overeind te helpen, die ik met een lichte weerzin aannam. Plotseling keek ze me bloedserieus aan. 'Het spijt me dat ik je zomaar uit onze kamer heb gewerkt. Ik had geen idee dat het dit...' ze trok een vies gezicht naar de bekladde muur '...in je naar boven zou halen.'

'Besef je nu hoe vreselijk je bent?'

'Best wel.'

'Was het je bedoeling om dit in me los te maken?'

'Natuurlijk niet, mafkees.'

'Waarom deed je het dan?'

'Je weet best waarom.'

'Ja. Maar ik vergeef het je niet zonder meer, hoor.' Ik keek naar de muur. 'Kunnen we hier nog iets van maken, denk je?'

'Dan moet het eerst opdrogen. En je hebt ook nieuwe spullen nodig, want alle meubels zitten onder de verf. Het is een geluk dat Yvo en ik je kleding al in de kast hadden geruimd.'

'Ja hoor, hartstikke bedankt.'

'Je hebt gelijk. Dat was wel het minste wat we konden doen na onze stommiteit.'

'Dus je geeft het toe?'

'Honderd procent. Ik vergat in mijn enthousiasme jouw gevoelens een beetje.'

Ik glimlachte. Ik wilde haar een knuffel geven om de een klein beetje herwonnen vriendschap te bezegelen, maar zag mijn kleding en hield me in. Michelle omhelsde me van achteren en legde haar zalmroze wang tegen mijn oor.

Zo stonden we een paar minuten tevreden tegen elkaar gedrukt. Het was goed. Of zo goed als het zijn kon, gezien de omstandigheden.

13

Het kampvuur was midden in een leeggegraasd weiland opgebouwd uit verdorde planten, oud blad en takken die de sterkste mannen uit het bos hadden gesleept. Het geluk van een paar droge dagen lag hoog opgestapeld en even verderop lag nog een voorraadje om het vuur laaiend te houden tot niemand er meer zin in had.

Dat kon wel even duren, want het was een ouderwets gezellig kampvuur zoals ik dat sinds het survivalkamp in de Ardennen, in de tweede klas van de middelbare school, niet meer had meegemaakt. Natuurlijk had ook de kookploeg zich goed voorbereid en een paar grote schalen vol met deegbollen gemaakt, die we aan stalen spiesen regen om boven het vuur mooi rondom goudbruin gaar te bakken. Of pikzwart en vanbinnen nog zompig. Resultaat van mijn verwoede draaien was uiteraard de onvermijdelijke pikzwarte klomp, die ik meteen maar helemaal in het vuur gooide, om vrolijk door te gaan met een marshmallow – wat gelukkig een stuk makkelijker was.

Met een stuk gesmolten spek in mijn mond zong ik luidkeels de kampvuurklassiekers mee die, begeleid door een communebewoner met een akoestische gitaar, allemaal de revue passeerden: *Kumbaya my lord*, *My bonnie is over the ocean*, *Een Nederlandse Amerikaan* (van voor naar achter, van links naar rechts, holladiee!) – de teksten waren verbazingwekkend goed blijven hangen gedurende de vijftien jaar dat ik ze niet gezongen had. Ze waren dan ook verbazingwekkend simpel.

Mijn ene arm had ik door die van Michelle gehaakt, de andere door die van Yvo. Nu onze verhuizingsstrijdbijl begraven was, namen ze mij symbolisch op in hun midden. We deinden heen en weer op de melodie. Algauw haakten meer mensen aan en was de hele toegestroomde menigte een deinende massa. Ik had het idee dat bijna de hele commune er was; het was er in elk geval druk genoeg voor. Er waren zeker tweehonderd mensen.

De enige die ik niet kon ontwaren, was Edgar. Uitgerekend degene die mij had gevraagd of ik erbij zou zijn. 'Weet jij waar Edgar is?' schreeuwde ik boven het gezang uit in Michelles oor.

'Nee!' schreeuwde ze terug. 'Hij deed vandaag weer zo geheimzinnig. Na het werk ging hij direct weg zonder te zeggen wat hij moest doen.'

'Raar.'

'Superraar,' vond ze, en ze pakte de draad van *Advocaatje ging op reis* weer op.

Ik probeerde het uit mijn hoofd te zetten en met haar en de rest van de commune mee te doen, maar het lukte me niet meer. Het was te onlogisch dat Edgar me uitnodigde voor een kampvuur om er vervolgens zelf niet te zijn. 'Ik ga hem zoeken,' schreeuwde ik tegen Michelle en ik maakte me los uit haar en Yvo's armen.

'Stella, wacht!' riep een bekende stem. Claire. Ik keek achterom. 'Ga je naar binnen?'

'Eventjes maar.'

'Oké. Wil je Pandora naar onze kamer brengen? Het is bedtijd.'

Alsof Pandora dat niet heel goed alleen kon. Het meisje was al bijna elf, *for crying out loud*. Maar goed, Claire kon het krijgen zoals ze het wilde. Ik ging toch al naar binnen.

Ik nam de zorg voor Pandora van haar moeder over en Claire pakte een plastic bekertje wijn van een van de picknicktafels. Nu haar dochter weg was, kon ze zich meteen bezatten.

'Heb jij ook zo'n vieze deeghap gegeten?' vroeg Pandora terwijl we over het verlaten terras liepen.

'De mijne verbrandde al voor hij gaar was,' lachte ik, 'dus ik heb 'm weggegooid.'

'Ze waren sowieso smerig. Dus je mist niks.'

'Ik ben blij dat te horen.'

Hierna huppelde Pandora weer een tijdje voor me uit, over trappen en door gangen, naar de kamer die ze met haar moeder deelde. Ik kwam nooit in de vleugel waar zij woonden. Het was geheel uit de richting van alles waar ik ooit moest zijn. Maar ik wist dat Edgar er ook zijn kamer had en hoopte dat ik hem zogenaamd toevallig zou tegenkomen zodat het niet leek alsof ik naar hem op zoek was. Wat hij natuurlijk niet zou geloven, tenzij ik met Pandora was, maar dat ging al niet meer lukken, want we waren bij haar kamer en ik had nog geen spoor van Edgar gezien. Ik vroeg me af wat hij uitspookte. Michelle had wel een beetje gelijk als ze zei dat hij vreemd was. Zomaar verdwijnen terwijl je belooft ergens te zijn, dat klopt gewoonweg niet.

Maar nu moest ik eerst Pandora instoppen. De kamer van haar en Claire was groot. En met groot bedoel ik enorm. Gigantisch. Het leek wel alsof de hele vleugel achter één deur schuilging. Het was niet eens meer een kamer, maar een suite. Met een halletje bij binnenkomst, vervolgens de centrale ruimte met een bank en een televisie – wat me echt verbaasde, maar ik durfde niet te vragen of ze ook kabel hadden – en aan beide kanten een slaapkamer.

Pandora nam me mee naar haar slaapkamer, trok de pyjama aan die onder haar kussen lag en poetste in hun privébadkamer (het moest echt niet gekker worden!) haar tanden. Vervolgens moest ik de ruimte verlaten omdat ze nog een plas moest. Ik wachtte zittend op haar bed tot ik haar in kon stoppen. Wat natuurlijk helemaal niet nodig was.

'Gaan we nog even lezen?' vroeg ze.

'Ik moet zo terug naar het kampvuur.' Een kwartiertje weg was niet erg, maar dat was ook wel ongeveer het maximum. Ik had beloofd dat ik er zou zijn, dan moest ik er ook zijn. Maar Pandora keek me zo smekend aan, dat ik toestemde in een hoofdstuk uit *Het wonderbaarlijke incident met de hond in de nacht*. De hoofdstukjes waren superkort en Pandora was het er niet honderd procent mee eens, maar ik hield vol: één schamel hoofdstuk, meer niet.

Voormalig kampioen snellezen Pandora deed ineens alsof ze alles heel grappig vond, de draad kwijtraakte, terug moest lezen, stotterde... Het duurde voor mijn gevoel de halve avond. In gedachten zag ik ze het kampvuur al afbreken.

Eindelijk was ze klaar. 'Goed gedaan, hoor,' zei ik afwezig toen ze het boek dichtsloeg. Voor mij kwamen de gebeurtenissen in het boek nogal uit de lucht vallen omdat ze het gewoon voor zichzelf las in plaats van met mij in de bibliotheek. Toch leek het me een grappig boekje, dat ik misschien nog zou lezen als Pandora het uit had. Maar nu had ik andere prioriteiten: zo snel mogelijk terug naar het kampvuur.

'Wanneer gaan we weer naar Antwerpen?'

'Poe. Wanneer jij het kunt regelen. Hoezo, mis je Ramon al?'

'Mwoah. Ik vind hem denk ik niet zo leuk meer.'

'Waarom wil je dan naar de stad?'

'Voor oma,' zei Pandora. 'Haar mis ik wel. Heel erg. Ze heeft me nog zoveel niet verteld. Maar het mag dus als ik het kan regelen? Bijvoorbeeld aankomende zaterdag?'

'Ja hoor. Ik ben voor.'

'Je bent érvoor, bedoel je.'

'Ja ja, kleine taalpurist. Ga nu maar lekker slapen.'

Pandora glimlachte, ik knipte het licht uit en haastte me terug naar het kampvuur. Edgar zoeken in de commune had nu geen zin meer, want ik was minstens een halfuur verder. Als hij maar niet weg was.

Al vanaf het terras zag ik dat het kampvuur onverminderd hoog oplaaide en dat de groep mensen eromheen ook nog even groot was als toen ik wegging. Ik liep naar de plek waar ik ongeveer met Yvo en Michelle had gestaan en probeerde dichter bij het vuur te komen.

Michelle zag me en greep me bij mijn arm. 'Hier staan we!' Ik draaide me om en zag dat ze ook Edgar had gevonden.

'Ik ga even wat drankjes halen. Willen jullie ook?' vroeg Yvo.

'Doe mij maar een biertje,' zei Edgar.

'In dat geval wil ik wel een rode wijn,' zei ik.

'Ja, inderdaad. Als we allemaal aan de drank gaan,' zei Michelle, 'ben ik ook wel te porren voor een glaasje wijn. Ik ga het wel even mee halen.'

'Waar was je nou?' vroeg ik Edgar.

'Ik moest nog even iets regelen.'

Ja, dus toch geheimzinnig en raar. Ik besloot er niet verder op in te gaan. Als hij het niet wilde vertellen, was dat zijn goed recht. Ik vertelde hem ook niet alles. 'Heb jij het ook zo warm? Allemachtig, die vlammen smelten me zo nog weg.'

'Anders gaan we toch een stukje lopen?' stelde hij voor. 'Volgens mij ken jij de bossen als geen ander.'

'Ja. Maar daar ga ik nu echt niet heen, hoor. Je ziet geen hand voor ogen.'

'Bang voor spoken?'

'Ik ben maar voor een ding bang,' zei ik stoer en niet geheel naar waarheid.

'En wat is dat dan?'

'Enge mannetjes.'

Edgar keek me vragend aan.

'Je weet wel. Van die mannetjes die in steegjes rondhangen, of in de bosjes, of in een geblindeerde auto op een verlaten parkeerterrein. En die dan ineens uit hun schuilplaats komen om enge dingen te doen.'

'Amai, op die manier eng dus. Ik was even bang dat je míj eng vond.'

Ik proestte er één grote schaterlach uit – zo een waarvoor ik me achteraf schaamde omdat het geluid zelf al lachwekkend was – en keek hem direct daarna weer serieus aan. 'Jij? Sorry Edgar, maar jij bent echt niet eng. Zelfs niet als je met geblindeerde auto en al in de bosjes verscholen staat.'

'Jammer. Ik houd wel van een beetje spanning. Kom je mee naar het bos?'

'Als jij me beschermt.'

Hij nam me bij de schouders en leidde me de menigte uit. Edgar torende anderhalve kop boven me uit en dat alleen al gaf me een veilig gevoel, maar tegenover een serieus eng mannetje zou hij weinig betekenen. Hij had immers geen mes of pistool op zak. Dat zou hem op zijn beurt trouwens weer eng gemaakt hebben.

Het meest opvallende was dat ik in de buurt van Edgar niet nerveus was. Ik kende mezelf als een zenuwpees wanneer het op mannen aankwam. Zelfs in de meest notoire Amsterdamse scoordiscotheken had ik me altijd onzeker gevoeld wanneer ik te dicht in de buurt van een man kwam. Ook Sebastiaan had me flink zenuwachtig gemaakt, en deed dat in feite nog steeds. Met Edgar had ik hier geen last van. Ik snapte eindelijk hoe het mogelijk was dat een vrouw een gewone vriendschap met een man aanging, en vermoedde dat dat was wat wij met elkaar hadden. Of zouden krijgen.

We liepen van het terrein af, door het dorpje waarvan ik elke straathoek al kende, naar het onheilspellend donkere bos. Het was een heldere nacht, maar door de bomen, waar de meeste verkleurde bladeren nog aan zaten, drong het maanlicht slechts op enkele punten door op de bospaden.

'Hoe loop je normaal?'

'Ik heb niet echt een vast rondje,' zei ik. 'Ik loop gewoon maar wat. Dan weer links, dan weer rechtdoor. Zo zie je nog eens wat. Uiteindelijk kom ik toch wel weer in het dorp of ergens in de heuvels uit.'

'Sterk richtinggevoel, dan.'

'Valt wel mee. Soms duurt het behoorlijk wat langer dan ik van plan ben.'

'Alleen maar gezond!' zei Edgar vrolijk. 'Maar je kent dus wel wat mooie plekjes.'

Ik voerde Edgar mee naar een open plek midden in het bos, waar de maan tussen de bomen door kwam. Hij legde zijn jas neer en ik keek verbaasd toe hoe hij uit de jaszak een volle fles wijn haalde, blijkbaar snel meegegrist toen we weggingen van het kampvuur. Ongelooflijk dat zo'n hele fles in zijn jas paste. Dat doen fabrikanten van vrouwenjassen nou nooit; flinke zakken inbouwen. Altijd van die kleine priegelzakjes waarin ik nog geen portemonnee kwijt kon, en al zeker niet de mijne, die een kleine handtas op zich was.

'Slokje?' vroeg hij nadat hij zelf een flinke teug had genomen.

Ik nam de wijnfles van hem aan en zette de hals tegen mijn lippen. Heel even dacht ik Edgars lippen te proeven, maar die smaak werd al snel verdrongen door de sterke rode wijn – de commune maakte de wijn veel sterker dan de Albert Heijn – die uit de fles stroomde. Ik was meer een wijnnipper dan een wijndrinker, waardoor ik na het doorslikken even hoestte vanwege het brandende gevoel in mijn slokdarm. Lekker.

Ik gaf de fles terug aan Edgar. Hij nam nog een paar slokken voor hij de kurk er weer in frommelde en de wijn naast zich in het gras liet rusten. Hij keek gebiologeerd naar de maan en ik luisterde naar het ruisen van de wind door de bomen.

Natuurlijk verpestte ik het door juist op dat moment iets te vragen waar ik al een tijdje mee in mijn hoofd zat: 'Michelle zegt dat je vandaag geheimzinnig deed. En je was ook al zo laat bij het kampvuur. Wat doe jij eigenlijk in je vrije tijd?' Oerstom. Ten eerste verpestte ik zijn moment, ten tweede was de vraag totaal ongepast. Het ging mij geen barst aan wat hij deed.

'Och,' reageerde hij laconiek, 'niets geheimzinnigs. Het meest zit ik in een internetcafé om te kletsen met vrienden van vroeger. Of ik ga naar een kroeg, even wat nieuwe gezichten zien. Ik krijg het soms benauwd van de commune. Het is daar zo beperkt. De mensen die je ziet, de dingen die je doet. Dat is alles.'

'Dus jij hebt daar ook last van.'

'Ja.'

'En je wist dat ik er hetzelfde over dacht, daarom ging je me achterna naar Brussel.'

'Zo is het niet helemaal. Ik kwam er die dag pas achter.'

'Oké. Maar toch. Snap jij nou waarom de commune zo gesloten moet zijn? We krijgen zelfs nooit een gast te zien. En naar de stad gaan wordt ook niet bepaald gestimuleerd. Het is dat ik excuses verzin of stiekem ga, anders was ik er vast allang op aangesproken. Het lijkt wel alsof die mensen geen behoefte hebben aan een leven.'

Edgar lachte. 'De commune ís hun leven. Ze hebben geen behoefte aan meer.'

Ik dacht aan Michelle. Sinds we in de commune waren, was ze nergens heen gegaan. Ze vermaakte zich prima met haar werk, de georganiseerde activiteiten, het omliggende land en uiteraard met Yvo. Zij had inderdaad niet meer nodig dan wat de commune haar bood. Ze was gelukkiger dan ik haar in Amsterdam ooit gezien had. Ik voelde ook iets dat in de buurt kwam van geluk, maar alleen omdat ik naast de commune een klein leven had opgebouwd in mijn column en in Antwerpen. Anders was ik allang gaan vegeteren.

'Ach, weet je,' peinsde Edgar, 'zolang niemand me tegenhoudt, vind ik het best. Een beetje tegen de regels in gaan is nog geen misdaad. Bovendien doe ik er niemand kwaad mee.'

'Je hebt gelijk. Wij kiezen voor het beste van twee werelden: aan de ene kant rust en regelmaat, aan de andere kant spanning en sensatie.'

Ik was blij dat ik in Edgar een gelijkgestemde had gevonden, zoals ik eerder al had gedacht, toen hij voor het eerst bij me in de bibliotheek kwam en toen we elkaar in Brussel tegen het lijf liepen. Nu wist ik het zeker. Met hem kon ik overal over praten.

Maar dat ik een column schreef, hield ik toch nog even voor hem achter. Niet omdat ik bang was dat hij me zou verlinken, nee, omdat ik bang was dat hij ze zou willen lezen. Ze werden door duizenden mensen gelezen, maar dat waren geen communebewoners, dat waren mensen die op een veilige afstand bleven. Edgar kwam heel dichtbij.

*

Pandora had haar moeder goed onder de duim. Als zij iets vroeg, kon Claire blijkbaar geen 'nee' verkopen. En dat was fijn, superfijn, want het gaf mij opnieuw de kans om de jeep te pakken voor de rit naar Antwerpen.

Ik maakte van de gelegenheid gebruik om meteen mijn nieuwe column te schrijven en versturen. Dat was al geen dinsdagritueel meer, maar gebeurde steeds vaker op een zaterdag, ook vanwege de reprimande die Bill me had gegeven toen hij merkte dat ik nog steeds geregeld voor de officiële sluitingstijd stopte met de bibliotheek. Ik had Pandora bij haar oma afgezet, had afscheid genomen met de belofte zo snel mogelijk terug te komen, en was meteen doorgelopen naar de winkel van Sebastiaan.

Hij begroette me zoals ik gewend was: met open armen. 'Stella! Jou heb ik lang niet gezien.'

'Druk, druk, druk,' verzuchtte ik theatraal. Totale bullshit natuurlijk. En bovendien: zo lang was het niet geleden dat ik hier kwam voor een paar hardloopkousen. Maar dat was zo kort geweest, dat het ook voor mij leek alsof ik hem sinds de marathon niet meer gezien had. En ik had hem gemist.

'Smoesjes. Hoe kun jíj het nou druk hebben.'

'In vergelijking met jou heeft niemand het druk.' Sebastiaan runde nog steeds alleen met zijn compagnon de winkel en deed zelf alle administratie omdat boekhouders volgens hem zonde van het geld waren.

'Maar zeg eens: hoe gáát het nou met je?'

Ik lachte. 'Prima hoor. En met jou? De winkel?'

'Goed, super en nog eens goed.'

'Mooi om te horen. Vooral de tweede. Toch wel een risico hè, als je zo'n winkel opent. In zo'n stad is de concurrentie moordend.'

'Ik spreek liever van collega's. We hebben het allemaal druk. De sport is in opkomst, dat wil je niet geloven. Met iedere hardloopwedstrijd die in de buurt plaatsvindt, krijg ik weer nieuwe beginners in de winkel. Het hardloopvirus is net zo besmettelijk als de griep.'

'Wat een fijne vergelijking. Ik heb geloof ik een stuk liever het hardloopvirus dan de griep.'

'Dat komt mooi uit, want hoe meer je hardloopt, hoe minder kans je hebt op griep.'

'Is dat wetenschappelijk bewezen?'

'Weet ik veel. Het heeft te maken met weerstand, dat weet iedereen.'

Ik wist niet zoveel van weerstand of überhaupt van de werkingen van het menselijk lichaam, behalve wanneer het aankwam op de verwerking van voedsel. Dat was ook meteen de meest simpele rekensom: hoe meer je eet, hoe meer je opslaat. Maar hoe dat gebeurde, hoefde je mij niet te vragen.

'Maar daar kom je niet voor, hè,' zei hij glimlachend.

'Eh… nee,' lachte ik terug, blij dat hij erover begon zodat ik het niet hoefde te doen.

'Kom even mee naar achter.' Ik deed gewillig wat hij zei. Als dit weer net zo opwindend zou worden als bij het meertje, vond ik dat geen enkel probleem. 'Ik moet het ergens met je over hebben.'

'Oké.' Ik volgde hem met bibberende benen naar het magazijntje en sloot de deur achter me.

'Volgens mij klikt het tussen ons.'

'Ja. Dat denk ik ook.'

'En daarom wil ik je een voorstel doen.'

Ging hij nu officieel verkering vragen? Ik grinnikte. 'Goed. Brand los.'

'Zie je, het zit zo. Ik eh… Ik wil je graag als minnares.'

'Als wát?'

'Minnares. Je weet wel…'

'Voor… erbij?'

'Precies,' lachte hij. 'Het zou perfect zijn. Ik blijf bij mijn vrouw en jij kunt in de commune blijven wonen, en af en toe…'

Ik liet hem niet uitpraten: 'Je vrouw? Je bent getrouwd?'

'Ja.'

'En wat vindt je vrouw hiervan?'

'We hebben een open relatie.'

'Dat is heel fijn voor jou,' zei ik resoluut, 'en voor je vrouw. Maar ik ben geen minnares.' Het woord alleen al maakte me misselijk. Ik wist niet waar ik moest kijken, wat ik moest zeggen. Ik had al gezegd wat ik zeggen moest.

Sebastiaan wist het ook niet. Wat had hij van me verwacht? Hij draaide zijn hoofd van me weg en mompelde iets.

'Wat zei je?'

'Sorry. Het was onnadenkend van me.'

'Ik ga nu.'

'Dat begrijp ik.'

Ik probeerde mijn tranen tegen te houden terwijl ik de winkel uit liep. Belgische mannen waren al niks anders dan Nederlandse. Of misschien ook wel, door het op te biechten en eerlijk te vragen of ik zijn minnares wilde zijn. Maar niet voordat hij me al een keer gepakt had. Ik voelde me smerig, gebruikt. En ik had heel hard chocola nodig.

Met een kingsize beker chocolademelk nam ik de tijd voor een column over hoe ik bedrogen was door Sebastiaan en hoe belachelijk ik het vond. Hilde had me gemaild dat het stukje waar hij in voorkwam op de redactie heel goed viel en dat ze snakten naar een vervolg, dus wie was ik dan om ze dat te ontzeggen? Niemand, en ik kon ook over niets anders schrijven. Al mijn woede kwam er via het toetsenbord uit.

Dat de nieuwe Stella, de Vlaamse Stella, ook verliefd kon worden op foute mannen, stak me enorm. Ik had gedacht dat ik het nu eindelijk voor elkaar had. Het tegendeel was waar. Ik had me weer op iets buiten mezelf gericht om mijn leven tot een succes te maken en het was weer op niets uitgelopen. Hoe durfde hij te vragen of ik een minnares wilde zijn? Ik kon het nog steeds niet geloven.

Met gemengde gevoelens, van woede en walging over de inhoud en trots over de stijl, las ik de column na een kwartiertje doelloos surfen nog eens en verstuurde hem naar de redactiechef. Schrijven kon ik tenminste nog wel. Hoe meer ervaring ik erin opdeed, hoe zekerder ik werd van mijn columnistenkwaliteiten. Wat natuurlijk grotendeels kwam door de positieve reacties. Op het forum van *Mariquita* kwamen ook veel lovende woorden. De lezers waren minder ver in de tijdlijn dan de redactie en hadden dus nog niet eens kennisgemaakt met Sebastiaan, maar waren ook over mijn andere belevenissen en de manier waarop ik die opschreef enthousiast en wilden graag weten hoe het verderging.

Na nog een warme chocolademelk met een toef slagroom pakte ik mijn spullen in en liep terug naar de winkel van Fien. Ik was blij dat ik hun sores had om die van mezelf van me af te zetten. Het kwam me goed uit dat ik zo betrokken was bij hun levens.

Bij de winkel aangekomen trof ik Pandora alleen in het keukentje, want Fien was bezig met een klant die allerlei stoffen wilde bekijken, en het liefst de exclusieve, waarvan ze alleen staaltjes in een klapper had. Ze draaide met haar ogen ten teken dat ze het goed zat was.

Pandora was ondertussen lekker aan het schrijven. Ze droeg het schriftje dat ik haar had gegeven overal bij zich en schreef wanneer ze maar kon, wat ik erg leuk vond. Ik mocht het alleen onder geen beding inzien. Heel af en toe las ze een stukje voor, maar de rest was topgeheim.

'Stella!' zei ze toen ze mij zag. 'Eindelijk ben je terug. Ik was hier nog maar een kwartier toen die klant kwam. Moet je nagaan!' Ze zuchtte luidruchtig en overdreven. 'Kom ik voor mijn oma, neemt iemand anders haar in beslag.'

'Het leven is oneerlijk.'

'Vertel mij wat. Ik zie haar al zo weinig, en dan moet het zo.'

'Jullie kunnen het echt goed met elkaar vinden, hè?' vroeg ik retorisch. Al vanaf de eerste keer waren Pandora en Fien een match. Ik wilde dat ik zo'n goede band met mijn oma had. De mijne was om eerlijk te zijn een typische zeurende bejaarde, voor wie niets goed genoeg was. Het eten in haar bejaardentehuis was om te huilen, de verpleegsters waren waardeloos, de bloemen stonden tegenwoordig ook lang niet zo lang meer als vroeger en met al dat gezeik vond ze het ook nog ongelooflijk dat haar familie maar zo weinig op bezoek kwam, en dat terwijl we allemaal zo dichtbij woonden, want wat was nu een reisje naar Zutphen als je het afzette tegen de geweldige lol die we daar altijd hadden? Nee, met mijn oma had ik helemaal niets.

Gelukkig kon het ook klikken, zoals tussen Pandora en haar oma. Ze leken veel op elkaar. De eigenschappen van Fien waren niet doorgedrongen tot Claire, maar die had ze wel weer doorgegeven aan haar dochter.

'Ja. Ik vind het alleen zo jammer dat mama niks met haar te maken wil hebben.'

'Heb je erover gepraat?' vroeg ik geschrokken. Als ze dat had gedaan, was ik enorm de sigaar. Ik mocht Pandora mee naar de stad nemen om schoenen te kopen en boeken, niet om haar naar haar oma te brengen.

'Nee. Ik kan geheimen bewaren, weet je nog? Maar ze heeft het nooit over oma, dus ik weet wel wat dat betekent.'

'Misschien valt het best mee.'

'Wat valt best mee?' vroeg Fien, die eindelijk klaar was met haar klant en meteen de espressomachine aanzette voor een energieshot na de uitputtingsslag in de winkel. Ze zag er inderdaad uitgeput uit. Ik nam me stellig voor nooit meer lastig te zijn tegen een verkoper. In hoeverre dat mogelijk was viel nog te bezien, maar het was in elk geval een heel goed voornemen.

'Dat Claire niets van je wil weten,' zei ik.

Ze lachte sinister. 'Geloof mij: dat valt niet mee. Ik heb je toch verteld hoe wij uit elkaar zijn gegaan? Dat is nu jaren geleden en ze heeft nooit meer contact met me gezocht, dus nee... Ze wil niets van me weten.'

'Maar heb jij dan wel contact met haar gezocht?'

'In het begin wel. Bij iedere toenaderingspoging liep ik tegen een muur op. Ik ben al blij genoeg dat ik Pandora nu af en toe zie, ook al is het dan buiten Claires medeweten. Zij zou het nooit goed vinden.'

'Ik heb het!' riep ik in een eurekamoment. Het enige wat eraan ontbrak, was een aanfloepend peertje boven mijn hoofd. 'Je gaat nu met ons mee terug naar de commune. Als je voor haar neus staat, kan ze je niet negeren!'

'Heus wel,' zei Fien.

Pandora vulde aan: 'Dan heeft ze wel weer een gast die iets van haar wil.'

Dit bracht me pas echt op een goed idee. Claire leefde inderdaad voor de abdijgasten. Wat zij ook nodig hadden, ze zorgde ervoor. Ik legde mijn plannetje uit aan Pandora en Fien. Langzaam vielen de puzzelstukjes bij hen op de plaats en begonnen ze te stralen, inclusief peertjes. Dit was het. Onze kans om Claire en haar moeder weer met elkaar in contact te brengen. En hopelijk, heel misschien, zou dan ook haar ex-man weer eens langskomen. Dat zou geweldig zijn voor Pandora. Maar ik moest niet te veel op de zaak vooruitlopen. Eerst maar eens zorgen dat Fien een rustgevend weekend in de abdij reserveerde.

De volgende ochtend maakte ik een lange hardlooptocht door het bos. Ik leegde mijn hoofd van de piekergedachten die zich erin hadden verzameld over Sebastiaan, over wie ik ook al heel uitgebreid met Michelle had gepraat, en mijn plannetje voor de reünie van Fien en Claire. Op de plaats van al die gedachten kwam een heleboel lucht en leegte. Hardlopen werkte voor mij meditatiever dan yoga.

Op wolken liep ik terug naar mijn kamer. Ik pakte een megafles *The Olive Branch*, mijn favoriete douchegel van Lush en een cadeautje aan mezelf, dat ik omdat het zo duur was reserveerde voor speciale momenten. Een liefdesverdrietmoment was het wel waard. Ik was bang geweest dat er in België geen Lush was, want dat was een serieus probleem geworden. Maar natuurlijk had Antwerpen gewoon een winkel waar ik mijn voorraad naar hartenlust kon bijvullen.

Ik kwam helemaal fris en geurig onder de douche vandaan. Met een handdoek om mijn natte haren gewikkeld en een slobberbroek met een spaghettitopje kwam ik terug in mijn kamer.

'Zo! Jij bent er klaar voor.' Michelle zat op mijn klapstoeltje. Om haar heen had ze een aantal verfblikken, rollers en kwasten verzameld. O ja, dat was waar ook: we zouden mijn muur weer mooi maken. Ik was gewend geraakt aan de bekladde muur met hatelijke leuzen en enge schilderingen, maar het kunstwerk was geen blijvertje, dat snapte ik heus.

'Nou…' begon ik, want ik voelde me iets te schoon en te sikkeneurig voor een verfklus. 'Ik…'

'Laten we aan de slag gaan! Er is genoeg te doen. Bovendien helpt het je om je gedachten te verzetten.' Ze stond op en begon te trekken aan het bed dat tegen de muur stond. Ik wist dat er niets anders op zat en sjorde met haar mee. Vervolgens keek ze van een afstandje naar de muur en visualiseerde de mogelijkheden. 'Ik denk dat we voor een stippenpatroon moeten gaan,' concludeerde ze. 'Je hebt genoeg stukken wit gelaten, dus die hoeven we niet te doen. Van de rest maken we in grootte variërende stippen in allerlei kleurtjes. Hoe vind je die?'

'Lijkt me goed!' Ik zag precies voor me hoe ze het bedoelde. Een vrolijke verzameling polkadots, alleen dat woord vond ik al leuk. Ik pakte een rol schilderstape en maakte de omtrek voor een van de grotere stippen op een plek waar ik helemaal los was

198

gegaan met mijn in verf omgezette emoties. Voor deze grootste cirkel koos ik een appelgroene verfbus, die ik open wipte met een schroevendraaier. De vrolijke verfkleur straalde me tegemoet en ik vergat op slag dat ik me net had gedoucht. Dan nog maar een keer.

Met zijn tweeën veranderden we de wand van een klaagmuur in een vrolijke, oppeppende schildering. Het deed me goed om zo met mijn handen bezig te zijn. We gebruikten fuchsiaroze, hemelblauw, pimpelpaars, zonnig geel, warm rood en natuurlijk mijn favoriet appeltjesgroen. Voorzichtig, zodat de verf niet opnieuw de hele kamer zou onderspatten, schilderden we de cirkelomtrekken netjes binnen de lijntjes vol.

Ik legde de laatste hand aan een zonnig gele cirkel, maakte de verfbus dicht, legde de kwast op een plastic plateautje en ging naast Michelle op mijn bed zitten. De handdoek zat nog steeds om mijn haar gewikkeld. Ik haalde hem eraf en schudde mijn lokken naar achteren los.

'Mooi geworden,' zei Michelle.

'Vind ik ook.' Het zag er fijn uit. Simpel, maar toch creatief. 'Dank je.'

'Niks te danken. Het was mijn schuld dat het een zootje was.'

'Welnee. Ik reageerde nogal overdreven. Je had alle recht om met Yvo samen te willen wonen. Alleen ik trok het slecht. Nou ja, dat heb je wel gemerkt,' lachte ik. 'Maar dat is allemaal voorbij. Hoe gaat het trouwens nu je samenwoont?'

'O, super. Ik heb er geen ander woord voor. Het is zo lekker om 's avonds niet alleen in bed te liggen en om 's ochtends wakker te worden naast degene op wie je verliefd bent. Yvo is… ultiem. En de seks is onweerstaanbaar.'

'Stop, stop! Ik heb genoeg gehoord.'

'Weet je waar ik trek in heb?' vroeg Michelle.

'Chocola?' Ik had zelf zin in chocola, alwéér, voor de zoveelste keer sinds het woord 'minnares' gevallen was, zo vaak al dat ik vreesde dat die twee een dusdanig sterk oorzaak-gevolgverband hadden gevormd in mijn gedachten dat ik er nooit meer van af zou komen, er altijd zin in zou hebben als ik terugdacht aan de impertinente vraag van Sebastiaan. Vandaar dat ik gokte dat

Michelle er ook zin in had. Maar zij was niet als minnares gevraagd.

'Hmm. Ook lekker, maar nee. Ik snak naar een jointje.'

Mijn mond viel open. Ik had Michelle nog nooit over wiet gehoord. 'Rook jij die dan?'

'Sinds een paar weken. Je mag het niemand vertellen, hoor, maar Yvo en zijn collega's hebben een minikwekerij. Ze verbouwen een paar plantjes. Puur voor eigen gebruik. Ik mag ook meedoen omdat ik zijn vriendin ben. Mij vertrouwen ze nu wel.'

Dus toch! Precies waar ik voor mijn vertrek bang voor was geweest – een commune vol nietsnutten die hun eigen wiet kweken en zo stoned als een garnaal op het veld staan. Nou ja, zo erg was het waarschijnlijk ook weer niet en ook lang niet alle leden waren erbij betrokken, maar ik was toch een beetje geschokt, of op z'n minst verbaasd.

'Jou vertrouwen ze vast ook wel,' zei Michelle. 'Zullen we Yvo vragen of hij er een voor ons draait?'

Ik had absoluut niks met verdovende middelen, behalve af en toe een glaasje wijn, maar ik was best benieuwd. Als Michelle het lekker vond, waarom zou ik dan weigeren? 'Oké,' zei ik. 'Laten we dat doen.'

'Niks engs aan, hoor. Gewoon een sigaret met wat extra's.'

Gewoon een sigaret? Het was meer dan een jaar geleden dat ik voor het laatst een gelegenheidssigaret had gerookt op een feestje, en het was nog langer geleden dat ik de rook had geïnhaleerd. Ik wist niet of ik dat überhaupt nog kon.

Michelle nam me mee naar onze oude kamer, waar haar eigen *man with the child in his eyes* luisterde naar de plaat van Kate Bush. Ze had hem blijkbaar ook al aangestoken met haar fanatisme voor die zangeres. Als Michelle ergens enthousiast over was, was het moeilijk om dat niet over te nemen. Je geloofde haar meteen als ze zei hoe geweldig het was. Het maakte niet uit of het ging over een nieuw paar schoenen of over wiet.

'Stella en ik willen een jointje,' deelde ze mee. 'Heb je nog wat?'

'In het schuurtje.' Yvo stond zonder verder iets te zeggen op, zette de platenspeler uit en nam ons mee naar de voorraadschuur van de landbewerkers. Onderweg legde Michelle me uit dat de geur van wiet in de commune te veel zou opvallen en dat ze daarom in het schuurtje rookten, waar behalve Yvo en zijn collega's nooit iemand kwam.

Op een van de planken stond tussen de gereedschapskisten een oud sigarenkistje. Ik kende dit soort kistjes van een aan wiet verslaafde studiegenoot die in de pauze altijd joints zat te draaien. Hij bewaarde er zijn zakjes wiet en vloei in, samen met een pakje tabak om het geheel af te maken. Blijkbaar zijn sigarenkistjes de standaard voor een jointkit, bedacht ik, en ik voelde me bijna ingewijd.

'Heb je al eens gerookt?' vroeg Yvo.

'Nee. Geen joint tenminste.'

'Een groentje, leuk!' Hij demonstreerde stap voor stap hoe hij een joint in elkaar draaide. 'Ik stop in die van jou wat minder dan gewoon, om te wennen.'

Dankbaar voor zijn bedachtzaamheid nam ik het resultaat van hem aan en wachtte tot ook de andere twee joints klaar waren. Ik was op van de zenuwen. Het liefst was ik weggelopen en had mijn joint aan Michelle gegeven, maar de vlam stond al aan het uiteinde.

Ik inhaleerde de rook en kuchte toen die op mijn longen sloeg. Rustig nam ik toen ik uitgekucht was nog een hijs. En nog een, en nog een, en nog een, net zo lang tot de joint op was. Ik hoopte dat het me vrolijk en lacherig zou maken, maar dat gebeurde niet. Wel voelde ik mijn hele lijf ontspannen. Het leek net alsof er in mijn hele leven niets meer was waar ik me zorgen over hoefde te maken. De dingen die er waren, waren er, maar ik deed er niks mee. Het stak niet. Ik hoefde geen chocola meer.

Michelle en Yvo waren plotseling de meest prachtige wezens die ik ooit had gezien en ook de oude schuur leek mooier. 'Wauw,' was het enige wat ik kon zeggen.

'Ja, hè?'

'Echt wel.'

Dit was veel meer te gek dan ik had gedacht. En helemaal niet hippieachtig of nietsnutterig.

14

De laatste avond van oktober onweerde en stormde het onophoudelijk. Op de planning van het commune-animatieteam stond een boswandeling, maar die ging vanwege de weersomstandigheden niet door. Ik vermaakte me op mijn kamer met een dik boek, een thermoskan bosvruchtenthee en een schaal biscuitjes, waarvan ik er schandalig veel opat, wat ook veel te makkelijk ging met die koekjes.

Ik had mijn luie stoel – van Yvo overgenomen – bij het raam staan. Bij iedere flits en daaropvolgende donderslag keek ik op uit mijn boek. Het onweer maakte me er bewust van hoe klein, hoe nietig ik was. Zo veel natuurgeweld tegenover zo weinig ik. Tegelijk fascineerde het me, op een prettige manier, omdat ik wist dat me niet echt iets kon gebeuren.

Midden in een hemeltergende donder voelde ik plotseling een hand op mijn schouder. Heel even bleef ik als verstijfd zitten, daarna schreeuwde ik het uit van schrik. Ik kon niet meer ophouden. Ik zag niks, voelde niks, hoorde niks. Alleen mijn eigen schreeuwen, dat door merg en been ging, drong nog tot me door.

'Stella, rustig!' hoorde ik uiteindelijk roepen. Ik voelde weer dat ik ademde en kalmeerde wat. 'Sorry dat ik je zo liet schrikken,' zei de man, die ik vaag herkende als Edgar. Hij had zijn gezicht geschminkt met littekens en bloedspetters en droeg een gescheurd net pak.

'Wil je me nooit meer zo besluipen!'

'Ik wilde bewijzen dat ik ook eng kon zijn. Ter gelegenheid van Halloween, snap je.'

Het drong tot me door wat hij deed. Ik had gezegd dat hij geen eng mannetje was en hij wilde het tegendeel bewijzen. Nou, daar was hij in geslaagd. Hij was enger dan de engste mannetjes uit mijn angstdromen. 'Gelukt,' hijgde ik.

'Overtuigend, hè?'

'Ja, je hebt me overtuigd. Voor eens en altijd!'

Edgar lachte me toe met zijn neptanden. 'Er is vanavond geen entertainment. Wat denk je: zullen wij onze medebewoners eens vermaken? Ik heb voor jou ook een verkleedoutfit. Doen we een rondje *trick or treat*.'

'Leuk!' Ik maakte de tas open die Edgar bij zich had. Mijn vermomming was de bruid van Frankenstein. Een typische Halloweenoutfit, wist ik dankzij de Amerikaanse films waar ik het feest uit kende. 'Draai je om,' zei ik tegen Edgar en trok de afschuwelijk lelijke bruidsjurk aan. Het was niet eens een bruidsjurk, maar een vaalwit vod dat ik al eens in de kringloopwinkel had zien hangen. Vervolgens deed ik de neptanden in en staken we samen mijn haar zo piekerig mogelijk op. Het leek nergens op en dat was dus precies goed. Edgar had geen schmink voor mij, maar ik had wel een zwarte eyeliner die ik superdik aanzette rond mijn ogen én mijn lippen. Ik zag er afschrikwekkend uit.

'Ik vond je altijd zo leuk om te zien,' lachte Edgar. 'Maar nu…'

'Jij…!'

'Kom, we gaan mensen schrik aanjagen,' zei hij met een grimmig Vlaams accent. Hij zag er zelf ook angstaanjagend uit. Het was de eerste keer dat ik iets aan Halloween deed. De grote verkleedpartij van Nederland was en bleef carnaval, waar ik ook eens met een groepje voor naar Oeteldonk was gegaan. Het was niet aan mij besteed, gek doen om het gek doen. In combinatie met mijn afkeer van Nederlandstalige hoempapa was het een eersteklas fiasco geworden. Ik concludeerde na die ene ervaring dat je van beneden de rivieren moest komen om echt te genieten van carnavallen en met die conclusie was ik heel tevreden.

'Wie doen we als eerste?' vroeg ik.

'Rolf. Hij vindt het zeker en vast grappig.'

Ik liep achter Edgar aan naar een andere vleugel, dezelfde als waarin Edgar zelf een kamer had. Hij hield zijn wijsvinger voor zijn mond toen we er bijna waren. 'Stil nu, ik klop op zijn deur.'

Rolf deed open en schoot meteen in de lach om zijn collega. *'Trick or treat!'* riep ik.

'Wacht even, volgens mij heb ik nog wel wat chocola voor jullie.' Hij doorzocht een laatje en toverde een grote reep huisgemaakte hazelnotenchocolade tevoorschijn. 'Kijk zelf maar hoe je die opdeelt.'

Lachend liepen we verder door de gang. Geen slechte oogst voor de eerste deur. Alles in de commune was gezamenlijk eigendom, dus we hadden het ook uit een voorraadkast kunnen pakken, maar dat maakte de lol er niet minder om.

Bij de volgende deur kregen we een megazak in de oven gebakken chips, bij weer een ander twee appels en voor Bill, die niks in huis had, verzon Edgar ter plekke een onheilsdans als *trick* om hem te bestraffen. Hij maakte indianengeluiden en deed een rondedans over de gang voor Bills kamerdeur. De conciërge en ik lagen in een deuk, maar Edgar bleef er uiterst serieus onder.

'Waar zijn jullie mee bezig?' Claire kwam uit de deur ernaast, die ik pas op dat moment als de hare herkende, en ze was duidelijk niet geamuseerd. 'Pandora ligt te slapen en ik wil zelf ook wel wat nachtrust. En wat is de bedoeling van die rare pakken?'

'We vieren Halloween,' zei Edgar.

'Ga dat dan maar ergens anders doen.'

'Toe nou Claire, niet zo flauw,' probeerde Bill nog, maar het had geen effect. Ze keek onverminderd boos en hield dat net zo lang vol tot we uit haar gezichtsveld verdwenen waren.

'Wat een heks,' fluisterde ik. 'Ze had beter mee kunnen doen.'

'Het is haar levensdoel mensen in hun pleziertjes te beknotten.'

'Echt, hè? Wat een mens. Ongelooflijk.'

'Ach, we hebben onze lol gehad! Ik in elk geval wel. En de buit is niet mis.'

'Als je maar weet dat die reep chocola van mij is.'

'En de chips van mij,' eiste Edgar. 'Ik ben gek op ovenchips.'

'Afgesproken. Nu ben ik hard toe aan een douche, want die make-up geeft enorm af. Ik denk dat jij je ook wel even wilt wassen,' zei ik met het oog op de rode en zwarte strepen op zijn gezicht. De schmink was al wat uitgelopen.

'Waarom hier douchen als het buiten een grote douche is? Kom mee.'

Voor ik kon tegenstribbelen dat ik er niet zo happig op was om buiten te zijn terwijl het onweerde en dat ik de regen te koud vond voor een douche op de koude laatste avond van oktober, trok Edgar me al mee naar buiten. Het flitste en donderde nog harder dan eerder die avond, en losse regendruppels waren al niet meer te onderscheiden: het was een stortvloed.

'Dit is toch genieten!' schreeuwde Edgar, en hij trok zijn pak uit. In zijn boxershort danste hij over het verlaten terras. Het zag er inderdaad heel lekker uit.

Ik wist niet wat er gebeurde en hoe, maar mijn remmen gingen los. De doorweekte bruidsjurk belandde op de koude grond en ik schopte de knellende pumps een eind weg, waar ik ze neer hoorde komen met een doffe plons.

Edgar rende het trappetje af en het grasveld op. Ik rende hem achterna. De natte grassprieten piepten onder mijn blote voeten. Een flits verlichtte het hele grasveld en even later kwam de schreeuw van de donder over ons heen. Met een uitgetrokken sok maakte Edgar zijn gezicht schoon, zijn andere sok gaf hij aan mij. Ik wreef de witte sok langs mijn ogen en mond en zag in het flitslicht de zwarte vlekken die erop kwamen. Douchen en dansen in de regen. Ik was er nooit uit mezelf op gekomen, maar ik voelde me heerlijk.

Het was een wonder dat ik niet ziek werd van deze avond. Goddank niet, want ik moest de dag erna naar Antwerpen. Ik was met mijn gedachten niet bij de column die ik in de haast schreef over de onweerdouche; ik dacht alleen aan ons plannetje. Fien had voor de komende nacht haar buurvrouw naar Claire laten bellen om een kamer te reserveren. Ze stond nu op de gastenlijst onder een schuilnaam en werd later vandaag verwacht. Haar chocolaatje lag waarschijnlijk al klaar.

Ik verstuurde de column – waarover ik uiteindelijk toch rede-lijk tevreden was, al was het bij lange na niet mijn beste – naar Hilde en klapte mijn laptop resoluut dicht. Fien wachtte op me. Ik besteedde geen aandacht aan de etalages die ik op weg naar haar winkel tegenkwam en stopte ook niet voor het rode licht. (Hiervoor kreeg ik een standje van een netjes wachtend manne-tje met een wandelstok – waaraan ik ook geen noemenswaardige aandacht besteedde.)

'Ben je er klaar voor?' schalde ik bij binnenkomst door de win-kel. Fien hoefde geen antwoord te geven: ze zat in haar keuken-tje nagels te bijten met een ingepakte koffer op tafel. Ze was er praktisch klaar voor, maar emotioneel zou ze het nooit worden. Ik kon me niet voorstellen hoe het was om je dochter weer te zien na negen contactloze jaren. Het leek me doodeng.

En dat gold ook voor Fien. Ze pakte haar koffer, sloot de win-kel af, liet het rolluik ervoor zakken en liep met lood in haar schoenen mee naar het station. Zin om geld te besparen met een lange busreis vond Fien niks, dus betaalde zij voor de trein. Ik had helaas geen beslag kunnen leggen op de jeep omdat ik 'geen plausibele reden' had voor mijn tripje naar de stad. Ze moesten eens weten hoe plausibel het was.

Ik voelde me een beetje Caroline Tensen in *Het spijt me*, of beter nog, Robert ten Brink in *All you need is love*, nu ik moeder en dochter met elkaar herenigde. Op dit punt had ik een traan-tje weg moeten pinken. In plaats daarvan rende ik naar de bijna wegrijdende trein en zwaaide verwoed met mijn armen om de conducteur op onze komst te attenderen.

Hij gaf een seintje dat hij de deuren openhield. Ik rende terug, nam Fiens koffer van haar over en sleepte het bakbeest naar binnen. Wat had ze allemaal bij zich? Wat het ook was, het woog tonnen. Voor één nacht. Ik bedoel maar: ook oude vrouwen heb-ben een uitgebreide keuze nodig.

Tijdens de hele reis beet ze non-stop op haar nagels. Het ver-baasde me dat er nog iets van over was nadat ze ook in de winkel al flink had gekloven. Of ging ze nu in één moeite door met de velletjes?

'Fien… Gaat het?'

'Nee!' Ze zuchtte. 'Ik ben doodnerveus. Dóódnerveus.'

Ik nam haar hand in de mijne en aaide erover. De dikke aders voelden akelig onder haar dunne huid. Ik verbeet mijn schrik over hoe oud ze was en glimlachte naar haar. Ze was een lieve oma. En een goedbedoelende moeder, door haar gedrocht van een dochter in de steek gelaten om een veel te lang geleden ruzie. Dat kon zo niet meer. We deden wat we moesten doen.

De treinreis naar de commune leek langer dan gewoonlijk. Fien zei niets en ik vond het onfatsoenlijk om te lezen, zoals ik normaal deed, waardoor we alleen wat uit het raam staarden. Uiteindelijk kwamen we aan op het dichtstbijzijnde treinstation en namen de bus naar het dorpje beneden aan de heuvel. Vanaf daar liepen we naar de abdij. Anders dan haar handen waren Fiens benen niet die van een oude vrouw, en met haar conditie was ook niets mis. Ik weet niet hoe oud ze was, maar ze was zeker niet ouder dan zeventig. Misschien nog niet eens een bejaarde.

Ik nam haar door de hoofdingang mee naar de gastenvleugel. Voor de deur van Claires kantoor vroeg ik: 'Wil jij het doen? Zal ik weggaan?'

Fien was wit weggetrokken. 'N…nee, nee. Doe jij het maar.'

Na een paar keer diep adem-in-adem-uit had ik de moed. Ik klopte op de deur. We waren stipt op tijd: in het reserveringen-boek stond drie uur 's middags en het was een minuut voor drie. Claire kon nergens anders zijn dan op haar kantoor. Daar stond de afspraak, niet bij de bushalte of bij de poort, waar ze de gasten meestal opving. Zo hielden wij de touwtjes in handen. Ze kon er niet meer onderuit: ze zou nu oog in oog komen met haar moeder. En die moeder was een gast, dus ze kon haar de kamer niet weigeren. De commune inkomsten laten mislopen, was voor Claire ondenkbaar.

'Binnen!'

Ik opende de deur op een kiertje en stak mijn hoofd ertussen. 'Er is een gast voor je.'

'Mevrouw Meijer?'

'Eh…' Ik keek even achterom en Fien knikte. 'Ja. Dat is haar.'

Claire stond op om haar gast met een hartelijke glimlach en een welkomstpakket te begroeten, zoals het hoorde.

'Momentje nog,' zei ik. Nogmaals keek ik Fien aan. Mijn ogen vroegen – tenminste, dat probeerden ze – of het in orde was. Of ze er echt, zeker weten, nu klaar voor was. Het was het laatste moment waarop ze nog heel hard weg kon rennen. Ik gaf haar die kans. Maar ze deed het niet. Dit was het. 'Ja, kom maar.'

De deur zwaaide open en na negen jaar stond Claire oog in oog met haar moeder. Ik stond als een zoutpilaar tussen hen in en deed voorzichtig een paar stappen achteruit, voor ik verteerd zou worden door de hoogspanning die van beide vrouwen af ketste.

'Mama.' Het klonk... Niet oké. Ik kon er niks anders van maken. Geen *Het spijt me*, al helemaal geen *All you need is love*. De manier waarop Claire haar moeder aansprak, was materiaal voor een drama, om nog maar te zwijgen van hoe ze keek. 'Wat doe jij hier?'

'Ik wil met je praten. Het is zo lang geleden, lieve Claire...'

'Wat mij betreft niet lang genoeg.'

'De ruzie,' hielp ik. 'Lang geleden. Strijdbijl begraven.'

'Waar bemoei jij je in vredesnaam mee?' schreeuwde Claire. 'Wat weet jij van onze ruzie? Wat weet jij van mij en van ons? Helemaal niks, verdomme! En jij ook niet, mam. Ik heb je zo veel tijd gegeven, maar je wilt het niet begrijpen. Na al die jaren nog steeds niet. Hoe kun je nu partij kiezen voor de ex van je dochter? Dat doe je gewoonweg niet!'

'Dat deed ik ook niet...' begon Fien.

'Jawel, dat deed je wel! En ik wil dat je nu uit mijn ogen verdwijnt, want je hebt blijkbaar nog geen millimeter begrip van de hele kwestie gekweekt. Ga weg! Je hoort hier niet! Dit is mijn territorium. Weg!'

Was Fien eerder wit weggetrokken, nu werd ze doorzichtig. Ze wist niets meer uit te brengen, draaide zich om en vluchtte naar de uitgang. 'Bitch,' siste ik tegen Claire voor ik Fien achterna rende. Die ging als een speer de poort uit, van de heuvel af en terug naar de bushalte. Pas daar aangekomen stopte ze om uit te hijgen. De tranen stroomden over haar wangen. Haar ogen waren rood en haar gezicht grauw.

'Het spijt me zo dat het zo moest gaan,' zei ik.

'Jij kon er niets aan doen.'

'Ik hoopte dat Claire na al die tijd inzag dat ze fout zat.'

'Je had mij bijna overtuigd dat het kon.' Fien glimlachte door haar tranen heen. 'Maar ik moet de waarheid onder ogen zien: mijn dochter haat mij omdat ze zichzelf haat. Als ze ooit vrede met haar verleden heeft, komt ze hopelijk naar mij toe. Tot die tijd kan ik niks doen.'

'Wat vreselijk.'

'Ik weet het.' Ze haalde een roze zakdoekje uit haar handtas en veegde haar tranen ermee weg. 'Hartstikke bedankt dat je het met ons wilde proberen. Het doet me goed.'

'Geen dank. Ik wou echt dat het beter was afgelopen.'

'Het geeft niet. Als je me maar een ding belooft: breng Pandora nog eens naar me toe. Ik kan haar niet meer missen.'

'Dat beloof ik,' zei ik, maar ik betwijfelde of het me zou lukken. Nu Claire wist van mijn contact met haar moeder, was de optelsom snel gemaakt dat ook Pandora haar oma kende. Dat zou het smoesjes verzinnen een stuk moeilijker maken. Onmogelijk, zelfs.

Er kwam een bus aan. 'Zal ik je thuisbrengen?'

'Ik wil liever even alleen zijn.'

'Goed. Ik kom sowieso bij je langs voor de *Mariquita*'s, hopelijk samen met Pandora. Ik doe echt mijn best voor je.' Maar als mijn ideeën daarvoor net zo waardeloos waren als dit sukkelplan, gaf ik ze weinig kans.

'Je bent een schat.'

'Mevrouwtje, komt u nog binnen? Ik heb een schema!' baste de buschauffeur. Die waren in België helaas al even onbeschoft als in Amsterdam. Fien betaalde hem voor de rit en ging in de bijna lege bus zitten. Ik had het echt met haar te doen.

En Claire? Haar vond ik een enorme trut. Zeker en vast.

*

Na de televisieonwaardige hereniging tussen Fien en Claire keek de laatste mij niet meer aan. Ik was lucht voor haar. Dat was het enige wat ze in het voorbijgaan tegen me zei: 'Jij bent lucht voor mij.' Eén keer, daarna zei ze niets meer. De boodschap was duidelijk. Het voordeel was dat ik had besloten dat ik haar niet mocht, waardoor haar houding me worst was. Lastiger was dat ze Pandora verbood contact met mij te hebben. Het meisje werd bij de bieb weggehouden en tijdens het diner zat ze aan een andere tafel om de kans dat wij elkaar zagen zo klein mogelijk te maken.

Ik kon er op zich mee leven, op twee punten na: 1) ze zou haar oma nooit meer zien en 2) waar haalde ze haar boeken vandaan? Om dat laatste op te lossen, bracht ik haar een dik boek: *Het geheime dagboek van Adriaan Mole*. Ik verwijderde het boek uit de bibliotheekcollectie. Niemand zou merken dat het weg was, want het was alsof het er nooit gestaan had.

Daarmee liep ik, terwijl Pandora les kreeg en Claire zich druk maakte voor de gasten, naar hun kamer. De deur stond open – ik had niet anders verwacht. Zo hoorde het in de commune en Claire was wel de laatste die communeregels zou breken. Ik voelde me toch een soort inbreker, al kwam ik alleen iets brengen. Snel sloop ik de kleinste slaapkamer binnen, en ik legde het boek onder Pandora's kussen. Ik stopte er een briefje bij.

Dit is het boek waar ik je over vertelde. De beste vriendin van Adriaan heet Pandora, net als jij. Bijzonder, hè? Je mag het houden. En ik hoop en duim dat je moeder bijtrekt. Liefs van Stella.

Ik zwaaide de kamer uit. Een raar gebaar, wist ik, want met hun kamer had ik niks. Maar het zat me helemaal niet lekker dat ik geen contact meer had met Pandora. Zij was de enige in de commune die me meteen accepteerde en begreep. Hè bah, wat voelde ik me zielig en melancholisch. Om een meisje van tien!

Nu moest ik snel naar Antwerpen. De bus vertrok al bijna, en die ging maar een keer per uur. Ik sjeesde door de gangen.

'Stella!' riep iemand in het voorbijrazen. Edgar.

'Ik kan nu niet praten,' schreeuwde ik terug.

Hij aarzelde geen seconde en rende achter me aan. Door de hoofdingang naar buiten, over het paadje naar de poort, van de heuvel naar beneden en door het dorp naar de enige bushalte in de wijde omtrek.

We waren op tijd voor de bus. Hijgend vroeg Edgar: 'Waar ga je heen?'

'Antwerpen.'

'Ik ga met je mee.' Hij klonk vastberaden. Ik wilde ertegen inbrengen dat ik voor privédingen ging en dat het niet uitkwam, maar dan zou hij doorvragen en moest ik ook vertellen over mijn column. De bus kwam de bocht om en stopte voor ons. Ik stapte in, Edgar stapte achter me aan. 'Twee retourtjes Antwerpen,' zei hij, en hij betaalde voor ons allebei.

Dus dat was dat. Of ik ging met hem naar Antwerpen en schreef mijn column niet, of ik moest hem erover vertellen met het risico dat hij ze wilde lezen.

We namen plaats op de tweepersoonsbank direct achter de chauffeur, waar die ons niet kon zien. 'Antwerpen.' Edgar staarde uit het busraam aan zijn kant. 'Wat een goed idee. Ik ben alweer veel te lang niet in de stad geweest. Af en toe heb ik een dosis leven nodig.'

'Precies!' verklaarde ik verrukt. Elke keer dat ik met hem was, werd ik meer bevestigd in mijn gevoel dat Edgar en ik geestverwanten waren. Op dat moment besloot ik het erop te wagen. 'Maar ik ga niet alleen voor het opladen van mijn batterijtje,' begon ik.

'O?'

'Weet je nog dat we het hadden over internet in de commune? Ik beweerde dat ik het nodig had voor mijn bibliotheekzaken, maar dat is onzin. De werkelijke reden is dat ik...' Ik aarzelde. Kon ik nog terug? Aan Edgars verwachtingvolle blik te zien, kon ik dat niet. Het was nu of nu. 'Dat ik een column schrijf. Over de commune. En die moet ik naar de redactie sturen. Via internet.'

'Straf!'

'Dat krijg ik wel als ze erachter komen, ja.'

'Ik bedoel gaaf, cool, tof!'

'Weet ik,' lachte ik. Soms kon ik het niet laten grapjes te maken over het Vlaamse taalgebruik. Vooral in benarde situaties kwam de simpele humor goed van pas. 'En ik ben blij dat je het straf vindt.'

'Wat dacht je! Ik kom erachter dat ik een columniste ken! Vertel me alles.'

En dat deed ik, de hele busrit lang. Dat ik journalist voor

Mariquita was geweest, dat mijn contract niet verlengd werd, dat ik op hun verzoek naar de commune ging om er columns over te schrijven. Het was een verademing om iemand alles te vertellen, hem in vertrouwen te nemen.

Vlak bij mijn café stapten we uit de bus. Ik nam Edgar op sleeptouw en bestelde voor ons allebei de grootste beker espresso. 'Daarmee houd ik mezelf op de been tijdens het schrijven,' verklaarde ik.

'Wat heb je het toch zwaar.'

'Je hebt geen idee. Het leven van een columnist gaat niet over slappe thee.'

'Zo! Deze is sterk!' zei Edgar na de eerste slok van zijn espresso.

'Sst. Je mag nu niks meer zeggen totdat ik weer praat. Ik ga naar een staat van opperste concentratie.'

Hij knikte plechtig. Ik opende een nieuw document en begon meteen met typen. Edgar keek uit het raam naar de drukte op het plein en ik schreef eerlijk op dat het leven in de commune, anders dan ik al die tijd had doen voorkomen, eigenlijk een gevangenis was.

Na twintig minuten was mijn column af. Ik sloeg het document op, draaide de laptop om, nam een slok koffie en kuchte. 'Klaar. Lees maar.'

Zijn ogen gleden razendsnel over het beeldscherm. 'Wow,' was zijn reactie.

'Wat vind je?'

'Knap geschreven.'

'Etter! Wat vind je van de inhoud?'

'De spijker op zijn kop. Maar waarom zit je dan nog in de commune?'

'Ik schrijf over de commune. Schrijven is het belangrijkste. En zolang ik er af en toe tussenuit kan knijpen naar de stad, zoals nu, is het goed vol te houden. Maar ik kan hetzelfde wel aan jou vragen.'

Edgar glimlachte. 'Ik denk er vaak over na. Over weggaan. Soms maak ik plannen. Ik heb mijn koffer al eens gepakt, zelfs. Op banen gesolliciteerd.'

'Vaak?'

'Een paar keer. De laatste tijd vaker dan hiervoor.'

'Vandaar dat je soms zo onverklaarbaar weg was. Maar het was niet wat je wilde?'

'Mja. Je weet hoe dat gaat. Ik ben gewend geraakt aan de luxe van de commune. Het is zo makkelijk, blijven. Maar voor jou... Jij moet je leven niet vergooien daar, joh. Ze willen je vast ook als columnist wanneer je niet in die suffe commune zit.'

'Vergeet niet dat dit mijn eerste columnistenklus is. Ik moet het nog waarmaken.'

'Als ik dit zo lees, heb je dat allang gedaan.'

'Meen je dat?'

'O jazeker. Je bent een groot talent.' Hij bloosde. 'Maar nu heb ik goesting in een grote portie frietekes,' herpakte hij zich met een zwaar aangezet Vlaams accent. 'Jij ook?' vroeg hij.

Frietekes vond ik onweerstaanbaar, en ik liep genoeg hard en hard genoeg om de calorieën er weer af te krijgen, en ik wilde de pret niet bederven, en om al die redenen bij elkaar had ik er inderdaad zin in, dus ik knikte zo hevig dat mijn hoofd haast van mijn nek af knikte.

Edgar kende de absolute friettempel van Antwerpen, beweerde hij, en daar bestelde hij twee grote puntzakken vol hompen gefrituurde aardappel met erbovenop een dikke klodder Belgische mayonaise.

Ze smaakten voortreffelijk, zoals beloofd. De friettempel van Antwerpen maakte zijn naam waar. 'Ik wil je iets bijzonders laten zien,' zei ik na het doorslikken van mijn laatste frietje.

'Wat dan?'

'Dat zie je als we terug zijn. Heb je straks nog tijd?'

'Voor jou heb ik alle tijd.'

'Slijmjurk.'

15

'Waar gaan we heen?' vroeg Edgar. Hij en ik liepen door de wijn-gaarden naar het heuvelachtige gebied dat weliswaar bij de commune hoorde, maar waar bijna nooit iemand kwam. 'Wat is het ver!'

'Wacht nou maar af, we zijn er bijna.' Ik herinnerde me de route naar het hutje toch wel goed? Ja, Michelle was precies zo gelopen. Dit moest het zijn.

En inderdaad, daar was het met planken aangelegde pad over de top van de heuvel. De planken waren nog nat van de regen de nacht ervoor en ik hield me vast aan het hoge gras langs het paadje. Edgar volgde toen ik boven was, ik gaf hem mijn hand ter zekering.

'Je maakt het me alvast niet makkelijk,' vond hij.

'Makkelijk is niet leuk.'

Via het smalle, kronkelige zandpad aan de andere kant van de heuvel leidde ik de weg naar het knusse houten hutje. Ik weet niet meer zo goed wat ik in mijn hoofd had gehaald. Misschien dacht ik dat door Edgar mee te nemen naar deze plek, hij het-zelfde zou doen als Yvo met Michelle. Misschien wilde ik dat wel. Meer dan een vriendschap. Dat kon. Toch?

Ik was er zelf nog niet over uit.

'Hier is het,' kondigde ik trots aan. Ik opende de deur van het hutje. Binnen was het muffig, dus gooide ik ook een raam open.

Tegelijkertijd gooide ik een stapel houtblokken in de open haard, en ik stak ze aan met een paar aanmaakblokjes en een lange lucifer.

'Hoe kom je hierbij?'

'Deze hut hoort tegenwoordig bij het grondgebied van de commune. Vroeger woonde hier een schapenhoeder, maar die is jaren geleden vertrokken. Nu mag iedereen ermee doen wat hij wil.'

'Wat raar dat niemand me dat ooit verteld heeft.'

'Ik weet het ook pas sinds kort. Het is denk ik iets voor ingewijden.'

'Het uitzicht is hier prachtig,' vond Edgar, die bij het open raam stond. 'Je kunt zo het hele dal aan deze kant van de heuvel zien. Dit landschap zie je vanuit de oude abdij nou nooit.'

Ik kwam naast hem staan. Het dal was net zo nat als de heuvel. Koeien en schapen stonden in hun stallen. In de verte ging de zon onder. Het was inderdaad een prachtig plaatje.

Edgar legde zijn arm om mijn middel, wat een warm gevoel teweegbracht in mijn buik en borst. Hij gaf een kusje boven op mijn hoofd. Met mijn een meter zevenenzeventig was het niet gebruikelijk dat een man zo ver boven me uit torende en ik vond het wel wat hebben. Ik voelde me een meisje in plaats van een vrouw.

Er kwam een koude windvlaag binnen. De muffigheid was alweer verdwenen, dus ik sloot het raam en warmde mezelf bij de brandende haard. Ik voelde me beland in een Sherlock Holmes-achtig tafereel. Hoewel ik de boeken over Holmes nooit had gelezen (misschien moest ik dat maar eens doen), was dat de associatie die ik kreeg in de schemering, in een hutje met een haardvuur.

'Zo, kijk hier eens.' Edgar trok een kast open die zo te zien fungeerde als voorraadkast voor het hutje. Wijn, zoutjes, crackers, een paar kuipjes pindakaas en chocoladepasta, sinaasappelsap... Een klein assortiment houdbaar voedsel en drinken stond klaar. Ook aan glazen, een kurkentrekker en schaaltjes was gedacht. 'Het is denk ik de bedoeling dat we het hier gezellig maken.'

'Laten we dat dan maar doen,' zei ik. Ik pakte een fles wijn, de kurkentrekker en twee glazen. Achter de wijn kwam ook nog een onaangebroken fles wodka in beeld. 'Of heb je zin in een wodka-jus?'

'Dat is nogal een damesdrankje, vind je niet. Ik drink mijn wodka liever puur.'

'Pure alcohol, zul je bedoelen.'

'Ja, bijna wel. Aangelengd met een beetje water. Anders brandt het je slokdarm af. En je maag.'

Visioenen van een verschrompelende slokdarm en een maag die leeggepompt moest worden, verschenen in mijn gedachten. Ik zette de fles wodka resoluut terug in de kast. 'We houden het wel bij een glaasje communewijn. Ook gezellig.'

'En hij is lekker, vind je niet? Ze maken hier uitstekende wijn. Ik zou hem kopen als ik hier niet woonde.' Hij maakte de fles open en schonk de beide glazen tot de helft vol. We zaten tegenover elkaar voor de haard en keken afwisselend naar het vuur en naar elkaar. Ik werd er nerveus van. Ik was toch niet bezig alweer verliefd te worden? Niet écht?

Nee, natuurlijk niet. Pff.

Uiteindelijk was hij degene die de spanning verbrak – tijdelijk. Hij zette zijn wijnglas op tafel, duwde de kurk terug in de fles. Zijn schoenen zette hij voor de open haard neer. 'Het is donker. Wat zeg jij: zullen we hier blijven slapen?'

Voor de vorm keek ik even uit het raam. In het donker teruglopen naar de abdij, over de nog gladde heuvels waar geen verlichting was, was geen optie.

Ik zette mijn schoenen naast de zijne en trok mijn spijkerbroek en vest uit. Daarin kon ik niet slapen. Mijn beugelbeha frommelde ik onder mijn shirtje vandaan. De rest – sokken, string en shirtje – hield ik aan. Edgar kleedde zich uit tot zijn boxershort. Hij kroop als eerste onder de lakens van de bedstee.

Het bed was niet berekend op twee personen. Ik schoof het moment dat ik naast hem moest gaan liggen voor me uit met dralen en doen alsof ik mijn haar kamde met mijn vingers, maar dat kon ik niet veel langer volhouden. Hij merkte dat ik er moeite mee had en draaide zich met zijn hoofd naar de muur. Ik ging op de rand van het bed zitten. Het enige wat ik hoefde te doen, was mijn benen op het bed zwaaien en mijn hoofd neerleggen. Een simpele handeling. Maar god, wat was het moeilijk.

Ik haalde diep adem, trok mijn benen omhoog, legde ze recht naast die van Edgar neer en liet mijn hoofd op het kussen rusten. Ik lag zo dicht bij hem, dat ik mijn neus zonder er een centimeter voor op te schuiven in zijn haar kon steken. Mijn handen trilden en mijn hart bonkte als een bezetene. Aan de kans op seks wilde ik niet eens meer denken.

'Gaat het?' vroeg hij.

'Ja. Ik lig.'

'Het is voor mij ook spannend,' gaf Edgar toe, en dat was geruststellend. Hij hoefde voor mij niet de stoere man te zijn die het allemaal heel normaal vond.

Hij ging op zijn rug liggen. Langzaam draaide hij zijn gezicht weg van het plafond van de bedstee, mijn kant op. Onze neuzen raakten elkaar en een schok ging door me heen. Edgar glimlachte en ik smolt.

Het was mijn beurt om initiatief te tonen. Ik kuste hem, half op zijn lippen en half op zijn wang. Edgar beantwoordde de kus zachtjes en gaf aansluitend kusjes op mijn neus, mijn voorhoofd en in mijn hals. Hierop sloot hij zijn ogen. 'Welterusten, lieve Stella.'

'Welterusten.' Ik liet zijn hand mij begeleiden terwijl ik me omdraaide. Mijn billen nestelden zich tegen zijn onderbuik en zijn hand rustte vlak onder mijn ribben. Het bed was op deze manier groot genoeg voor ons samen en ik viel binnen vijf minuten in slaap.

De volgende ochtend werd ik doezelig wakker doordat Edgar het werd. Hij aaide met zijn hand over mijn buik en ik had al niet zo vast geslapen, dus ik opende mijn ogen en stak mijn beide armen voorzichtig in de lucht om me uit te rekken.

'Goedemorgen.'

'Goedemorgen. Nou ja… Is het al morgen?' Het was nog best donker in de hut, dus ik betwijfelde het. Ik stapte uit de bedstee en haalde mijn mobieltje uit mijn tas, die naast de haard lag. Het vuur brandde inmiddels niet meer. Wel was het de hele nacht redelijk warm gebleven. 'Halfacht,' meldde ik. 'Het blijft steeds langer donker.'

'Over een halfuurtje ontbijt in de abdij. Heb je honger?'

Ik knikte, al viel het mee. De wijn van de avond ervoor had zijn werk gedaan en ik voelde me slapjes. Zittend op een van de houten stoeltjes frommelde ik mijn beha weer onder het shirtje, trok mijn spijkerbroek en vest weer aan en fatsoeneerde mijn haar door het bijeen te knopen met een elastiekje dat ik in mijn tas vond. 'Toonbaar?' vroeg ik Edgar, die er door alleen zijn overhemd en broek weer aan te trekken alweer prima uitzag. Hij had natuurlijk wel die warrige *out of bed look* in zijn haar, maar die kon hij hebben. Voor een boekhouder was hij best casual.

'Prachtig,' was zijn vleiende antwoord. Ik wist niet in hoeverre ik hem kon en moest geloven, maar nam het voor het gemak van hem aan. Veel kon ik er toch niet aan veranderen. Er was geen water, geen make-up en geen schone kleding voorhanden.

'Laten we gaan,' zei hij ongeduldig. 'Ik rammel.'

We liepen over de heuvel en door de wijngaarden terug naar de commune. Van alle spanning die ik gisteren gevoeld had, was niks over. En dat terwijl we niet eens *all the way* waren gegaan. Ik voelde me totaal op mijn gemak na een nacht tegen Edgar aan slapen in slechts een string en een shirtje. Dat zette me wel weer extra aan het twijfelen of wat wij hadden niet gewoon een goede vriendschap was.

Aan de ontbijttafel zaten al redelijk wat bewoners toen we binnenkwamen. Nu ziet iedereen dat we met elkaar hebben geslapen, ging het door mijn hoofd. Of denken ze dat we inderdaad gewoon vrienden zijn? Vervolgens vroeg ik me af wat ik zelf liever wilde. En als ik al wist wat ik wilde, dan had ik ook nog met een andere partij te maken. Kortom: ik liep weer eens behoorlijk op de zaken vooruit.

Maar Edgar streelde wel opzichtig over mijn hand onder het keurende toezicht van zeker vijf nabijgezeten communeleden. Hij maakte geen geheim van wat hij van me vond. Ik, stomme koe, trok mijn hand geschrokken onder de zijne weg toen tot me doordrong wat hij deed. In een onhandige beweging stond ik op alsof dat mijn bedoeling was geweest. 'Even een broodje halen,' excuseerde ik me. 'Iemand anders ook nog?'

Ik pakte voor mezelf een kaiserbroodje en zocht een paar andere broodjes bij elkaar voor in de mand op tafel. De grote eters verorberden alles voordat de normale eters aanschoven en de keukenploeg at tegelijk met de rest, dus de tafelvoorraden moest je zelf bijvullen. Met de mand vol verse broodjes draaide ik me om, om bijna tegen Claire op te botsen. Ik keek haar verbaasd aan. Ze ontliep me al anderhalve week, dus ze stond daar niet toevallig. Dat was aan haar blik ook goed te zien.

'Jou wil ik direct na het ontbijt spreken,' zei ze. 'Op mijn kantoor.'

'Waar gaat het over?'

'Daar kom je dan wel achter. Tot zo.'

Verbouwereerd liep ik terug naar de tafel. Ik gooide mijn kaiserbroodje in de mand; ik had op slag geen trek meer. Claire klonk wraaklustig en zo zag ze eruit ook.

'Wat was dat nu?' vroeg Edgar.

'Al sla je me dood. Ze wil me zometeen spreken, in haar kantoor.'

'Daar zit een luchtje aan.'

'Waarom denk je dat?' Ik had Edgar niet verteld over mijn herenigingsactie met haar moeder.

'Er zit een luchtje aan alles wat Claire doet,' lachte hij. 'Zal ik met je mee gaan? Als mentaal supporter?'

Ik schudde snel mijn hoofd. 'Nee, ik red me wel. Claire kan me niks maken, toch? Bovendien moet jij zo aan het werk. Ik begreep van Michelle dat jullie het druk hebben.'

'Dat is waar, maar… Awel, zo je wilt. Ik ben in de geest bij je!'

'Houd jij je hoofd maar bij de cijfertjes, dat is belangrijker dan Claires gezeur.' Ik stond op en zwaaide met een onhandig handje naar hem. Claire was al weg, dus ik liep rechtstreeks naar haar kantoor. Daar aangekomen gaf ik een roffeltje op de deur.

'Ben jij dat, Stella?'

'Ja.'

'Kom binnen.'

Ik duwde dc klink naar beneden. De deur opende zich met een

oorverdovend gepiep. Hij heeft wat olie nodig, dacht ik, maar mijn gedachten verstomden meteen toen ik zag wat er op Claires bureau lag. Een stapel tijdschriften. *Mariquita*. Het enige wat ik op dat moment nog dacht, was: shit.

'Zo zo, mevrouw de columniste.' Claire tikte aritmisch met haar wijsvingernagel op de bovenste *Mariquita*. Het was mijn exemplaar. Dus daarom moesten de kamerdeuren altijd open zijn: zodat zij door de spullen van medebewoners kon snuffelen.

Zo zo, mevrouw de privacyschender – dat had ik moeten zeggen. Maar zoals altijd bedacht ik dat pas een paar dagen later. In plaats van een gevatte opmerking te maken, stond ik als verdoofd in de deuropening. Starend, van de tijdschriften naar Claire en van Claire naar haar bloedirritant tikkende nagel en toen begon het staarcirkeltje weer van voren af aan.

'Dus het leek jou wel leuk om hier te infiltreren.'

'Ik eh… Nee.'

'*Que?*'

'Het was niet mijn idee,' perste ik eruit.

'Goh. Maar je deed het wel. Wat maakt jou dat dan?'

Ik overwoog de opties. Een speelpop? Een slappeling? Een stommeling? Nee! Dat was ik niet. Ik was een slimme journalist die een kans greep wanneer die zich voordeed. En een kans om columnist van een groot blad te worden, liet je niet schieten. Onder geen enkele voorwaarde. Al moest je er in je ondergoed voor naar de Noordpool fietsen, je dééd het. Maar ja, wat kon Claire daarvan weten? Zij was slechts een simpele gastvrouw.

'Enig idee?' drong ze aan.

Ik schudde mijn hoofd.

'Ik zal je helpen: een huichelaar!'

Ze reageert haar eigen frustratie op je af, hield ik mezelf voor. Laat het over je heen komen. Ze heeft iemand nodig om haar woede kwijt te raken. Pandora is niet geschikt en de andere communeleden weten van niks, je bent gewoon eventjes de zondebok. En nu doorbijten.

'Heb je de huisregels wel gelezen?'

Ik knikte. Meerdere keren zelfs. En ik wist dat ik fout zat, maar ik wist ook dat zonder overtreding mijn initiële doel verloren ging. De commune wás de column. Daarbij vonden veel communeleden de huisregels overtrokken. Ze werden dagelijks overtreden, dat was niet eens een geheim.

'Dan ben je er vast ook van op de hoogte dat je als communelid gebonden bent aan geheimhouding. Je ervaringen in een populair blad optekenen druist rechtstreeks tegen die regel in.'

'Ja.'

'Is dat alles wat je erover te zeggen hebt?'

'In principe wel.'

'Voel je niets van… schuld?'

'Nee.'

'Spijt?'

'Ook niet.'

'Ik snap jou niet, Stella. Toen je hier kwam, vond ik je een waardevolle aanwinst. Je was enthousiast en vrolijk en hardwerkend. Maar je rare gedrag viel me steeds meer op. En nu kom ik er ook nog achter dat je een column over ons schrijft. Dat is onacceptabel.'

'Ja, nu weet ik het wel!' Er knapte iets in me. De manier waarop Claire me zogenaamd poeslief toesprak – ik kotste ervan. Ze benoemde mijn enige misstap, vergrootte die uit tot onredelijke proporties, en sloeg haar eigen situatie over, terwijl die nu juist cruciaal was. 'Het is volgens jou onacceptabel, onvergeeflijk, ongelooflijk. Maar weet je wat, Claire? Ik kwam hier tenminste met een zuiver doel.'

Ze proestte het uit. 'Vind je?'

'Vind ik! In tegenstelling tot jou, mag ik wel zeggen. Wat voor mens sluit zich nu op in een afgelegen commune, alleen omdat ze op de vlucht is voor haar moeder, die haar niets misdaan heeft? Nota bene met haar toen nog eenjarige dochter erbij? Dat je jezelf afsluit van de buitenwereld, vind ik tot daaraan toe. Dat moet je helemaal zelf weten. En of je wel of geen contact hebt met Fien, is ook aan jou. Maar denk eens één seconde aan Pandora. Zij stompt hier af. Ze kent geen leeftijdgenootjes, ze ziet haar oma nooit en haar intelligentie komt hier totaal niet tot zijn recht. Dát is een misdaad. Het staat misschien niet in de huisregels of in het wetboek, maar het is waar. Je verpest je dochter. En dát, Claire, is onacceptabel. Onvergeeflijk. Ongelooflijk.'

Ze keek me met ijskoude ogen aan. 'Ik heb erover nagedacht en wil je nog een kans geven. Je bent een uitstekende bibliothecaresse en kunt een waardevolle toevoeging zijn aan de commune. Maar dan moet je stoppen met je column.'

'Ik peins er niet over.' Hiermee stapte ik uit de deuropening en gooide de deur dicht. Zelfs al had ik de commune buiten mijn strubbelingen met Claire geweldig gevonden, wat ook al niet echt het geval was, dan nog zou ik mijn column nooit opgeven. Daar had ik de afgelopen tijd al mijn energie uit gehaald.

In blinde razernij rende ik naar mijn kamer, haalde een koffer onder mijn bed vandaan en gooide daar de belangrijkste spullen in. Ik klapte het ding dicht en rende ermee naar de bushalte. Alsof het zo moest zijn, kwam precies op dat moment de bus het dorp binnenrijden. Zonder omkijken stapte ik in, gooide wat geld voor de buschauffeur neer en nam het wisselgeld klakkeloos aan.

Pas in Antwerpen, na een reis die ik in een roes beleefd had, begon het nadenken. Ik kon nergens heen.

Ik kocht lukraak een kaartje naar Amsterdam en stapte in de eerste trein die daarheen ging. Met mijn koffer veilig opgeborgen in het bagagerek plofte ik neer op zomaar een stoel. Binnen vijf minuten viel ik in slaap.

16

'Jongedame!' Er schudde iemand aan mijn schouder. 'Jongedame, wakker worden! We zijn in Amsterdam.' De man die me wakker maakte, lachte toen ik mijn ogen opendeed. 'Amsterdam!'

'Bedankt,' mompelde ik. Hij was duidelijk blijer dan ik met de aankomst. Het liefst was ik voor altijd in de trein door een niemandsland blijven rijden en doezelen. Dan ging ik nergens heen omdat de trein mijn eindstation was. Wat leek me dat heerlijk.

Onwillig pakte ik mijn koffer uit het bagagerek, en ik stapte het perron op. Amsterdam-Centraal. Hier had ik sowieso niks te zoeken. Ons appartement was ons appartement niet meer en mijn baan was mijn baan niet meer.

Is er leven op Pluto? Kun je dansen op de maan? Is er een plaats tussen de sterren waar ik heen kan gaan?

Er was maar een plaats waar ik zonder meer geaccepteerd zou worden: bij mijn ouders. Ik haalde een treinkaartje naar Deventer uit de automaat, kocht een sesambagel bij de AH to go en een *Mariquita* bij de AKO.

In de trein sloeg ik het tijdschrift open. Deze *Mariquita* kende ik nog niet. Hij lag waarschijnlijk bij Fien, maar bij haar durfde ik na het hele gedoe niet meer langs te gaan, tenzij ik Pandora mee kon smokkelen, en dat was me vooralsnog niet gelukt. Zou me ook nooit meer lukken. Ik was verbannen.

De column van deze week ging over de hardloopwedstrijd in Brussel. Het was alsof ik het verhaal van iemand anders las. Alles wat er in België gebeurd was, stond mijlenver van me af nu ik weer in Nederland was, een ervaring rijker en een illusie armer.

Ik las het blad helemaal door om de tijd tot Deventer te doden. Mijn ouders woonden vlak bij het station, ik kon er lopend naartoe. De koffer op wieltjes sleepte ik achter me aan. Terug zijn in Deventer was thuiskomen. Ik was op mijn achttiende naar Amsterdam verhuisd voor mijn studie, maar nog steeds was Deventer mijn *home town*. Er was ook zo weinig veranderd. Natuurlijk waren er wat straten omgegooid en waren er nieuwe winkels in oude panden gekomen, maar het gevoel was hetzelfde.

'Stella!' Mijn moeder kwam meteen naar de voordeur toen ze mij voorbij het raam zag lopen. 'Wat doe jij hier nu weer? Je had het toch zo naar je zin in België?'

'Lang verhaal,' zuchtte ik. 'Ik vertel het je een andere keer. Waar het op neerkomt, is dat ik niet meer in België woon en dat ik nu nergens heen kan. Behalve hier. Mag ik een tijdje bij jullie blijven? Gewoon tot ik weet waar ik heen kan?'

'Zo lang je wilt, lieverd. Ik maak de logeerkamer voor je in orde. Kom gauw binnen. Het eten staat al op tafel. We hebben voor jou geen slavink, maar je mag de helft van de mijne hebben.'

Ik zette mijn koffer in de gang neer en schoof aan tafel, waar mijn vader, mijn broer en zijn vriendin al aan zaten. Op zondag aten zij vaak bij mijn ouders. Tom en Karin woonden vlakbij, in Olst, en konden makkelijk en vaak over de vloer komen.

Bij het zien van hun gezichten wist ik dat er geen ontkomen aan was. Ik moest vertellen wat er gebeurd was. Tussen de happen door legde ik de hele geschiedenis uit. Iedereen hing aan mijn lippen. Ze hadden mijn columns nauwgezet gevolgd, maar daarin had ik slechts zijdelings over Claire en over de sfeer in de commune geschreven.

'Wat een verhaal,' vond mijn broer.

Karin viel hem bij: 'Dat er nog mensen zijn die zo bekrompen denken! Het is maar goed dat je daar weg bent, want dat is geen plek voor een vrije ziel zoals jij.'

'Inderdaad,' bromde mijn vader met een halve slavink in zijn mond.

Een vrije ziel, inderdaad. Ik was geen type voor vrijwillige opsluiting in een bekrompen commune. Glimlachend nam ik een hap van mijn moeders doperwtjes uit blik. Heel wat anders dan de superverse groentes in de commune, maar die hoefde ik ook niet meer – niet met de nare bijsmaak die alles van daar nu had.

'Hoe gaat het dan verder met je column?' vroeg mijn moeder.

'Ik weet het niet. De afspraak was dat ik die vanuit België schreef, maar dat kan nu niet meer.'

'Nou en? Je schrijft hartstikke leuk, schat. Ze zijn gek als ze je laten gaan.'

'Dank je wel, mam.' Mijn moeder vond alles wat ik deed geweldig. Het was mooi dat ze me zo onvoorwaardelijk steunde, alleen kon ik daardoor niet op haar oordeel afgaan. Ik wist diep vanbinnen dat ik mijn column kwijt was. Het enige waarop ik kon hopen, was dat ik dankzij de toch wel redelijk leuke stukjes in mijn portfolio weer een baan als tijdschriftjournalist kon krijgen.

Na het eten sloot ik mijn laptop aan. Ik surfte naar villamedia.nl. Ik herinnerde me hoe ik vlak na mijn ontslag besloten had de journalistiek vaarwel te zeggen, maar herinnerde me niet hoe ik dat mogelijk had geacht. Het was simpelweg onmogelijk.

De aanbiedingen onder het kopje 'internet' waren talrijk en ook communicatiebanen waren er in overvloed, maar bij tijdschriften was er maar een vacature, voor een eindredacteur.

Moedeloos klikte ik de site weg. Ik voorzag eindeloze weken van F5'en op Villamedia, reageren op banen die ik eigenlijk niet wilde en sollicitatiegesprekken met bedrijven die mij eigenlijk niet wilden. Mijn moeder bracht me thee. 'Zie je al wat interessants, lieverd?'

'Ja. Een kopje thee.'

De volgende dag, fris van geest na een goede nachtrust en een lange douche, nam ik een belangrijk besluit.

Ik zou zo lang mogelijk genieten van mijn vrijheid. Schijt aan die stomme vacatures, ik had geld genoeg bij elkaar gespaard om het een tijd zonder waardeloze (maar goedbetaalde) baan uit te zingen. Vooral als ik bij mijn ouders woonde. Zo slecht was de logeerkamer niet. Er stond een bed, er stond een kast, er was een douche om de hoek en er stond elke avond eten op tafel.

Met alleen de pinpas van mijn volle bankrekening toog ik de stad in. Ik had het overgrote deel van mijn garderobe nog in België liggen en was niet van plan daarheen te gaan, dus ik moest minimaal wat nieuwe lingerie en een paar andere basics hebben. Het kwam me best goed uit, want dankzij het hardlopen was ik afgevallen. Echt afgevallen, ook volgens de weegschaal. Ik zat onder de zeventig kilo.

Dat was een shopfeestje waard, dat stond buiten kijf. Ik struinde alle hippe, gezellige winkelstraatjes van Deventer af en kocht twee spijkerbroeken, een trui, een blouse, nieuwe beha's, de basic HEMA-strings die altijd goed zaten en een nauwsluitende korte winterjas. Bij een koffiebar bestelde ik de grootste beker cappuccino, die het helaas niet haalde bij de koffie in Antwerpen. Sommige dingen moest ik nu eenmaal niet willen.

De rest van de week vulde ik met helpen in het huishouden, doelloos internetten en heel veel tijd in de stad doorbrengen. Ik zat eigenlijk best lekker in mijn vel op deze manier. Er waren maar twee dingen die me dwarszaten. De eerste was het verlies van mijn column, de tweede was dat ik geen thuis meer had.

Het stak. Ik praatte er met mijn moeder over, die dolblij was dat ik haar eindelijk weer eens om moederlijke raad vroeg, en zij drukte me op het hart dat ik 'heus wel' iets nieuws zou vinden.

Natuurlijk had ze gelijk. Ik had tot nog toe altijd iets nieuws gevonden. Alleen – tja. Nu diende zich niets nieuws aan. Ik moest het zelf doen en dat wilde ik graag, maar ik wist niet hoe. Meer dan ooit realiseerde ik me hoe anderen mijn leven hadden ingedeeld. Hoe ik aan andere mensen had gehangen, erop had gerekend dat anderen het goed zouden laten komen voor mij. Mijn ouders, Hilde, Michelle, Sebastiaan… ikzelf?

Anderhalve week na mijn thuiskomst kreeg ik een e-mail van Hilde. Ze vroeg zich af waar mijn column bleef.

Logische vraag.

Ik verkleinde het venster, beet de nagel van mijn pink af. Speelde een paar potjes mijnenveger. Dacht na. Of deed iets in de richting van nadenken. Ik kon een column schrijven uit het archief van mijn belevenissen. Stukje uitstel van executie. Maar ja, die executie zat er hoe dan ook aan te komen. En hij hijgde in mijn nek. Bovendien was het archief niet voor niets een archief; het was niet boeiend genoeg voor een column. En in dat geval, wist ik, was geen stukje beter dan een slecht stukje.

Mijn trillende hand wurmde het mobieltje uit mijn broekzak. De nieuwe spijkerbroeken in maat achtendertig waren strakker dan ik gewend was. Ik toetste het rechtstreekse telefoonnummer van Hilde in. Na vijf keer overgaan klonk het: 'Redactie *Mariquita*, met Nora.'

'Nora, met Stella spreek je.'

'Stel! Hoe is het? We genieten zo van je columns! Wanneer komt de volgende?'

'Fijn om te horen,' zei ik. 'Maar daar bel ik juist over. Is Hilde er?'

'Coveroverleg.'

O ja. Daarbij kon ze niet gestoord worden, tenzij het dringend was. Dus zei ik: 'Het is dringend.'

'Zal ik vragen of ze je direct na het overleg terugbelt?'

'Oké. Echt doen, hè. Direct erna!'

'Tuurlijk. En ga zo door. Je stukjes zijn geweldig.'

'Dank je wel. Doeg!' Ik hing op voor ze erover door kon gaan. Het deed me goed dat ze mijn columns zo leuk vond. Haar mening was alweer iets onafhankelijker dan die van mijn moeder. Dat nam echter niet weg dat ik ermee moest stoppen. Geen commune, geen column.

Drieëntwintig zenuwslopende minuten later belde Hilde me terug. Ze klonk gejaagd. 'Ik hoorde van Nora dat je belde. Ik dacht nog: dat moet een vergissing zijn. Met Stella mail ik altijd, want die zit in België. Maar het was dus echt zo. Wat is er?'

'Het gaat over de column. Ik kan hem niet meer schrijven.'

'Doe niet zo raar! Waarom niet?'

'Omdat ik weg ben uit de commune.'

'Hoezo dat ineens?'

Ik legde haar het verhaal beknopt uit.

'Oeps. Dat komt heel slecht uit, Stella.'

'Ik weet het. En het spijt me.'

'Wat gaan we nu doen?' vroeg ze, meer aan zichzelf dan aan mij. 'Dit is balen, maar er is een oplossing voor, heus, echt.' Ze pauzeerde. 'Waar ben je nu?'

'Deventer.'

'Valt mee. Heb je morgen iets te doen?'

'Nu wel, denk ik.'

Hilde lachte. 'Kom met me lunchen. Twaalf uur in de kantine. Tot morgen?'

'Ja. Tot morgen.' Opgelucht hing ik op. Het gesprek impliceerde dat dit geen einde was. *Er is een oplossing voor*. Ik wist niet wat ze in gedachten had, maar Hilde kennende kwam ze met een plannetje dat voor ons allebei uitstekend zou werken. Dat hoopte ik in elk geval van harte. Het mocht niet eindigen. Niet zomaar.

Om tien voor twaalf kwam ik binnen in de centrale hal. De receptioniste kende mijn gezicht nog en liet me zonder vragen door het poortje toen ik zei dat ik mijn pasje vergeten was. Mijn pasje lag in werkelijkheid tien keer doorgeknipt op de vuilnisbelt. Hier had ik uiteraard achteraf spijt van gehad, maar het was nog wel het minst serieuze dat in de opwelling na mijn ontslag sneuvelde. Het was echter wel het enige wat niet te repareren viel – mijn zelfvertrouwen en journalistieke ambitie had ik grotendeels terug, mijn pasje was ik voorgoed kwijt.

'Stella!' Nora was de eerste die mij spotte. 'Wow meid, wat zie jij er goed uit! Wat ben je slank geworden! En zo bruin... Nu even heel eerlijk,' zei ze met een streng gezicht, 'kom jij uit België, of kom je van de Malediven?'

'Gewoon uit België. Niks bijzonders.'

'Niks bijzonders, zegt ze dan! Nee, nee! Ik heb je columns gelezen, hoor, mij houd je niet voor de gek. Maar wat hoor ik nu? Stop je ermee?'

'Daar gaan we het nu over hebben,' onderbrak Hilde haar.

'Kom je mee, Stella?'

'Spannend!' vond Nora. Ze gaf me een bemoedigende knipoog terwijl ik met Hilde mee naar de kantine liep. Hadden ze het over me gehad? Nieuwtjes en roddels deden snel de ronde op de redactievloer. Hilde was discreet, maar ik had eerst Nora aan de lijn gekregen, en zij had een neus voor nieuwtjes. (Let wel: niet voor nieuws, absoluut niet. Je kon haar vragen wie de fractievoorzitter van GroenLinks was en dan keek ze je aan alsof je vroeg wat de wortel van 738 was.)

Waarschijnlijk was ik het gesprek van de dag. Het was een lekker compliment. Hoe meer er over je gepraat wordt, hoe beter. Maakt niet uit of het positief of negatief is. Onderwerp van gesprek zijn betekent hoe dan ook dat je *hot and happening* bent, zoals bekend het belangrijkste criterium in de journalistiek.

Nu ik geen pasje meer had, en dus ook geen kantinekaart, was het aan Hilde om de lunch voor haar rekening te nemen. Ik nam het ervan met een kom luxe soep, een hard broodje met oude kaas, het grote saladeschaaltje en een beker Optimel. Ik tilde het dienblad tevreden naar een tafeltje in de hoek van de kantine, waar het nog redelijk rustig was.

Binnen tien minuten zou het helemaal vollopen. Toen ik bij de uitgeverij begon, was de redactionele lunchtijd halfeen. Een voor mij onbegrijpelijke ontwikkeling zorgde ervoor dat iedereen in het gebouw steeds vroeger ging eten, waar de redactie van *Mariquita* noodgedwongen aan meedeed. Elke keer vijf minuten eraf, tot de eerste mensen al voor twaalf uur opstonden van hun werkplek. Na kwart over twaalf was het verdraaid lastig een vrije tafel te vinden en om halfeen kon je het helemaal schudden. Het was eigenlijk het omgekeerde van wat je in het uitgaansleven zag, waar iedereen steeds later van huis ging omdat iedereen steeds later ging.

Maar omdat de kantine ook de plaats was waar je zag en vooral gezien wilde worden, moest je ook weer niet te vroeg zijn. Als eerste zitten was een teken van sneuheid, en met je dienblad paraderen was helemaal een *no-go*. De hamvraag voor mij: is het ook een *no-go* als je deze kantinetrucs probeert te doorgronden, zoals ik had gedaan?

Ik kreeg gelukkig weinig kans om hierover na te denken, want Hilde schoof tegenover me aan. 'Ik vind het zo raar om jou hier weer te zien,' begon ze. 'Het idee dat jij in België zat, was al helemaal in mijn hoofd genesteld. En daar ben je ineens weer. Aan die wetenschap zal ik even moeten wennen. Tenzij je teruggaat, natuurlijk.'

'*As if.* Ik heb je het verhaal uitgelegd, dus je begrijpt wel dat dat uitgesloten is.'

'Ja,' gaf ze toe. 'En daar heb ik ook over nagedacht. Je columns zijn steengoed. Grappig, intelligent, je wilt ze echt volgen. Dat doen wij ook allemaal. Het zou zonde zijn om ermee te stoppen alleen omdat het decor verandert. Dus mijn voorstel is dat je in je volgende column opschrijft hoe je weggaat uit de commune en daarna doorschrijft over het weer oppakken van je leven. Lijkt je dat wat?'

Leek me dat wat? Ik kon haar wel zoenen! Geen commune, wél een column. 'Ja!' riep ik uit. 'Hilde, je maakt mijn hele week weer goed. Natuurlijk wil ik dat.'

'Ik kan me voorstellen dat het lastig is om alleen rond te komen van ons honorarium voor de columns. Dat lukt misschien in een commune, maar in het gewone leven is het te weinig. Daarom heb ik wat voor je.' Ze reikte onder de tafel, waar haar tas stond, wat ik al zo vreemd vond omdat niemand ooit zijn hele tas meenam naar de kantine, waar alleen oversized portemonnees en mobieltjes bij het modebeeld hoorden. Op tafel verscheen een zwartleren map. 'Hierin zitten je beste producties in je tijd bij *Mariquita*. Natuurlijk een paar columns, maar ook interviews en reportages.'

Ik bladerde door de map. De opgemaakte pagina's uit een paar jaar *Mariquita* moesten een beeld geven van mijn kunnen. En dat lukte. Bij iedere pagina werd ik trotser op wat ik had gemaakt. 'Dit is te gek, Hilde. Dank je.'

Ze schoof me een papiertje toe. 'Dit is je rooster voor vanmiddag. Ik heb vijf chefs en hoofdredacteuren gestrikt om een halfuurtje met jou om tafel te gaan. Ze zijn al bij voorbaat overtuigd, want ik heb behoorlijk over je opgeschept.'

'Maar wat moet ik dan doen?' vroeg ik geschrokken. Het was

super dat ze zo veel sollicitatiegesprekken voor me regelde, maar ik was daar helemaal niet op voorbereid. Ik was er niet op gekleed en ik wist ook zelf niet zo goed wat ik wilde. Bij de besluitvorming over mijn volgende stap had mijn verblijf in Deventer net zo min geholpen als dat in België. Wilde ik weer een baan binnen deze uitgeverij? Weer een appartement in Amsterdam? Weer zwoegen voor iets wat ik misschien nooit zou bereiken?

Ik was er niet van overtuigd dat ik daar blij mee zou zijn.

'Gewoon, praten. Ontdekken of je wat voor elkaar kunt betekenen.'

'Misschien ook als freelancer?' opperde ik tot mijn eigen verbazing. En het was niet eens zo'n gek idee. Voor alle tijdschriften van de uitgeverij werkten freelancers, die gewoon vanuit huis hun stukken aanleverden. Dat kon dan zelfs vanuit Antwerpen, wat ideaal zou zijn. Die stad trok me ondanks het gedoe met Sebastiaan nog steeds aan. Ik had getwijfeld over België, maar nooit over Antwerpen. Daar wilde ik heel graag zijn.

'Waarom niet? Ik zie jou een heel eind komen als freelance journalist. Je hebt altijd goede ideeën, houdt je aan de deadline en kunt volgens mij voor veel doelgroepen schrijven. Ik denk dat je er perfect geschikt voor bent.'

'Ja,' mijmerde ik. 'Dat denk ik ook.'

Mijn brenger van slecht nieuws had zichzelf omgetoverd tot een redder in nood. Het gevoel dat ik aan de telefoon had gehad, klopte: mijn carrière eindigde niet. Tijdens de rest van de lunch praatten we over mijn gesprekken met andere redacties. Hildes selectie was uiterst zorgvuldig en ze was er zeker van dat het zou klikken tussen mij en mijn gesprekspartners, ook al wilde ik niet in vaste dienst voor ze werken.

Ze kreeg gelijk. Meteen in mijn eerste gesprek, aansluitend op de lunch, kreeg ik het aanbod om een proefopdracht te doen voor het betreffende blad. De volgende chef-redactie die ik sprak, zette me op een interview met een actrice die over twee weken in het land was en bij weer een ander mocht ik kandidaten zoeken voor een rubriek.

Ik zweefde van het ene gesprek naar het andere. De aanbiedingen om te werken belandden moeiteloos op mijn bordje, zonder dat ik een echt sollicitatiegesprek hoefde te voeren. Na alle vijf ontmoetingen huppelde ik terug naar mijn oude redactie.

'En?' vroeg Nora, die er natuurlijk weer als eerste bij was.

'Hoeveel heb je al gehoord?'

'We weten sinds vanmorgen al wat Hilde je aanbiedt,' lachte ze. 'En ze heeft ook al verteld dat je freelancer wilt worden. Hoe ging het? Is je portfolio goed ontvangen? Ben jíj goed ontvangen?'

'Uitstekend,' zei ik in volle overtuiging. 'Ik ben vanaf nu freelance journalist. En ik ga in Antwerpen wonen.'

Met precies dezelfde zinnen opende ik het avondeten bij mijn ouders thuis. Ik had in de trein talloze keren door mijn prachtige portfolio gebladerd en legde het naast mijn bord neer. Van mij, van mij, van mij.

'Dus je wordt ondernemer,' zei Tom.

'Zoiets.'

'Dapper van je, zusje. En dan ook nog vanuit Antwerpen?'

'Inderdaad.'

Mijn moeder keek vertwijfeld naar me. 'Zou je dat nou wel doen? Je kunt hier best nog even blijven. Ik vind het niet erg om je hier te hebben.'

'Ik blijf ook nog wel even. Tot ik een plekje heb gevonden in Antwerpen. Ik wil dit echt doen, mam.' Het was de eerste keer dat ik ergens helemaal uit mezelf, zonder aanzet van iemand anders, voor gekozen had. Dit was een stap dichter naar mezelf toe.

Uiteindelijk bleef ik niet lang meer in mijn ouders' huis. Ik vond binnen een week een appartement in Antwerpen. Het was vrij duur, maar ontzettend mooi gelegen, op loopafstand van 'mijn' grand café. Ik verhuisde alle spullen vanuit de garagebox van Michelles moeder ernaartoe en binnen drie weken nadat ik België had verlaten, was ik er weer terug. En nu voorgoed – of tenminste voor zo lang als ik kon bedenken.

In mijn nieuwe appartement miste ik mijn favoriete vest, alle paren schoenen en de andere in de commune achtergebleven spullen plotseling drie keer zo erg als bij mijn ouders. De slaap-kamer had een inloopkast die ik zonder al deze kledingstukken en schoenen niet vol kreeg. Een schande, want elke vrouw met een inloopkast weet dat je die ten volste behoort te benutten.

Ik moest mijn lot onder ogen zien: ik kon mijn tijd in de commune alleen afsluiten als ik mijn laatste bagage ophaalde. Dus stapte ik op de eerste zaterdag na mijn verhuizing in een gehuur-de auto, zette de muziek hard aan en reed erheen.

Maar voordat ik Antwerpen uit reed, moest ik nog ergens langs. Ik had het voor me uit geschoven omdat ik het zo druk had en omdat ik me schuldig voelde, maar ik moest weten hoe het met Fien ging. Haar had ik in de steek gelaten, zonder dochter en nu ook nog zonder kleindochter, en dat gaf me meer kopzor-gen dan me lief was.

Ik parkeerde in één vloeiende beweging in het vak voor de stoffenwinkel en stapte uit. 'Stella!' hoorde ik direct roepen. Over de auto heen zag ik mijn vermoeden bevestigd: Pandora was aan het touwtjespringen op de stoep. 'Wat kom jij hier doen?'

'Je oma opzoeken. En jij?'

'Ik woon hier nu. Mama en ik zijn vlak na jou verhuisd. Ze is op zoek naar een ander huis, want we hebben hier te weinig ruimte. Maar nu wonen we nog even hier. Bij oma. Dus...' Ze keek samenzweerderig en fluisterde: 'Ons plannetje is toch gelukt.'

'Is je moeder ook binnen?'

'Ja.'

Het bekende geklingel van de deurbel verwelkomde me in de winkel. De plaats waar ons plan gesmeed was, een plan dat blijk-baar toch meer nut had gehad dan in eerste instantie leek. Ik wist wel dat Claire tot inkeer zou komen wanneer ze haar moeder zag. Oké, het was niet meteen gebeurd, maar uiteindelijk was ze tot inzicht gekomen. Er kwam een hernieuwde zelfverzekerdheid over me terwijl ik naar het keukentje liep.

Fien en Claire zaten samen aan de keukentafel alsof ze nooit negen jaar gescheiden waren geweest. Op de laptop voor Claires neus stond de site van een makelaar open. Voor haar was de commune dus ook verleden tijd.

'Hallo, Stella,' zei Fien, die mij als enige zag.

Zichtbaar geschrokken draaide Claire zich naar me toe. Haar wangen kleurden van zachtroze naar knalrood. 'Hallo, Stella,' zei nu ook zij. 'Kom bij ons zitten.'

Ik nam plaats op de stoel aan de andere kant van de tafel. Voorheen stonden hier twee stoeltjes, nu waren het er drie. Ze woonden hier dus al een tijdje met zijn drieën. Niet wetend wat ik moest zeggen keek ik rond in het keukentje. Behalve de extra stoel was er niks veranderd. Het was nog steeds klein en het rook er nog steeds meer naar stoffen dan naar iets anders.

'Je vraagt je af wat ik hier doe,' zei Claire.

'Nee hoor,' zei ik. 'Heeft Pandora al verteld.'

Ze knikte. 'Het is dankzij jou dat ik hier zit.'

'Nou, dat is iets te veel eer. Het was een idee van ons alle drie. Fien, Pandora en ik, we hebben het gezamenlijk bedacht én uitgevoerd. Dus je kunt de mensen om je heen net zo goed bedanken als mij,' betoogde ik.

'Jullie plannetje trok mij niet over de streep. Wat ik nodig had, was een confrontatie. En die gaf jij me. Weet je nog wat je tegen me zei vlak voordat je de commune uit stormde?'

Ik schudde mijn hoofd. De essentie ervan wist ik wel, want ik had gemeend wat ik zei, maar ik wist echt niet meer in welke bewoordingen ik het haar duidelijk had gemaakt. Voor onthouden was ik tijdens mijn razernijbui te woedend geweest.

'Je verpest je dochter,' herinnerde ze me. 'Dat zei je. Het is waar. Ik verpestte alles voor haar. Dat ik dat niet zag.' Claires ogen werden rood. 'Het spijt me zo vreselijk. Na haar geboorte wilde ik alleen het beste. Ik dacht… Ik dacht dat alleen ik haar het beste kon geven. Maar in mijn eentje redde ik het niet. En ik was te trots, te verdomd trots om toe te geven. Toen kwam ik iemand uit de commune tegen. Ik stortte mijn hart uit en hij vertelde me dat hij een hele groep mensen kende die voor Pandora kon zorgen. Een lerares, mensen die koken, mensen die schoonmaken. Het leek de perfecte wereld. Geloof me, ik heb haar nooit willen afsluiten van sociale contacten of van de buitenwereld. Het spijt me zo, zo ontzettend erg.'

'Het is nu toch goed,' suste Fien. Ze aaide haar dochter over haar wang en nam een traan mee. 'Je bent bij ons en Pandora gaat naar een school waar ze andere kinderen leert kennen.'

'Ik baal ervan dat het zo lang moest duren voor ik erachter kwam.'

'Tja, lieve... Je had je kop in het zand. Laten we blij zijn dat hij er nu terug uit is.'

'Ik moet alleen nog wat zandkorrels uit mijn ogen wrijven,' lachte Claire, 'dan is het weer helemaal goed met me. Afijn. Nu weet je hoe het zit, Stella, en weet je ook hoe dankbaar ik jou ben. Zonder jou waren ik en Pandora nooit uit de commune losgekomen.'

'Maar wat doe jij hier eigenlijk ineens?' vroeg Fien.

'Ik wilde weten hoe het met jou gaat. Ben nu op weg naar de commune...'

'Nee toch!' Claire sloeg haar hand voor haar mond, haar ogen werden groot.

'...om mijn achtergelaten spullen op te halen. Ik heb nu een appartementje hier in Antwerpen en ik mis wat dingetjes.'

Haar gezicht ontspande. 'Een pak van mijn hart. Die plek is net zo min iets voor jou als het was voor Pandora.'

'Weet ik. En mijn inzicht heb ik net zo goed aan jou te danken als andersom.' Ik stond op. 'Ik ga verder. We zien elkaar vast nog weleens, nu ik hier woon. En zo niet, dan wens ik jullie alle geluk van de wereld. Met elkaar, met jullie levens, met de huizenjacht.'

'Dag, Stella. Bedankt voor alles.'

Op weg terug naar de auto kwam ik Pandora weer tegen. Het springtouw lag inmiddels verlaten op de stoep, Pandora zat in kleermakerszit onder de luifel van de stoffenwinkel. Ze schreef in een nieuw schriftje.

'Is je andere schrift vol?' vroeg ik terwijl ik naast haar kwam zitten.

'Er is veel gebeurd.'

'Ja. Ik heb het gehoord.'

'Waar ga jij nu heen?' Pandora stopte met schrijven en keek naar me op. Haar pen klikte ze met haar duim open, dicht, open, dicht, open, dicht. Het schriftje schermde ze voor me af. Nog steeds privé.

'De commune. En daarna naar mijn nieuwe thuis.'

'Ik krijg ook een thuis. Eindelijk.' Ze legde haar hoofd op mijn schouder. Ik gaf haar een kus op haar kruin en stond op. 'Als je terug bent,' vroeg ze, 'schrijf je me dan? Misschien kan ik een keer langskomen.'

'Wie weet,' zei ik. Beloftes deed ik niet meer. Het risico dat ik ze niet kon waarmaken, was me te groot.

Ik stapte in de auto, toeterde, zwaaide en reed weg, nu zonder omwegen naar de commune. Na het fiasco had ik gedacht dat de hoop op een hereniging tussen oma, moeder en dochter vergaan was. Dat uitgerekend ik degene was die Claire tot inzicht had gebracht, vond ik fantastisch. En nog wel in een uitbarsting van opgekropte frustratie. Tevreden reed ik de heuvel op naar de abdij.

Ik parkeerde de auto voor de poort. Het enige wat ik hoefde te doen, was mijn koffers pakken en weer wegrijden. En even bij Michelle langs. Ik moest op zijn minst afscheid van haar nemen.

Ik vond mijn ex-huisgenoot en -kamergenoot op haar bed, luisterend naar een elpee. Ze keek verrast op toen ze mij zag. 'Wacht even, ik zet de platenspeler uit,' zei ze. 'Yvo vindt het maar niks om te praten met muziek aan. Hij zegt dat het me afleidt van het gesprek.'

'Doet het ook,' beaamde ik. 'Maar dat is leuk.'

'Weet je het zeker? Dan laat ik 'm aan. Heerlijke muziek, dit. Het is een plaat van Level 42. Toen wisten ze ook al wat loungen was. Genieten joh.' Michelle droomde even weg. 'Maar hé, ik heb je gemist! Je was ineens weg. Waar was je?'

'Je had me toch kunnen bellen,' zei ik. Het irriteerde me al vanaf een paar dagen na mijn vertrek dat ik niks van haar gehoord had. Ik was dan wel een afvallige met wie de rechtgeaarde bewoners niets te maken wilden hebben, maar ik was óók haar vriendin.

'Zou je denken, hè. Stomme is dat ik mijn telefoon verzopen heb in de wc. Het ding geeft geen kik meer. Hier zijn wel telefoons, maar daar staat jouw nummer niet in. En internet is er ook al niet.'

'Het is hier behoorlijk achtergebleven.'

'Maar dat is goed. Ik heb het nodig. Anders ben ik de hele dag alleen maar bezig met bellen, sms'en, mailen, weblogs checken, al dat geneuzel. Ik merk dat ik hier tot mezelf kom. Bah, dat klinkt wel erg zweverig. Nou ja, je begrijpt wat ik bedoel.'

'Ik begrijp het. Dus je blijft hier?'

'Voorlopig wel. Yvo en ik willen op den duur misschien verhuizen. Hij heeft een soort van plan om een boerderij over te nemen. In Brabant, misschien, of in Drenthe. Er zijn tegenwoordig best veel boeren die hun bedrijf niet aan een eigen zoon kwijt kunnen. Een melkveehouderij vindt hij het mooist.'

'En wat word jij dan? Boerin?'

'Zoiets. Boerderijboekhouder,' grinnikte ze. 'Ik zie het allemaal wel.'

'Je bent relaxt geworden, zeg.'

'Dank je. Maar hoe zit het nou met jou? Waarom was je ineens weg?'

'Ruzie met Claire. Ik mag mijn columns over de commune niet meer schrijven. Dus ga ik ze schrijven over mijn *life after*. Hilde heeft wat voor me geregeld en nu begin ik als freelance journalist. Vanuit Antwerpen.'

'Wat tof!'

'Ja. Hilde is te gek. Ik verwachtte niet alles zo snel weer op de rit te hebben na zo'n onverwachte wending, maar dankzij haar maak ik een vliegende start.'

'Is Claire ook weg vanwege jou?'

'O, hebben ze jullie daar niks over verteld! Ze is niet weg om mij, maar wel dankzij mij. Ik viel tegen haar uit. Hoe ze Pandora hier gevangen hield, was kindonwaardig. Dat meisje kende niemand van haar eigen leeftijd tot ik haar meenam naar Antwerpen. Dat liet ik haar stevig weten. Blijkbaar drong ik eindelijk tot haar door.'

'Wat goed! Weet je… Sinds zij hier weg is, is iedereen een stuk makkelijker. Vrolijker, ook. Behalve Edgar. Al geloof ik dat zijn humeur weinig te maken heeft met Claire en des te meer met

jou. Hij zal nu ook wel in de bibliotheek zijn. Daar is hij de laatste tijd elke vrije minuut. Zit hij een beetje te lezen in jouw stoel.
Het is hartverscheurend.'

'Zegt hij ook iets over mij?'

'Nee. Niks over jou, niks over wat dan ook. Hij doet zijn werk,
eet zijn eten, slaapt zijn nachten. Voor de rest leest hij alleen
maar.' De plaat liep af, Michelle draaide hem om en zette de
naald er weer op.

Ik pakte de plaathoes van Level 42 en krabbelde er mijn nieuwe, Belgische telefoonnummer op. 'Bel me. Doen hè.'

Michelle trok me naar haar toe. Zo hield ze me minutenlang
vast. Ik maakte me uiteindelijk los uit haar omhelzing, gaf haar
een voorlopig laatste kus en liep naar boven, naar mijn eigen
oude kamer. Alles lag daar nog precies zoals ik het had achtergelaten. Het was een bende.

Ik trok de grote koffer en de tas onder het bed vandaan. Door
de vele aankopen paste niet alles erin, dus ik zocht een paar dingen uit die naar de kringloopwinkel konden. De rest propte ik zo
dicht mogelijk op elkaar.

De spullen voor de kringloopwinkel liet ik opgestapeld in de
gang achter. Met de tas en koffer sjouwde ik de trappen af. Naar
de bibliotheek. Als wat Michelle vertelde waar was – en ik kon
geen reden bedenken waarom het niet waar zou zijn – zat Edgar
daar. Ik werd met elke stap nerveuzer.

Ik duwde de zware deur open. Het was licht en warm in de
bibliotheek, het haardvuur brandde. Edgar zat in mijn luie stoel
met zijn voeten op een bijgeschoven poef. Hij keek in de vlammen, niet in het boek op zijn schoot. Ik kuchte. Hij draaide de
stoel bij. 'Stella!'

'Hoi,' zei ik onhandig.

'Waarom was je weg?' vroeg hij. 'Ik werd gek zonder jou. We
hadden zo'n klik!'

'Echt?'

'Dat voelde jij toch ook. We sliepen nota bene samen in een
eenpersoonsbedstee!'

'Anderhalf.'

'Een,' hield hij vol.

'Ik wist niet wat ik daarmee wilde. En wat jij wilde.'

'Alles, Stella. Van begin tot eind. Ik wil jou al zo lang.' Edgar had een geestdrift in zijn stem en in zijn blik die me onnoemelijk boeide. Ik keek hem recht in zijn ogen zonder de drang om te knipperen of weg te kijken. 'De eerste keer dat Claire me bij jullie riep, raakte ik al van je in de ban. Ik baalde dat Michelle mijn collega werd en niet jij. Maar het was beter dan niets, toch? Via haar hoopte ik dichter bij jou te komen. Helaas lukte dat maar matig. Dan maar via de bibliotheek, dacht ik. Om jou begon ik met lezen. Gelukkig, want de boeken waren alles wat ik had om mijn gedachten van jou af te zetten. Vooral toen je plotseling uit de abdij verdween. Ik hád het niet meer.'

'Sorry. Ruzie met Claire, heel verhaal.'

'Snap ik.' Hij gebaarde naar mijn koffer. 'Kom je terug of ga je weg?'

'Ik ga weg. Had hier nog wat spullen staan, die kwam ik ophalen.'

'Je gaat naar Nederland.'

'Nee. Ik ga naar Antwerpen. Daar woon ik nu,' zei ik, zachtjes.

Edgar stond op. 'Straf. Ik ga met je mee.'

'Naar Antwerpen?'

'Ja. Als jij het goed vindt.'

'Dat weet ik niet, hoor,' zei ik, bang dat hij me anders net zo makkelijk voor zich zou winnen als Sebastiaan had gedaan, en dat ik daardoor het hele doel van 'op eigen benen staan' overboord zou gooien. 'Ik denk...' Ik slikte. Wilde ik dit doorzetten?

Ja. 'Ik denk dat het beter voor mij is om eerst echt iets voor mezelf op te bouwen. We kunnen wel vrienden blijven. Maar waarom zoek jij niet ook iets buiten de commune? Dit hier is toch niks voor jou. Dat heb je zelf zo vaak gezegd. Kom ook in Antwerpen wonen.'

'Zodat ik jou kan veroveren.'

'Misschien. Maar ik moet je waarschuwen: dat wordt niet makkelijk.'

'Hoe zei je het ook alweer? 'Makkelijk is niet leuk.' Ik wil niet makkelijk. Ik wil leuk, Stella. Ik wil jou. En daar ga ik heel hard mijn best voor doen.' Hij kwam naar me toe, omvatte mijn gezicht met zijn zachte boekhoudershanden en drukte zijn lippen op de mijne.

'Dank je,' zei ik.

'Waarvoor?'

'Ik weet niet. Je vasthoudendheid, denk ik.'

'Als ik iets zie wat ik mooi vind, ga ik ervoor.' Hij pakte me onder mijn billen, tilde me op zijn schouders en maakte een rondje met me door de bibliotheek.

Oké dan, besloot ik ergens tussen de humoristische fictie en de klassieke literatuur. Ik ging het proberen. Maar rustig aan, deze keer, en volgens mijn eigen spelregels. Het moest mogelijk zijn: op eigen benen staan en tegelijk een relatie met iemand opbouwen. Met iemand die eerlijk was en oprecht werk van mij maakte, *no strings attached.*

'Kom mee,' zei ik. 'Pak je spullen en kom mee naar Antwerpen. Ik heb tot je een eigen appartementje vindt wel een logeerkamer voor je.'

'Yes! Ik hou van je, Stella.'

'Ik ook,' zei ik. En het was waar. Voor het eerst in mijn leven hield ik echt, onvoorwaardelijk van mezelf.